*El teatro del 98 frente
a la sociedad española*

José Monleón

El teatro del 98 frente a la sociedad española

CÁTEDRA

EDICIONES CÁTEDRA, S. A. Madrid

© Ediciones Cátedra, S. A., 1975
Cid, 4. Madrid-1
Depósito legal: M. 35.128-1975
ISBN: 84-376-0054-5
Printed in Spain
Impreso en Neografis, S. L.
Santiago Estévez, 8. Madrid-19
Papel: Torras Hostench, S. A.

Índice

Introducción

Buena parte de los trabajos que van a continuación aparecieron en su día en *Triunfo* y *Primer Acto*. Fueron textos escritos al calor y la exigencia de la vida teatral española, sobre todo, cuando, por cumplirse sus centenarios, la gente se creyó en la obligación de honrar la memoria de Unamuno, Arniches, Valle y Benavente. Podía, tomando por base lo que entonces escribí, haber rehecho los trabajos. Pero, salvo algunas correcciones mínimas y la incorporación de algunas notas, he preferido respetar los artículos originales, convencido de que la unidad de su enfoque evita la estructura fragmentaria de tantos libros de recopilaciones.

Quiero dejar muy claro ante el lector que éste no es un libro erudito, hecho en bibliotecas, consultando los textos de los estudiosos y almacenando los datos en las fichas. Yo no soy un profesor de literatura sino un hombre de teatro. Y mis juicios tienen como fundamental y discutible valor el ser de primera mano, estimulados por una representación, la lectura directa de los textos dramáticos o la observación de una actitud social frente al autor. Sólo buscando la razón de esta actitud he tenido que asomarme en algún caso, y sólo atento al trazo dominante, a la información de la realidad histórica que, por razón de edad, yo no he vivido.

Tres trabajos, los dedicados a Azorín, a Baroja y a los Machado, sí han sido escritos pensando en la posibilidad de este libro, aunque el segundo se haya publicado anteriormente en *Primer Acto*. Lo hago constar porque revela la ausencia de tales nombres —aunque en este punto no esté de más decir que la censura ha prohibido el estreno de *La leyenda de Jaun de Alzate* y de *El horroroso crimen de Peñaranda del Campo*, de Baroja— en la vida teatral española de nuestros días.

Es obvio que no me he planteado discutir el concepto de

Generación, ni el de si hubo o no hubo una Generación del 98, ni siquiera el de los nombres precisos que la integran. Otros se han extendido ya sobre una materia que tiene en el conocido libro de Laín Entralgo la más cálida de las exaltaciones. Ya digo que mi óptica es otra.

Yo he partido de la adscripción generalmente aceptada de unos autores a la Generación del 98 y he comentado sus dramas y la relación que existe entre ellos y el «aparato teatral» español, incluido en el concepto las características de nuestro público. Si un Valle y un Benavente aparecen tantas veces antagónicos entre sí, a otros toca decir si van o no van bien bajo la etiqueta de una Generación. Desde la perspectiva de este trabajo, tal antagonismo no sólo no molesta en absoluto sino que ayuda a establecer las distintas posiciones adoptadas ante nuestra realidad histórica, viniendo las diferencias a clarificar y precisar lo que fue propio de cada uno.

El conjunto de trabajos encierra una cierta crítica de nuestra sociedad, en la medida que postula aquella idea, tan bien expresada por García Lorca, de que el teatro es el barómetro de la salud de un pueblo. Creo yo que en el encuentro de los autores examinados con la sociedad española, en sus artículos teóricos y en sus dramas, en sus éxitos y en sus fracasos, existe un valioso material para entender mejor lo que ha sido España en nuestro siglo. Lo que es ahora mismo.

Finalmente añadiré que si los estudiosos de la literatura procuran omitir sus propias opiniones para no perturbar las que tuvieron los personajes estudiados, mi caso no es ése en absoluto. Ya digo que un examen de la obra total y de la personalidad de cualquiera de los autores contemplados requiere uno o varios volúmenes, según han probado cumplidamente quienes se entregaron a tan meritoria tarea. Mi planteamiento es distinto. Y en cada trabajo existe una confrontación muy clara entre las ideas fundamentales del autor y las que yo tengo, como hombre español de este tiempo, interesado por el fenómeno teatral, y en posesión de una nunca escamoteada perspectiva ideológica.

Con lo que, en última instancia, el libro es el testimonio de cómo «hemos visto» bastantes de nosotros el teatro de Unamuno, Valle, Baroja, Arniches, Benavente, Azorín y los Machado, mucho antes que un intento, tal vez ingenuo, de explicarlos totalmente. La crítica teatral no existe como ciencia. El juicio

opera desde unos supuestos dados que, a menudo inconscientemente, se omiten y forman una base ideológica que se tiene por
cierta. Por mi parte, he procurado escapar a ese mecanismo conservador y me he decidido, sin ningún temor por saberme vul-
nerable, a formular el acta de mis encuentros con estos autores
considerables de las letras españolas. El hecho de que muchas
de tales actas hayan aparecido en una revista de las características de *Triunfo* les da, me parece, cierto no desdeñable carácter
de documento.

JOSÉ MONLEÓN.

Madrid, agosto de 1975

Unamuno

Un dramaturgo puesto en cuestión

I

Para el presente trabajo, he tenido que acercarme a Unamuno a partir de una de sus dedicaciones: el teatro. Y aún dentro de esa concreción, he tenido que elegir un determinado ángulo de síntesis. En Unamuno hay «otros» Unamunos, quizá porque él supo integrar en su multipersonalidad todos esos «otros» que muchos llevamos callados. Unamuno escuchó, despertó a todas sus voces. Por eso, es un autor contradictorio, paradójico y completo. Se echó el universo a cuestas y no tuvo otra medida que la unamuniana. Fue, por ello, tachado de ególatra. Ha sido, por ello, atacado y defendido por una misma cosa. Unamuno no es una obra teatral, literaria o ensayística; Unamuno es un ser vivo, que cada cual se apropia, para admirarlo o vituperarlo, desde supuestos no siempre racionalizables. A Unamuno se le critica, para bien o para mal, con apasionamiento, con fervor o con saña, como si se tratase de un fenómeno que activa lo más hondo de nosotros mismos.

Yo he elegido un camino para hablar de él. Pero sé que hay «otros» Unamunos; que cada uno de nosotros tiene perfecto derecho a pensar que lo fundamental es «otra cosa». Estoy, por otra parte, seguro de que «lo fundamental» de Unamuno o se dice en unas pocas líneas o es inexpresable; y quizá lo es porque está siempre ligado no a un concepto, a un discurso, sino a una vivencia. De Unamuno, por decirlo en otras palabras, admiramos o denigramos, dejando aparte la obra, una actitud, una insobornabilidad, una gran lucha.

«Ya comprendo que tengo que ser un mal juez de obras de teatro, porque no me produce éste gran entusiasmo, y hasta

15

tengo cierta antipatía por él»[1], escribía Baroja, el hombre que se asomó al teatro español de su tiempo, lo vio con la nitidez con que él veía, y se marchó. «Se piensa organizar un Teatro Nacional. Este teatro no responde a ninguna necesidad. Para construirlo y mantenerlo se necesitará dinero. El dinero ha de sacarse de las cargas que pesan sobre los contribuyentes»[2], explicaba Azorín, para quien el Nobel de Echegaray daba la medida de la esterilidad social del teatro. Valle Inclán, por su parte, arremetía contra Galdós en las tertulias —Galdós había rechazado, como director del Español, *Divinas Palabras*— y también contra los hermanos Álvarez Quintero. Y Unamuno, entre las innumerables afirmaciones contra el teatro español de su tiempo, es decir contra la mayor parte del teatro que se estrenaba en España, sentenciaba:

> «Hoy al autor suele abrumarle la educación libresca; ha pasado por él la peste de nuestro bachillerismo y suele ir al teatro formado en el teatro mismo»[3].

La unanimidad crítica de los hombres del 98 respecto del teatro español de su tiempo es clara. No le gustaba a nadie. El caso de Benavente, que muchos sitúan en la Generación del 98 —aunque haya razones para sostener que se fue apartando de los determinantes históricos y actitudes críticas de la misma; Benavente murió a manos del público mucho antes de su muerte física—, es distinto, porque luchó y claudicó, a diferencia de los Valle, Unamuno o Baroja, que son, todavía, escritores vivos y actuales. Benavente, en un excelente trabajo publicado en 1909, decía:

> Hay un calificativo que es el mayor enemigo de la obra de arte, y es el de la cualidad que más estima nuestro público: lo bonito. Cuando nuestro público ha dicho de una obra que es bonita, ha expresado su mayor entusiasmo. Pues bien: las

---

[1] Pese a esta afirmación, durante la brevísima etapa en que ejerció la crítica teatral en *El Globo* (del 29 de octubre de 1902 al 3 de diciembre del mismo año), Baroja formuló una serie de juicios de gran agudeza. Ver trabajo dedicado a Baroja más adelante.

[2] Artículos de Azorín sobre Teatro Nacional, en *La Farándula*, edic. Librería General de Zaragoza, 1945, págs. 101-119.

[3] «La regeneración del teatro español», en *Teatro Completo de Miguel de Unamuno*, Madrid, Aguilar, pág. 1138.

obras de verdadera grandeza artística no suelen ser bonitas; hay en ellas atrevimientos, y en todo atrevimiento hay violencia, rudos contrastes de belleza y de defectos, cierto aparente desorden que las hace parecer confusas a quien las considera detalle por detalle sin abarcar la totalidad; todo lo contrario de la obra bonita, la obra de la medianía, toda perfiles, toda ponderación, toda simetría; la obra agradable, la obra que parece y no es, la obra preferida por nuestro público...[4].

Creo que valía la pena empezar por aquí, para que se vea que la hostilidad de Unamuno contra el teatro de su tiempo no era una cosa personal, sino encuadrada dentro de una concepción crítica de la que participaron varios escritores. Esto es importante por dos razones: una, para juzgar a Unamuno, y otra, para juzgar a los que han heredado su inconformismo, a menudo tachados de resentidos, de malditos de capillita. Y, por sobreentendido queda, que si unos son herederos de Unamuno, otros lo son del Marquina que escribe obras bonitas a la medida de María Guerrero.

No es una casualidad que Valle y Unamuno sean dos autores que dan que escribir y que pensar a nuestros universitarios o a nuestros críticos y ensayistas jóvenes. El actual dilema entre el «teatro bonito», o «teatro del teatro», y el que tipifican los Valle y Unamuno, sin que esto signifique unificar las obras de ambos, muy distintas entre sí, pero armónicas en su funcionalidad renovadora, es prácticamente el mismo que Unamuno se planteó; sólo que, claro, Unamuno y Valle tuvieron que escribir ese teatro «anti-bonito», atrevido, desordenado y auténtico, mientras nosotros contamos ya con él. Con Valle y Unamuno creo yo que comienza «la que pudo ser historia moderna» del teatro español, la historia fallida o aplazada de un teatro distinto al que han determinado las estructuras mercantiles, privadas y socialmente estrechas de la escena española del siglo xx. El que *Los cuernos de Don Friolera* siga sin representarse por las compañías profesionales, o el que Unamuno siga

---

[4] Dentro de las contradicciones que descubre su lectura desde nuestra perspectiva actual, los artículos reunidos bajo el título general de «Pan y letras» *(Obras completas,* tomo VI), Aguilar, págs. 609 y ss., y de «Acotaciones» (pág. 871 y ss. del mismo volumen) recogen una serie de opiniones benaventinas sobre el teatro español de su tiempo de gran interés.

siendo juzgado desde los «supuestos teatrales» que él condenó, prueba que el viejo problema subsiste y que cabe abordarlo tomando por base la realidad teatral de esta temporada o de cualquier otra de nuestro siglo. Los títulos y autores que, en cada ocasión, escapan a la línea dominante, no hacen más que testimoniar sobre la existencia de ese «otro teatro», contrapuesto al tradicional.

Podría pensarse que éste es un sencillo problema de calidad y talento dramáticos. Que hay autores buenos, autores mediocres y autores malos. Creo yo que éste sería un mal planteamiento de la cuestión, porque lo que está en juego es el «concepto» del teatro, la aceptación de su función cultural y reveladora, o su reducción al simple papel de entretenimiento y negocio. Alfonso Paso tiene toda la razón del mundo cuando afirma que él ha llevado, durante varias temporadas, el teatro español a sus espaldas; que, gracias a él, unos actores han podido trabajar, unos empresarios ganar dinero, y un público ocupar las butacas. Sólo que esto puede no significar absolutamente nada, a partir de una estimación del teatro como fenómeno cultural y no como simple hecho laboral y económico.

> En tanto haya pueblo que no pueda ir al teatro —escribía Unamuno—, por no tener humor, ni dinero, ni tiempo para ello, será el teatro teatral, y el arte será mezquino artificio en tanto sea la función de artista profesión y oficio especializado y haya quienes se dediquen a hacer dramas, novelas, sinfonías y cuadros como quien se dedica a construir zapatos o sillas[5].

Hay en este párrafo unamuniano dos consideraciones. Una se refiere a la «ausencia del pueblo» de los teatros; otra, a la «profesionalidad» de los autores. De ambos puntos hay que hablar, porque a través de ellos se articula perfectamente el pensamiento dramático de Unamuno.

Hablemos primero del público. ¿Quién va al teatro en España? Quisiera no caer en uno de esos fáciles esquemas, que hacen del público un monopolio burgués, conservador y poco inteligente. No hay duda de que en un teatro como el nuestro, «pagado por el público» —y de eso también quiero hablar—, la línea dominante ha de ser exactamente la que ese público

---

[5] «La regeneración del teatro español», *ob cit.*, pág. 1556.

imponga. Por eso se hace tan difícil hablar de teatro sin hablar de público, desvincular nuestra historia social de nuestra historia teatral. Nuestro teatro ha sido lo que el público ha querido, y el valor ejemplar de los Unamuno o los Valle es que han planteado la necesidad de luchar contra el público tradicional, de cambiar la estructura del público. Y no olvidemos que si un novelista o un poeta pueden trabajar seguros de que encontrarán, uno a uno, los destinatarios de su obra; que si una novela o un poema existen ya cuando esperan al lector, una obra de teatro vive y es —deja de ser literatura dramática— al ponerse en pie, al pisar la escena, al encontrar al actor y al público. ¡Qué duro, qué difícil, esto de escribir drama tras drama sin que «las gentes de teatro» estén dispuestas a representarlo! ¡Qué ejemplo tan formidable el de don Miguel para sentirse firmes y seguros frente a esos argumentos sensatos que dicen que una obra es «universal» por el hecho de haber sido traducida a otros idiomas, o que es buena «porque se ha representado cientos de veces», o que es «poética» porque así lo dicen la mayor parte de los espectadores y los críticos!

Si el teatro lo dicta el público, y no se está de acuerdo con el teatro, es necesario, para racionalizar y enriquecer el desacuerdo, examinar al público.

¿Qué público es el que va al teatro en España? Por lo pronto, hay una división fundamental. Está el público «que va» regularmente. Está el público potencial de ese «otro teatro», el que raramente se hace, y que acude cuando sabe que la obra en cuestión lo representa. Está el público ocasional, el transeúnte, el que no va habitualmente al teatro, pero que, un sábado o un domingo, o el día de las bodas de oro, o con ocasión de un viaje a Madrid, se mete en la sala, normalmente atraído por el nombre de algún actor o alguna actriz que ha visto en el cine o en la televisión.

Hubo un tiempo en que al teatro sólo iba una minoría y por una razón: porque era la única que, repitiendo la expresión de Unamuno, tenía dinero y humor para ir. Yo creo que la situación no ha cambiado gran cosa. Al teatro deja de ir mucha gente, sencillamente porque no le interesa en absoluto lo que se representa. Gente que se aburre en el teatro y que lo considera —en función de lo que ha visto las escasas veces que se ha metido en él— esquemático, falso, retórico, anacrónico.

19

El teatro es caro, absurdamente caro, si lo consideramos un fenómeno cultural, es decir, algo que debe estar al alcance de la totalidad del país. Pero lo cierto es que muchos españoles no van porque no les interesa. Tanto como un problema de precios es un problema de obras. Es decir, de temas. Es decir, de vida.

El fenómeno de los cierres progresivos de los teatros en las provincias españolas no puede ser más sintomático. Habiendo subido el nivel de vida y habiéndose ampliado el número de espectadores económicamente posibles, los teatros mueren desasistidos y buscan la escapatoria cinematográfica. Los cómicos, al desprenderse de su traje de bufones de la burguesía, llegan a la provincia como hombres anacrónicos, como los oradores de una antigua y ya olvidada batalla electoral, como los protagonistas de unos juegos florales. Entre nosotros y el teatro hay una pavorosa distancia. El teatro no es nuestro. Ni siquiera de los que se sientan en la butaca. El teatro es un heredero de otro teatro, que necesita un público heredero de otro público. ¿Pero qué tenemos que ver nosotros, nuestros problemas individuales y nuestros problemas de españoles de aquí y de ahora, con esas historias extrañas, con ese recetario de situaciones que nos proponen desde el teatro? ¡Nada, absolutamente nada! Y nos quedamos en espectadores perdidos, totalmente desinteresados por el teatro, o, como es mi caso y el de otros muchos, en fieles de un teatro que rara vez se representa. Desde cuya actitud, no se nos ocurre decir que puesto que el teatro de hoy sigue haciéndolo el hábito de un público, no sabemos si vivo o muerto, con mentalidad histórica de Restauración, allá él con su teatro, sino que seguimos adelante, por ejemplo hablando de Unamuno, ese autor discutible pero vivo, caliente en sus dramas, próximo, que irá al cielo o al infierno por su obra de escritor, en lugar de, simplemente, haber vivido de ella.

Unamuno pensaba que el teatro ha de hacerse para el pueblo. Que importa el drama y no el dramaturgo, en la medida que el autor auténtico es el pueblo y el escritor es una especie de intermediario, un catalizador de las vivencias colectivas. Pueblo no significa proletariado. Su concepto es más amplio.

El pueblo es el hombre, el que no se menciona en la historia oficial, pero el que a la larga, a través de la intrahistoria, es su motor y su víctima. Todos formamos parte del pueblo y lo que Unamuno pide —en pugna con los intereses minoritarios, con los privilegios de grupo o de clase— es un teatro que nos afecte a todos, que se aproxime a todos. Lo que se trata es de contar con un público que proceda de la totalidad, que la represente, y con un teatro creado por quienes vivan en el seno problemático de esa totalidad.

Este es el público que quiere Unamuno. Pero, ¿cómo tener ese público? ¿A qué realidad social corresponde? Parece que la cuestión puede debatirse en dos planos. Uno, de orden revolucionario. Y otro, de orden reformista. El primero exigiría la transformación radical de la sociedad, para que de tal transformación surgiese un pueblo sin clases, en el que la cultura, y por tanto un teatro entendido como tal, fuese patrimonio y expresión común. El segundo, más modesto, más evolucionario que revolucionario, exigiría la organización, desde el Estado, de un teatro libre, con fuerte subvención económica para vivir sin preocupaciones mercantiles. Un teatro, por decirlo en otras palabras, puesto en manos de los mejores hombres de teatro, y apoyado económicamente para que llegase a los más, al modo como, por ejemplo, se desarrolla actualmente en Suecia.

Unamuno pensaba que había que seguir el camino grande, el de las revoluciones sociales, aunque, bien mirado, también el que podría parecer en mis palabras camino estrecho, las impulsa. Por eso fue político; por eso se adhirió a cuantos irrumpieron en la vida española con afanes de revolución y progreso. El preguntarnos por qué retiró estas adhesiones después, plantea, con independencia del examen de las distintas ocasiones en que lo hizo, que es cosa ajena a este trabajo, una de las motivaciones de su dramática: su falsa concepción de la «política» como la obra de un «político», fatalmente destinada al fracaso; como una contradicción entre la grandeza del individuo —entre la grandeza de Unamuno— y la mediocridad interesada de los demás. Como otra agonía, en tanto que el Uno, el hombre, el Yo, ha de ser inmortal en los Otros, y éstos —los otros de nuestra sociedad contemporánea— se muestran torpes y mezquinos.

Pero de esto quiero hablar luego, al entrar en el examen de la temática de los dramas de Unamuno. Ahora estábamos planteándonos los supuestos estructurales del teatro español, lo que hace que en los carteles de Madrid estén las cosas como están, que nuestros autores, nuestros actores, y nuestros directores, sean los que son y como son, aceptando que seguimos, más o menos, en la etapa de Unamuno, o, al menos, bajo la herencia de los mismos condicionamientos. Esta continuidad de problemas, esta guerra heredada entre dos concepciones del teatro, hace, el tema especialmente importante, por cuanto a través de las luchas teatrales de Unamuno nos explicamos a nosotros mismos.

Estaba el camino ancho, el camino de la transformación social total e inmediata, para hacer surgir de ella ese teatro del pueblo y para el pueblo. ¿Qué hacer mientras tanto? Volveré a citar a Benavente, cuya específica dedicación al teatro le hace hablar con una mesura y un realismo, insuficientes frente al problema total, pero que tienen el sabor de lo posible, de lo que está al alcance de la mano. La idea corresponde al Benavente joven y aún rebelde.

> En la vida de las sociedades modernas, ¿no fue siempre el teatro gran propagandista y vulgarizador de ideas, de problemas, de protestas sociales, que sólo por el teatro supieron llegar a la multitud? Por secreto instinto, la multitud desconfía de toda verdad doctrinaria, sacerdotal o política. Sabe que sacerdotes y políticos aman demasiado su verdad, la de ellos, y que la verdad no admite posesivos, mía ni nuestra, la verdad es de todos. En la actual organización social, el teatro, como industria de empresas particulares, sólo puede ser popular por la baratura; pero ¡ay! que del teatro ofrecido al pueblo en esas condiciones puede decirse lo que del chocolate de a peseta: más barato, podrá ser; peor, imposible. Para ofrecer al pueblo, al verdadero pueblo, espectáculos de arte decorosos sería precisa la subvención del Estado, o, en su defecto, la de las Corporaciones [6].

Dejemos este tema que, por sí solo, consumiría muchas páginas. Esbozada la oposición entre Unamuno y la mentalidad del público teatral de su tiempo, y sentadas ciertas vías que posibilitarían la representación de sus dramas y las de cuantos se acogen a su concepción cultural del teatro y de sus relaciones

---

[6] De «El Teatro Popular», primero de los trabajos recogidos en *Pan y letras*, de Benavente, *ob. cit.*,

con el pueblo, quiero entrar en otro punto interesante: la discusión del concepto de «teatralidad», del que tanto habló Unamuno. Concepto que es correlativo del de «especialización», que antes señalaba como otra de las guías para adentrarnos en la crítica que hizo Unamuno del teatro de su tiempo.

Hay cuatro textos, relacionados con el teatro de Unamuno, que quiero recordar. Uno, el párrafo de una carta de Juan Barco, a cuyo juicio sometió algunas de sus primeras obras dramáticas:

> Me temo que no le haya dado toda la importancia que tiene a lo que usted llama teología de las candilejas, a lo teatral, a lo que dice Sardou ser el arte de las preparaciones. Sin esto, es inútil pensar que al público le interesen las obras teatrales, por muy grandiosas que sean las ideas y muy expresivo el lenguaje. Las distintas manifestaciones artísticas tienen, respectivamente, sus moldes propios y es defectuoso verter la novela en el molde del drama o viceversa. Usted lo sabe mejor que yo; pero yo no sé si usted le da a eso del molde teatral toda la importancia que yo le concedo. Sentiría que no y que por aquí flaqueasе el drama, reduciéndose a un mayor o menor éxito literario[7].

Es fácil imaginar el gesto de sorpresa y amargura que pondría don Miguel al verse remitido, nada menos, que a Sardou, el de «Madame Sans Gêne» y «El asunto de los venenos». Tiempo después, cuando su *Fedra* andaba desasistida en manos de Fernando Díaz de Mendoza, entonces director del Español, Unamuno escribió al chileno Ernesto A. Guzmán:

> He querido hacer un drama de pasión, y de pasión rugiente, donde hoy se hacen casi todos de ingenio[8].

Antonio Machado, en una carta escrita por las fechas en que Unamuno daba fin a *Soledad*, le decía:

> Leo cuanto usted escribe, tan amargo y verdadero, y, en medio de esta general abyección y cobardía, tan heroico y temerario. Se diría que España entera se ha embrutecido hasta convertirse en piedra y que usted golpea sobre ella como un titán[9].

---

[7] «Teatro Completo de Miguel de Unamuno», *ob. cit.*, pág. 31.

[8] «Teatro Completo de Miguel de Unamuno», *ob. cit.*, pág. 87.

[9] «Cartas inéditas de Antonio Machado a Unamuno», en *Revista Hispánica Moderna*, Nueva York, XXII (1956), 97-114, 270-285.

Y aún, para cerrar esta revisión de posiciones claves, una opinión de Enrique Díaz Canedo, quizá el mejor de los críticos teatrales con que entonces contaba nuestra prensa diaria:

> Unamuno dramático no ha tenido fortuna en España, quiero decir la fortuna de verse representado como es debido... Y aunque a muchos les sorprenda, la historia del teatro español contemporáneo, que puede prescindir de algún nombre pronunciado todos los días, no se escribiría debidamente sin el de Unamuno[10].

He aquí los portavoces del debate: el fiscal, el acusado, los testigos y el defensor. La posición tradicional representada por Juan Barco; el aplauso de su Generación, de la Generación del 98 y del «noventayochismo», a través de Antonio Machado, para quien, como para Unamuno, todo nacía en el «gran problema de España»; y la crítica inteligente, advirtiendo que la obra de muchos autores famosos duraría lo que durara el negocio de representarlos, mientras Unamuno quedaba en una especie de reserva silenciosa, innombrada, aguardando su momento. Y, junto a estas tres voces, la del propio acusado, hablando de pasiones rugientes y de tragedias desnudas, asumiendo las contradicciones del teatro español de su tiempo, consumiéndose en ellas, encarnándolas, padeciéndolas en una especie de estertor frenético.

¿Forma teatral? ¿Molde teatral? Hay en este terreno varios puntos a los que Unamuno no llegó. Yo creo, por ejemplo, que en su justificado rechazo de la «receta», cayó en el error de incluir en ella, junto a lo torpe, muchas cosas que merecen ser tomadas en serio. Unamuno, que vio poco teatro en su vida, y bastante mediocremente hecho, confundió el escenógrafo con el peluquero; en lugar de plantearse la necesidad de una depuración, de una reconsideración de todos los elementos formales que integran un espectáculo dramático, se asignó a sí mismo el papel del «bárbaro» de que habla en su artículo «La Regeneración del Teatro Español»:

> Conviene en ocasiones tales la irrupción en escena de algún bárbaro que ahuyente al público no pueblo, un azote de todo

[10] Los comentarios de «Fedra», «Todo un hombre», «Sombras de sueño» y «El otro», de Díez Canedo, aparecen en las páginas 9-23 del IV volumen de *El Teatro español de 1914 a 1936*, que reúne sus artículos de crítica teatral, México, ed. Joaquín Mortiz, 1968.

convencionalismo. No importa que fracase; ha abierto vereda por donde puedan pasar los dramas no teatrales[11].

Pero ¿qué es la «teatralidad»? En un plano rutinario, no es otra cosa que el conjunto de convenciones que garantizan el «efecto» sobre el espectador. Un espectador educado por un determinado teatro; un espectador a quien hay que hablarle en el lenguaje escénico y según las estructuras dramáticas que ya conoce. Pero, ¿no hemos quedado en que ese espectador, ese público, como entidad social e histórica, no merece ser tenido por norma? Entonces, ¿qué sentido tiene, fuera de la eficacia industrial, del carácter de «producto» puesto al nivel del cliente, el tradicional concepto de «teatralidad»? Si se está contra los gustos del público, en función de una razonada argumentación sociológica e histórica, si se piensa que el teatro que suele estrenarse es teatro sacado de otro teatro y repensado en tertulias y bibliotecas, si se quiere trabajar para otro público ¿cómo va a hacerse el menor caso del «molde» del teatro habitual?

Otra cosa es hablar de la «teatralidad» en un plano más causal y dialéctico que el del «hábito». En efecto, el teatro tiene sus propias características, pero éstas no cabe establecerlas a partir de su adecuación a un esquema. El teatro, incluso la historia de esa «teatralidad» hecha de costumbre, está lleno de saltos imprevistos, de rupturas revolucionarias del «molde». Citemos el ejemplo típico: *Seis personajes en busca de autor*, de Pirandello. O a Shaw, rebelándose contra el teatro simplemente sicológico y revalorizando la condición intelectual del diálogo. O, como ejemplos posteriores, las obras de un Ionesco o un Durrenmatt, aceptadas desde hace años por los públicos de contextura tradicional. O a Brecht que, en manos del Berliner Ensemble, ha sido entendido por no importa qué público. No vale la pena dar más ejemplos. Serían interminables. Es evidente que si las formas del teatro han ido cambiando es porque no existe ningún dogma de la «teatralidad», y, periódicamente, al compás de la evolución social y de los nuevos intereses históricos, una serie de obras va rompiendo el recetario de los gustos, de las formas sacralizadas por la costumbre.

Resulta, pues, que la adjetividad teatral es un valor móvil,

---

[11] «Teatro Completo de Miguel de Unamuno», *ob. cit.*, pág. 1138.

históricamente variable, políticamente condicionado por la ideología de clase, y, en lo que al moderno teatro español se refiere,
confundido con un formulario en el que han sido maestros una
serie de autores mediocres y celebrados por el público más rutinario y conservador.

Lo «teatral» como adjetivo suele ser minimizador y confuso.
Hay que ir al sustantivo. Hay que preguntarse si estamos o no
ante un drama, ante una visión y vivencia dramática de la
realidad. Naturalmente, no voy ahora a buscar definiciones ni
a repetir lo que se ha dicho sobre la división en géneros y la
superación de esas divisiones convencionales. La línea de este
trabajo es mucho más concreta y atenta a las circunstancias
españolas. Se trata de preguntarnos si Unamuno fue postergado, es postergado, por nuestro público teatral por razones
adjetivas o razones substantivas. Se trata de profundizar en la
sospecha de que hay un teatro que lo es por su pura acomodación al molde, sin que quede nada en pie una vez se han che-
queado las acomodaciones al recetario. Un teatro hecho con
cualquier idea, con una minúscula ocurrencia, con automatismo profesional. Contra este automatismo y esta concepción
de lo «teatral» es contra lo que arremetió Unamuno en España.

En *Soledad* repite y reitera sus ideas contra el drama convencional, es decir, contra el drama de concepción mercantil,
industrial y de receta. Uno de los personajes —a todos los
maneja un tanto simbólicamente, como encarnaduras de modos
de ser y pensar españoles— es un crítico de teatro, a quien ataca
con los mismos argumentos que hubiera podido esgrimir, bastantes años después, contra los que juzgaron la obra al estrenarse en el María Guerrero. Bien entendido que Unamuno
no se conforma con discutir los requisitos de la «carpintería
escénica», sino que los desmonta en bloque, al señalar su
trivialidad y su impotencia respecto de los grandes temas
que gobiernan y generan la sustancia dramática. Hay, frente
al «teatro industrial» y amanuense, el drama por el que se
«crea», se revela ante sí mismo y ante los demás, el autor.
Unamuno no habla de fórmulas, sino de conflictos, de tragedias
desnudas, de los términos en que se desgarra el hombre de su
tiempo. Un hombre que merece nuestro respeto, diría yo, en
la medida que es un hombre que encara las contradicciones
individuales y colectivas, que no se aferra a ningún esquema
dogmático, que se entrega íntegro a su obra y, lejos de ser un

fenómeno «profesionalizado», encajado en una «especialidad» artística o literaria, asume el carácter de hombre libre en y ante la cultura y la historia de su tiempo; es decir, de hombre en permanente crisis, dentro de una sociedad que enmascara constantemente su miseria; de hombre vivo —social e individualmente— en el contexto. En Unamuno tenemos a uno de los primeros autores españoles contemporáneos que saltan por encima de nuestro aldeanismo teatral, por encima de las mediocres autocomplacencias patrioteras, para testimoniar, a través de unos caminos determinados por la cultura española, una agonía de significación universal, o, al menos, de la burguesía occidental. En esta gran lista de dramaturgos de la crisis social del viejo Occidente, donde figuran los Strindberg, Ibsen, Lenormand o Pirandello, Unamuno es el nombre español.

Cuanto he dicho, podría resumirse en estos puntos:

1) Repulsa del público teatral, en la medida que no representa al pueblo.

2) Repulsa de un teatro dictado por ese público, en tanto que «en el teatro es donde el público interviene más y el poeta menos».

3) Repulsa del concepto que tiene ese público de lo «teatral».

4) Repulsa de la crítica y de cuantos elementos profesionales han nacido o están al servicio de ese teatro.

Paralelamente, tendríamos estas proposiciones:

1) Conquista de un público formado por el «pueblo» o su representación.

2) Creación de una dramaturgia que refleje a ese pueblo, y en la que el dramaturgo sea intérprete y parte de él. Esto implica no sólo la condena del teatro que excluye al pueblo, entendido como unidad social, sino también de aquel que utiliza estéticamente a las clases explotadas. Es decir, del populismo.

3) Propuesta de dramas «no teatrales», de «tragedias desnudas». Es decir, acudir a lo sustancial, en lugar de juzgar lo teatral por lo adjetivo, por la repetición de las fórmulas. A las nuevas ideas, a los nuevos conflictos revelados, corresponderán nuevas formas estéticas.

Al cuarto punto no hay una oposición igualmente rica. Es más, yo creo que en el valioso análisis crítico del teatro de su tiempo, en este plano Unamuno se quedó muy corto o

27

se equivocó. La «tragedia desnuda», si no es una simple lectura en alta voz, ha de contar con director, intérpretes, escenógrafo, etcétera, que participen activamente en la realidad y calidad concretas de la representación. Unamuno confundió la «teatralidad de recetario» con la exigible pasión por el teatro. No comprendió que si, en tanto que autor, no aceptaba la «teatralidad» de los textos habituales, proponiendo otros «desnudos y rugientes», también a los «profesionales» de ese teatro repudiado debían suceder otros, empeñados en elevar y profundizar los términos de la «expresión teatral».

Y es que Unamuno, como tantos y tantos escritores, equiparó el teatro con la literatura dramática, planteando la pugna en términos substancialmente literarios. Contra los hermanos Álvarez Quintero o Muñoz Seca o Benavente, allí estaba él. Y, al rechazar a los autores de moda, rechazaba en bloque a toda la «profesión» teatral, sin pensar que cuanto él estaba pidiendo a través de sus textos, otros lo buscaban a través de una revolución planteada y concretada sobre un escenario. Unamuno nunca habló de las grandes compañías, de los grandes directores que, en su tiempo, o sea en todo el primer cuarto de siglo, habían creado ya una nueva, variada e inteligente teoría sobre las formas teatrales, sobre la interpretación, sobre la escenografía. Otro tanto le ocurrió a Valle Inclán. Lo que no deja de ser fastidioso, dada la cultura y curiosidad de ambos. Lo que no deja de explicar ciertos desfases entre estos dos grandes autores y quienes les siguen respecto de la historia escénica contemporánea. Valle y Unamuno —sobre todo, Valle— están llenos de geniales intuiciones, de grandes avances sobre los demás dramaturgos españoles de su época. Pero, paradójicamente, dada la abrumadora mediocridad de nuestra escena, ninguno de los dos se sintió tentado por conocer lo que empezaba a escribirse y a hacerse a propósito del actor y las nuevas formas de interpretación y dirección[12].

En todo caso, Unamuno tuvo el valor de definirse como el

---

[12] Es muy significativa, en este punto, una carta de Antonio Machado a Unamuno, de fecha 16-1-29, en la que le decía: «Lo terrible del teatro es la labor de los cómicos. Ellos traducen lo que usted hace a sus tópicos declamatorios, y apenas hay obra, como no sea una ñoñez de los Quintero, que no deshagan.» El juicio es justo; pero, ¿por qué identificar el concepto de actor con los niveles del cómico español de la época?, ¿por qué no se plantearon el problema de un nuevo actor paralelamente a su propuesta de un nuevo teatro?

«bárbaro» que hace tabla rasa, aunque en esta hoguera, como ocurre en todas las hogueras, perecieran cosas que luego sería necesario recrear y, eso sí, revolucionar y actualizar, para ponerlas al servicio de verdaderos dramas.

Pienso que es ahora, en nuestra época, cuando en España hemos empezado a comprender los dramas de Valle y de Unamuno, sabiendo, sin embargo, que el teatro no es solamente un texto literario. Pero este es otro tema. Y la revolución unamuniana no llega hasta él.

II

Conocemos once dramas acabados y completos de Unamuno. Tres de ellos, breves: *La venda*, *La princesa Doña Lambra* y *La difunta*. Y los otros ocho, de extensión más o menos análoga a la que es tradicional en los espectáculos españoles, salvo *El hermano Juan*, que es mayor. Estos ocho títulos son: *La esfinge*, *El pasado que vuelve*, *Fedra*, *Soledad*, *Raquel encadenada*, *Sombras de sueño*, *El otro*, y *El hermano Juan*.

Ante la imposibilidad de abarcar en un solo trabajo una consideración crítica sobre los elementos que juegan y viven en la dramática unamuniana, opto por examinar los temas y preocupaciones que, a mi modo de ver, unifican y articulan este teatro.

Novelería, historia y humanidad

He aquí un problema capital en la dramaturgia unamuniana: la lucha del hombre contra su fijación literaria. O mejor, libresca. El combate del hombre vivo, móvil, contra el retrato que lo supone inmóvil y, como tal, por muy magnificador que sea el retrato, muerto.

Esta preocupación tiene dos raíces que se complementan: una de orden filosófico y otra de orden histórico. En el primer plano, Unamuno percibe la aniquilación de sí mismo en una serie de convenciones, de generalizaciones. Él, como Miguel de Unamuno, se encuentra perdido entre ideales retóricos, entre grandes palabras, entre recetas, incluso entre verdades que han sido convertidas en lugares comunes y que se repiten sin pensarlas. Unamuno está aquí contra el esencialismo, y hace de su existencia personal la raíz problemática de su teatro. El hombre no es una abstracción, ni tampoco un fenómeno que quepa explicar totalmente por sus circunstancias y condicionamientos sociales. El hombre es un misterio, y, como tal misterio, más o menos inexplicable.

De esta actitud nacen una serie de posiciones unamunianas frente a diversas cuestiones: su rechazo del recetario teatral o del esquematismo político; su constante inconformismo, su «no» tantas veces repetido, tiene el sentido de una afirmación personal, de rebelión contra una cultura que ha hecho de la vida de un hombre una cifra, una palabra demagógica, o un tema de sermón.

Esta idea unamuniana se vio reforzada por la posición de la Generación del 98 ante la historia moderna de España. *Sombras de sueño* es, en este orden, una formulación explícita de la tragedia del hombre contra su imagen, contra ese cadáver que ha ido creando el pasado.

A los hombres del 98 no les gustó la Restauración. Pensaban que España necesitaba Instauraciones, fuertes sacudidas que mirasen hacia adelante. Se sintieron sin papel en una historia que trataba la guerra de Cuba, por ejemplo, sobre arenas taurinas pintadas con los colores de la bandera nacional. Vivieron, con unas u otras respuestas, a veces antagónicas entre sí, variables, apasionadas, el tema del extrañamiento de Europa; ese cerrarnos sobre nuestros viejos libros, sobre nuestra historia, sobre características que se pregonaban eternas, y que, en muchos casos, no sólo eran letra muerta sino letra mortificante. Valle escribió «esperpentos»; Unamuno «astracanadas trágicas», igualmente rugientes contra los espejos deformantes de la «calle del Gato», algo así como la Gran Vía de la España histórica.

Con Unamuno, como con Valle, el teatro español formula un nuevo conflicto, quizá latente durante varios siglos de «grandeza» y «decadencia» nacional: el de la intrahistoria contra la historia, el del pueblo contra la verdad oficial, el del presente contra el pasado, el del hombre vivo y real contra el logogrifo.

Habría, por decirlo así, tres planos. El histórico, que se correspondería con la literatura oficial. El de la novelería, nacido de la asimilación y aceptación de esta historia, convertida ya en norma de vida. Y, contra ambos mundos, el mundo del hombre, el mundo de todos los que quieran sentirse vivos en cada momento. Que critican, que se despedazan, que se crean a sí mismos...

De esta apreciación, que no me parece muy aventurada, salen muchas argumentaciones para explicar distintos aspectos y limitaciones de don Miguel. Deja claro, por ejemplo, cuál fue el sentido de su «egolatría». Y el por qué fue a la política y fracasó en ella. Y el por qué amó a una España, la de la Naturaleza y el Hombre, y atacó a otra, la del Monumento y el Héroe, la «arrojada» a la historia.

Unamuno, como Valle, como Baroja, eran conspiradores a gritos contra el tedio paternalista y las estructuras injustas de la España «histórica», en nombre del español real y vivo, aniquilado por una serie de argumentos anacrónicos. Aunque, luego, más allá de esa rebeldía, aventuraran pronósticos y formularan análisis que, leídos hoy, descubren, muchas veces, grandes dosis de individualismo enfermizo y de ingenuidad política.

Unamuno y la política

Los hombres del 98, lógicamente, intentaron hacer política. Azorín fue diputado. Baroja quiso serlo. Y Unamuno, como todos sabemos, anduvo en viajes de destierro, en condenas y adhesiones políticas, diciendo siempre con quién y con quién no estaba.

La visión que tiene Unamuno de la política es muy poco política. Quiero decir que los Demás, los gobernados, son examinados como los Antihéroes del Político, o sea, como los enemigos de Unamuno. El Político se dirige a ellos para modelar la sociedad justa, y, al advertir las dificultades y resistencias, se vuelve sobre sí mismo, temiendo que su Yo quede aniquilado, tragado por el Logogrifo, por el Camelo.

El razonamiento de Unamuno podría ser este:

Hay que salvar al hombre. Hay que organizar la sociedad para crear unos determinantes justos, para que, por ejemplo, el teatro sea para el pueblo y no para unos pocos. Hay que fijar un programa de Libertad y Justicia. El hombre va entonces a la política para «crearse» a través de ella. Como al teatro. Y los obstáculos son considerados como un aspecto más de la lucha del hombre contra la sociedad.

La crítica de este concepto de lo político es muy fácil de

hacer. Nadie es libre para «moldear» un pueblo y la caída de los totalitarismos es la prueba de que la Intrahistoria, la realidad, tiene su propia dinámica, al margen de la voluntad y la fuerza de quienes gobiernan. De no ser así, la historia estaría detenida, y la misma rebelión de Unamuno habría sido imposible. Si el gobernante «modelara» la sociedad, los hombres del 98 no habrían surgido jamás de una sociedad a través de la cual se «realizaban» Cánovas y Sagasta.

Unamuno veía en el «gobernado» una especie de personaje creado por el gobernante, y no entendía esa «rebelión» que los hacía análogos al héroe de *Niebla* rebelado contra su autor. *La esfinge* es el drama de esta otra contradicción unamuniana, que tendrá también su expresión en *Soledad*.

Yo creo que en esta visión unamuniana de la política, los argumentos son válidos hasta el punto justo en que empieza lo político. Es válida la rebelión contra la palabra Mítica, contra la Santa Palabra, contra el Lugar Común, que, en realidad, nadie sabe lo que significa exactamente. Es oportuno y espléndido ese golpe de sangre individual que, de pronto, se niega a moverse o verterse por las Grandes Palabras. Sin embargo, la actitud, una vez cubierta esta primera fase, se nos queda corta, porque no se adentra en el gran terreno político de nuestro tiempo: ser uno dentro de la colectividad, no ver a los demás como los «antagonistas» de nuestra realización, pensar que carece de sentido una sociedad en la que todos, uno a uno, estemos en pugna con el resto. Ser nosotros mismos y parte armónica del todo, dentro de estructuras económicas y culturales que lo posibiliten; he aquí la cuestión. De los dos elementos que tensan el problema político, el de la libertad individual y el del bien común, Unamuno se queda sólo con el primero. La lucha se resuelve en una salvación del «uno» acosado por la colectividad, como si en esa colectividad no hubiese también muchos «unos» necesitados de una filosofía política que supere el antagonismo, a costa de una nueva concepción de las relaciones del uno con el todo.

Soledad y *La esfinge* inducen a pensar que Unamuno creía en el fatalismo repetido de la historia. Sin embargo, *El pasado que vuelve* obliga a hacer una precisión. Unamuno tiene clara conciencia de qué fuerzas son las que tienen y cuáles las que no tienen razón; quiénes son los que deben hacer la moral social y hasta qué punto carece de sentido la moral del «tanto tienes tanto vales» del capitalismo. Sólo que Unamuno plantea la cuestión en el orden de las relaciones individuales, en el plano de la moral privada.

Quisiera citar aquí *Un soñador para un pueblo* de Antonio Buero Vallejo. Nuestro dramaturgo —que, por otra parte, tiene profundas influencias de don Miguel— hereda el pensamiento unamuniano respecto a ciertos comportamientos colectivos. Sólo que Unamuno se queda angustiado ante los mismos, mientras que Buero, mucho más políticamente, se plantea cuáles son las razones inmediatas de esa bullanguera y peligrosa superficialidad popular.

Unamuno es un idealista, en el sentido de pensar que un buen político es siempre bien comprendido y apoyado por el todo, como si el todo supiera claramente lo que quiere y cómo conseguirlo. La historia está hecha por muchos factores diversos, nuevos unos, antiguos y supervivientes otros. El planteamiento del problema sobre la base de la bondad o maldad de las masas carece de sentido. Es una divagación sobre la naturaleza del hombre. Lo que a un político ha de importarle es lo concreto, las presiones que condicionan nuestra mentalidad y nuestra conducta, la legislación sobre la enseñanza obligatoria, la división de la renta nacional o la libertad de prensa. Unamuno, instalado en la gran tragedia de su Salvación Humana, no podía ocuparse de estas cosas. No podía hablar de política más que como de una contradicción a escala de individuo y artista de la sociedad española.

Unamuno y Pirandello

Se ha hablado mucho de este parentesco literario. En *Sombras de sueño* incluso hay un parlamento que repite casi literalmente otro de *Seis personajes en busca de autor*. Importa, sin embargo, decir que esta analogía no responde nunca a esos mimetismos que se dan entre los autores teatrales. Unamuno abjura vigorosamente del «teatro sacado del teatro» y, por lo tanto, su teatro no puede ser, en ningún caso, un teatro «sacado del teatro de Pirandello». El problema de la persona humana, el «misterio» de no saber quiénes somos, como asegura el ama de *El otro*, está profundamente enraizado en la totalidad de su pensamiento.

33

3

Ya hemos dicho que el hombre de carne se rebela contra su imagen libresca. Ya hemos visto, al citar *Sombras de sueño*, que hay empeñada una especie de lucha entre nosotros y nuestra imagen. Aceptada la diversificación, el proceso continúa. ¿Quiénes somos «exactamente» nosostros? ¿Y cómo ve cada uno nuestra imagen? La realidad libresca toma fuerza, se crece, quizá se aprovecha de su inmortalidad. El hombre aparece, dentro de su misterio, como una unidad difícil y, de otra parte, necesaria.

Esto último me parece importante. Es lo que da a la teoría su carácter dramático. Porque el hombre es, en la medida que protagoniza, en la medida que es una realidad concreta que se interroga sobre sí mismo, desde el punto en que se debate y hace de su existencia la fuente de su problemática, una incógnita, cuya pluralidad, cuya disgregación, es un ataque a esa unidad. Aquí está la base de la tragedia. ¿Quién es el que actúa, quién el que condena, quiénes somos realmente?

Porque el drama se agudiza cuando pensamos en que la incógnita se despeja con ayuda de otros datos, que a su vez son incógnitas. Caín y Abel coexisten en cada uno de ellos, en tanto que Caín y Abel se necesitaban mutuamente para el crimen, para distinguirse el uno del otro. Por eso, cada hombre encierra los «otros», a primera vista inasumidos, pero que le condicionan y determinan.

El personaje de ficción que se independiza y cobra su propia conciencia no responde a puro juego literario. Es la expresión dramática de la muerte del hombre real y múltiple que se aferra a la posibilidad de ser inmortal a través de los personajes literarios. La rebelión, a su vez, de este hombre de carne y hueso contra el hombre hecho de literatura, contra el hombre-libro, introduce un elemento más en esta vía agónica y conflictiva de la tragedia unamuniana.

Este Quijote vivo junto al Tulio Montalbán novelero quizá prueba que la división entre hombres vivos y símbolos muertos no hay que asimilarla a una división entre lo orgánicamente vivo y lo literario. En la vida hay hombres-símbolo, hombres consumidos por la historia, como la Elvira de *Sombras de sueño*, mientras que en la literatura hay personajes vivos, personajes que nos vivifican, como Don Quijote, uno de los «otros» de Don Miguel de Unamuno. La concepción recetaria, inmovilizadora, alcanza al teatro, a la política, al arte y al hombre.

La verdad y la mentira se dan, por igual, en la vida y en la ficción.

El desnacimiento

Ante esta serie de contradicciones, que no son el resultado de un análisis, que no pueden serlo en tanto que el hombre es fundamentalmente un misterio, con interrogaciones subyacentes sin respuesta, los héroes unamunianos sienten una nostalgia de infancia. Y van aún más allá de su infancia, al acto del nacimiento, que quieren borrar con el desnacer.

En el teatro unamuniano hay muchas ideas calderonianas. Aparte de la ya señalada interferencia entre la vida y el sueño, entre la realidad y la ficción —de raíz católica y didáctica en Calderón; más filosófica en don Miguel—, hay en Unamuno una especie de resonancia constante de aquel famoso verso en que se dice «que el delito mayor del hombre es haber nacido».

Toda la tragedia empieza ahí, y con morir no acaba, porque la muerte es precisamente su acto sancionador, el acto por el que la tragedia se consuma y perfecciona para siempre. De ahí este soñado desnacer, este angustiado aniñamiento de los héroes unamunianos cuando ya no pueden sufrir la tragedia: la esposa se convierte en la madre, se le pide que vuelva a cantar canciones de cuna. Algún personaje, como el de *Soledad*, muere sintiéndose empequeñecer, volviendo hacia atrás.

En *El hermano Juan* un personaje asegura:

«Cada cual nace condenado a un papel y hay que llenarlo so pena de vida... Nadie nos quitará lo vivido»[13].

La vida es, pues, un papel y el «llenarlo» significa realizarse a través de él, aprovechar todas las salidas a escena, trabajar con el mayor entusiasmo. Cuando al final, o en un momento de reposo, el actor se contempla en el espejo del camerino, y no se reconoce, y se pregunta a sí mismo quién es, tiene la impresión de que la lucha ha sido inútil, absurda e inevitable.

No tiene asidero y sale a escena a decir que él hubiese querido no ser juzgado, no tener papel en la comedia.

---

[13] Juan, acto I, escena I.

Psicología

Entre las acusaciones de Unamuno contra el teatro medio de su tiempo está la del sicologismo. Una petulancia fotográfica, un creer que el hombre era analizable, explicable en su totalidad y conmensurable, habría —según Unamuno— generado una preocupación por la caracterización sicológica, por una minuciosa puntualización de los datos y mecanismos sicológicos de un personaje. Para Unamuno era ésta una de las tantas trivializaciones del naturalismo, que tomaba la cáscara por la realidad. El alma, el hondón, por utilizar palabras unamunianas, del hombre, desaparecía, sustituido por esa especie de maquillaje del espíritu.

Yo creo que en ésto Unamuno se dejó ganar por el papel de «bárbaro» renovador. Renunció a la ponderación. Se dijo que había que arrancar de cuajo un concepto del teatro y arremetió contra todos sus componentes.

Leyendo a Unamuno se siente a veces su «desnudez» sicológica como un valor positivo, como una afortunada depuración de los excesos del sicologismo. Otras veces, sin embargo, pienso que sus personajes son llevados a situaciones para las que esta «desnudez» resulta un tanto esquemática. Para hablar del amor no hace falta sicología, pero para que dos personajes se enamoren tal vez sea excesiva la abstracción unamuniana.

Creo que el problema podría examinarse de este otro modo. En tanto que Unamuno se «traslada» a tal o cual personaje, la sicología está automáticamente dada; en tanto que Unamuno los contempla desde fuera, los inventa para dialogar con ellos, resultan esquemáticos. Todos los Unamunos que hablan en el teatro de Unamuno están bien como están, con sus «pasiones rugientes». Los que hablan con estos Unamunos son, con frecuencia, demasiado simples, un tanto gratuitos en su conformación. Faltos de atención sicológica, los personajes de Unamuno viven sólo del alma, de la sique de su autor. Y a quien Unamuno no se la presta, no pasa de ser un poco de literatura.

Y es que Unamuno, como vengo diciendo, pagó el precio de todos los revolucionarios. Quiso destruirlo y construirlo todo. Renegó de las convenciones habituales y, en más de un caso, las sustituyó por otras igualmente artificiosas. Ejemplo: los «apartes» de *Fedra*.

A nosotros nos toca aprovechar aquella revolución y rescatar los elementos que, siendo importantes, resultaban perifollos inútiles en el edificio del viejo teatro. Del teatro que ahora se sobrevive en nuestros escenarios.

El donjuanismo

Para Unamuno, el hombre y la mujer constituyen una unidad en permanente crisis. Todo el mejor teatro de Unamuno está estructurado a través de diálogos entre un hombre y una mujer. Las discusiones entre hombres y mujeres son debates internos, antagonismos que están dentro de nosotros, por cuanto son partes de esa unidad formada por la unión de los sexos.

Cuando, como en *Raquel encadenada*, una mujer ha de elegir entre dos hombres, la situación es completamente distintinta a la de teatro «del triángulo», en el que cada uno de los personajes aparece completo en sí mismo y sólo se cuestiona un problema de felicidad sentimental. En *Raquel encadenada* no. Estamos ante dos hombres que se completan a sí mismos con la misma mujer. Y la decisión de ésta ha de significar, en su sentido más extremo, una tragedia para el hombre rechazado.

Esta unión «hombre-mujer» explica también la idea unamuniana, que está en *Raquel encadenada*, y, más explícitamente aún, en *Nada menos que todo un hombre* —relato adaptado al teatro con el título de *Todo un hombre*—, de que un hombre fuerte ha de tener en su mujer la misma confianza que en sí mismo. La mujer traiciona al hombre en la medida que éste es débil, en la medida que la unión no ha sido alcanzada; conseguida ésta, es absolutamente imposible que el hombre sea engañado por la mujer; lo será, en todo caso, por una parte de sí mismo y la cuestión habrá que afrontarla como una tragedia personal y no como un problema de dos personas distintas.

El hombre unamuniano rompe a menudo esta unión, casi siempre por egolatría. Al final, derrotado, vuelve a la mujer, buscando recomponer la unidad, y, con frecuencia, solicitando una actitud maternal que lo desnazca.

Sobre tales bases, no es extraño que a Unamuno le repela Don Juan, en quien ve una especie de zángano, un alcahuete sexualmente neutro. Don Juan es un ser infecundo, que sólo alcanza a «excitar» la fecundidad de los demás. Es un ser perpetuamente incompleto, pero que, además, se basta a sí mismo en tanto que sus uniones con las mujeres tienen un carácter epidérmico y placentero. Don Juan es un abejorro, a quien le están negados dos principios vitales: su integración con la mujer en una unidad superior y la fecundidad.

Este tema lo ha tratado Unamuno en su última obra, *El hermano Juan*, a mi modo de ver una de las más discursivas y menos dramáticas de su teatro.

La muerte para la vida

Alguien ha dicho, comparándolo con Antero de Quental, el poeta portugués con quien don Miguel guarda muchas analogías, que el suicidio de aquél fue una prueba de su sinceridad. Resultaría, entonces, que Unamuno había pasado su vida engañándonos, siquiera en alguna medida, en tanto vivió asegurándonos que la vida era insoportable.

Me parece que la agonía de Unamuno tiene suficientes precisiones para que no esperásemos el suicidio como una confirmación de sinceridad. Para muchos personajes de su teatro, la muerte es el origen de la continuidad de la vida. Hay una especie de obsesión por la «muerte fecunda», por la vida que llega a través de la muerte o el sacrificio.

En alguna de sus obras, como en *Sombras de sueño*, habla de un personaje, cuya madre murió en el acto de dar a luz. Unamuno vive su agonía en un plano que no es depresivo ni patológico. Elige el quijotismo como razón de la sinrazón, como moral de la intransigencia. Dice que «no» muchas veces; en su propio teatro se acusa de decir con frecuencia «no quiero» a casi todas las cosas. Pero esta agonía sobrepasa el signo crepuscular, para apuntar un carácter prerrevolucionario.

Nunca apartó un trago amargo —ninguno de los Unamunos de sus obras lo hace— cuando creyó que de esta agonía podía salir la luz. En lo que, por otra parte, se advierte claramente una vivificación personal del dogma católico de la Pasión y la Redención.

El misterio

He de acabar, porque cada uno de los dramas unamunianos demandaría un estudio separado y amplio, y esto está planteado como una visión de algunos de sus ejes dominantes. Quiero volver a uno de los temas que, necesariamente, he tenido que manejar en este trabajo, por ser fundamental en la poética de Unamuno: me refiero al misterio.

En *La venda* casi crea una parábola de la doctrina. La protagonista, ciega durante muchos años, descubre que, al quitarse la venda, una vez curada, la visión no hace sino confundirla. Con los ojos abiertos ve menos.

Esta posición unamuniana —sin entrar en las significaciones de la ceguera de Edipo, o, por referirnos a un personaje del 98, del también ciego de los sentidos y gran vidente intelectual, Mar Estrella, de Valle— tiene dos aspectos. Uno, en el que hay que estar absolutamente de acuerdo: en el ataque al teatro fotográfico, a la explicación sencilla, esquemática, del hombre y de la sociedad. En el ataque a todo maniqueísmo, a toda simplificación. Otro, discutible, quizá achacable a esa bárbara exageración de que ya hemos hablado, que consiste en la defensa sistemática del misterio, de la venda. Es seguro que si el personaje no hubiese sido ciego desde la infancia, o si hubiese curado años atrás, vería mejor con los ojos abiertos que con los ojos cerrados. Y que, gracias a los ojos, obtendría datos para juzgar, elementos para emocionarse, caminos por los que avanzar.

En el plano metafórico en que aquí hablamos, pienso que creer que «no hace falta mirar», o su contrario, «que basta mirar para llegar al fondo», son dos actitudes igualmente falsas. Hay que mirar, agotar la interpretación racional de los fenómenos, y luego decirnos que todo no está allí, que el hombre no funciona como una máquina de cálculo [14].

---

[14] Recomendamos la lectura de *El teatro de Unamuno*, de Andrés Franco (ed. Insula, 1971), en el que se sostienen algunas tesis sobre la «teatralidad» de la dramaturgia unamuniana distintas a las mías. Ver también, para encuadrar la producción teatral de don Miguel en el marco de su vida política e intelectual, *Vida de don Miguel*, de Emilio Salcedo, Salamanca, Anaya, 1970.

Algunas representaciones
del teatro de Unamuno

En vida del autor, los estrenos de Unamuno fueron escasos y desafortunados. Algo se ha dicho en el trabajo precedente de sus esfuerzos por conseguir que sus obras se representaran y de las razones por las que esto no sucedió.

Descontando el estreno de su versión de Medea, *por Margarita Xirgu, triunfo teatral que debe apuntársele en modesta proporción, lo cierto es que ha sido en los años sesenta cuando la producción dramática de don Miguel abordó por vez primera el encuentro con el gran público español, en manos y circunstancias de cierta garantía. A esos estrenos queremos referirnos ahora, dejando a un lado otros montajes que —como en el caso de* El otro—, *presentados por grupos universitarios o de cámara, no traspasaron la comunicación minoritaria o el esfuerzo bien intencionado. Sólo un montaje de* Fedra, *dirigido por Miguel Narros, está inmerecidamente afectado por este criterio. Porque, pese a su escasa proyección, merece ser recordado como una de las grandes aportaciones del teatro de ensayo de aquellos años.*

Los comentarios vienen al caso para dar testimonio de la última frustración de Unamuno como autor activo de la escena española.

«Soledad», y la carpintería

(...) La renovación unamuniana no podía consistir en alterar la cáscara y sacar al señor antes que al criado o poner a los Quintero en solfa vasca o costumbrismo salmantino. El valor ideológico y crítico de don Miguel exigía renovaciones bastante más serias y sustanciales.

Si un espectador de nuestros días parte de un «concepto del teatro» opuesto al de Unamuno, lo lógico es que *Soledad* le parezca poco teatral. Con el mismo argumento, cabe argüir —si se parte del «concepto de lo teatral» que propone Unamuno— que *Soledad* es un drama perfecto y que, en cambio, no lo son las obras y obritas contra las que se rebeló don Miguel. Es decir, que nos encontramos, simplemente, ante dos maneras de entender o considerar el teatro. Y que todo consiste en examinarlas, en ver las relaciones entre su fondo y su forma, en entender cuál era su juego dentro de la sociedad española de la época en general y de la escena en particular, y, considerados estos y otros factores, decidir cuál era el mejor camino —o los mejores— de nuestro teatro. Lo otro es un contrasentido. Es como abordar el tema de la integración racial partiendo de la base de que, inevitablemente, unas razas son superiores a otras.

Creo que mi modesta labor de crítico está lo bastante definida como para no tener que explicar con larguezas mis simpatías unamunianas. Por de pronto, un hecho obliga —me obliga— a ponerme de su parte. También yo creo que hace falta una regeneración de nuestro teatro. De nuestro público, de nuestros actores, de nuestros empresarios, de cuantos factores determinan la existencia de un teatro casi siempre hipócrita y menudo. Nuestros escenarios están faltos de «pasiones rugientes», de profundidad conceptual, de talento, y sobrados de comedias bien amañadas, en el mismo sentido que se amaña una mentira.

Claro que yo sé muy bien que ese teatro sólo de ingenio corresponde a unos condicionamientos. Y, por tanto, que el teatro de Unamuno seguirá sin fortuna mientras nuestro país, por decirlo en frase de Machado, «sea una piedra». Al crítico creo yo que no se le pide que levante acta de si una obra interesa o no interesa a las señoras que van a nuestros teatros, a menos que precise en qué medida los gustos de esas señoras le parecen justos y válidos.

En *Soledad*, Miguel de Unamuno repite sus ideas sobre el drama tradicional. Uno de los personajes —y a todos los maneja un tanto simbólicamente, como encarnación de «modos de pensar» de los españoles— es un crítico de teatro. Y lo critica en términos que muy bien habrían podido apostillar la mayor parte de lo que ahora se ha escrito a propósito del estreno en Madrid de *Soledad*. Bien entendido que Unamuno no se conforma con discutir superficialmente la «teología de las candilejas», sino que la ataca agudamente al proponerle al espectador las relaciones entre el teatro y la realidad, entre el drama y la vida, y, por lo tanto, la puerilidad de unas normas de «carpintería» que sólo tienen algún sentido si se aplican a un teatro de juguete, a un teatro que sea objeto de recreo y no testimonio de la aventura humana. La idea de Unamuno me parece a mí muy clara. Hay un teatro de receta, que corresponde a un «ingenio profesional», y sobre el cual hay establecidas unas falsillas que el público celebra. De acuerdo. Pero, viene a pensar Unamuno, esto ni es teatro ni es nada serio. Es un servicio de entretenimiento. Hay, por el contrario, un teatro a través del cual se «crea» el autor, sin que, dada la profundidad del trance, haya lugar para los respetos formales.

Sí, pero, ¿y la forma teatral? ¿Es que un ensayo, por el hecho de ser dialogado, ya merece ser calificado de teatro? ¡Naturalmente que no! Unamuno habla de «pasiones rugientes», no de ensayos dialogados. Unamuno —y así lo hace en *Soledad*— habla de plantear conflictos, de tragedias desnudas, de vértices en los que se descompone él mismo y consigue descomponer la vida intelectual española de su tiempo. En Unamuno toda expresión es, en cierta medida, teatral, por lo mismo que su visión y sentido de la vida son trágicos.

¿O es que todo el mejor teatro moderno no está empeñado en superar unos infantilismos formales y temáticos que limitaban al autor? ¿Qué experiencia puede decirse a estas alturas que «no es teatral» si, a través de ella, un autor consigue decir cuanto dice Unamuno en *Soledad*, retener la atención de los espectadores y alimentar unas interpretaciones excelentes? ¿Qué grandes dramas contemporáneos y «fuera de receta» no cabría citar aquí?

Cuando José Luis Alonso estrenó *Rinoceronte* hubo quien señaló que la obra «no era teatral», pero que la dirección había sido formidable. ¿Qué iba a dirigir José Luis si Ionesco no le hubiera dado unos elementos dramáticos? ¿Cómo es posible que María Dolores Pradera realice ahora una de las grandes interpretaciones del teatro español de los últimos años si la pieza de Unamuno fuera sólo literatura y ensayo profesoral?

Para mí, *Soledad* es uno de los grandes dramas españoles contemporáneos. Encuentro en él toda la dignidad intelectual, toda la verdad —lo cual implica un acertado y firme tratamiento estilístico— que falta en tantas noches de estreno, en tantas jornadas perdidas en los escenarios españoles.

Confieso que cuando cayó el telón sentí ese escalofrío que reclamaba el clásico de los espectadores de la tragedia. Esto es *Soledad*, una tragedia española. Por eso ha sido, en este 62, como hace años, rechazada.

(1962)

El centenario de Unamuno

¿Qué haremos para celebrar el Centenario del nacimiento de Unamuno? Es de esperar, dado nuestro modo de ser y el modo de ser de Unamuno, que la celebración tendrá sus más y sus menos, que en algunos lugares se hará a pecho descubierto y con satisfacción, y que, en otros, será una especie de horror necesario, aceptado con reservas y hasta con mal talante. Una pastoral en la que, entre otras cosas, se sostiene la tesis de que Unamuno no era un buen español porque a veces hablaba mal(!) de España, ha sido el primer clarinazo. Vamos a ver qué hace en este clima la comisión encargada de organizar el homenaje, de cuya existencia da cuenta el informe del último Consejo de Ministros.

Es seguro, como digo, que en algún caso la Comisión habrá de enfrentarse con sectores muertos de las fuerzas vivas. Deseemos que otros sectores españoles —la Universidad, la Inteligencia, de las que don Miguel se consideró, en memorable ocasión, Sumo Sacerdote— contribuyan a que la conmemoración tenga vigor, calor y sentido.

Unamuno es un «caso teatral» muy interesante. Plantea una larga serie de cuestiones aún sin resolver en la escena española. De hecho, la mayor parte de los puntos de su sostenida crítica contra la misma siguen en pie. Se podrá estimar que la obra dramática de Unamuno sea o no una respuesta completa y adecuada al teatro que él repudiaba; se podrá estar o no de acuerdo con las soluciones o vías apuntadas; en lo que veo difícil no estar con él es en su pliego de cargos, en ese penoso asombro ante la distancia que media entre lo que el teatro da y lo que el teatro puede y debe dar.

Esto de hablar de como «deberían ser» las cosas ha perdido crédito. Hay un pragmatismo mostrenco y lamentable que impone otro lenguaje. «Doscientas, trescientas, representaciones... ¿En cambio, Unamuno? El pobre don Miguel no sabía nada de teatro.» Y así nos va. Porque, naturalmente, la misma sociedad que sostiene las doscientas o trescientas representaciones de esa obrita lamentable y se aburre con don Miguel, es la que organiza nuestra vida. O, dicho con menos pesimismo, la que organiza lo más pobre, lo más alienante, lo menos generoso, de nuestra vida.

De forma que la «regeneración del teatro español» de que hablaba Unamuno implicaría una regeneración de nuestros públicos, y, por tanto, un cambio profundo de nuestra sociedad.

Confieso que varias obras de Unamuno me parecen extraordinarias. *Soledad*, que montó José Luis Alonso — ¿Cómo pudieron escribirse aquellas críticas durísimas, frontales, sin asumir la preocupación unamuniana, a menos que la mayor parte de la crítica represente ese teatro «sin regenerar»? ¿Cómo hemos podido ser «teólogos de las candilejas» cuando Unamuno nos proponía una «tragedia desnuda»?—, *Fedra*, que vi en una inolvidable dirección de Miguel Narros, y *El otro*, son tres piezas muy importantes dentro de nuestro teatro español contemporáneo, de ordinario tan trivial, tan insincero, tan del sol que más calienta.

Cuando uno ve una obra de Unamuno siente que se le prohíbe convertirse en ese espectador infantil, convencional y ausente, que sigue a distancia abúlica, y no brechtiana, la representación. Si la condición de «espectador» es, por tradición filosófica, envidiable, la verdad es que tanto el cine como el teatro, a fuerza de mediocridad y falso testimonio, han ido empequeñeciendo el concepto, haciendo del espectador una especie de semihombre a quien es fácil engañar y conducir.

Con Unamuno el espectador recobra su dignidad. Allí hay, sobre la escena, un hombre debatiéndose. La vida, esa cosa tan idiota a juzgar por tantas sonrisas de suficiencia, cobra sus dimensiones de inconmensurabilidad. El drama o la comedia «para espectadores teatrales», para ese depósito de reflejos condicionados y situaciones repetidas que constituye la «cultura teatral», son desplazadas por un teatro para seres humanos.

(1964)

Sobre una «Reflexión dramática»

Alberto González Vergel ha realizado un interesante experimento dramático sobre textos de Unamuno. La base de su trabajo —al menos la base de lo mejor del experimento— está en la condición sustancialmente trágica del pensamiento de don Miguel, a partir de la cual resultaría, contrariamente a lo que han sostenido una serie de críticos, que nuestro escritor es fundamentalmente un tragediógrafo.

González Vergel ha titulado su guión *Reflexión dramática*, sin dar entrada en él a ninguna de las obras teatrales propiamente dichas de Unamuno. Ha rebuscado en sus poemas, novelas, memorias, artículos y ensayos, para dar un todo en el que don Miguel habla siempre en primera persona, sin el menor enmascaramiento literario. Y lo importante, a los efectos del logrado experimento, es que, salvo en algunos fragmentos simplemente descriptivos, Unamuno aparece, en sus temas fundamentales —la religión, el individuo, España—, como un mundo dramático. En la *Reflexión* de González Vergel —y, especialmente, en la primera parte, apoyada en la poesía—, hecha siempre con textos unamunianos, entran en juego una serie de elementos caracterizadores del drama. Hay siempre una tensión entre fuerzas dispares, y un sentimiento del conflicto, expresados a través de una acción en la que don Miguel es a un tiempo el protagonista y el antagonista, el catalizador del misterio humano y la víctima.

El tema se entronca, como digo, con el de la supuesta falta de teatralidad de los dramas de Unamuno. Nos pone, sin lugar a dudas, y ya sobre un escenario, en el mejor camino para que volvamos a examinar, con los máximos recelos, eso que la profesión llama «lo teatral». Aclara que «lo teatral» es un adjetivo ideológico sancionado por el hábito y que don Miguel hablaba con todo rigor, sin el menor ánimo de hacer paradojas, cuando reclamaba dramas «no teatrales»; es decir, dramas que tuvieran la teatralidad en el sustantivo, en el sentido trágico del autor y no en las características simplemente acostumbradas del orden escénico.

La exclusión de Unamuno y Valle[1] de la escena española, en atención a sus temas, y a la supuesta «poca teatralidad» de sus obras, implica que nuestro teatro —nuestro público, nuestra crítica, nuestros teatros oficiales, nuestra estructura en general— carece de capacidad para admitir una dramaturgia disidente. Significa también que nuestro teatro es un reflejo exacto de ciertos modos de ser —dan ganas de escribir modos de no ser— de la sociedad que ha controlado nuestra historia, con el agravante de que los sectores dominantes en lugar de aclarar la relación que existe entre ciertos valores culturales —y el concepto de lo «teatral» es uno de ellos— y unos determinados intereses, entre los valores estéticos y el proceso histórico, han acuñado tales valores como si fueran eternos y absolutos. (Patraña, dicho sea de paso, que les permite hacer un arte político conservador aparentemente neutro y ceñido a pautas «que están fuera de cuestión».)

Vergel encadenó la interpretación de los textos con unas proyecciones de «lugares» unamunianos, fotografías del autor y fotografías de manuscritos. No eran imágenes de choque, o imágenes asociadas intelectualmente al texto que ampliasen sus significaciones. Eran simples imágenes ilustrativas, que añadían a la *Reflexión* un valor emocional y facilitaban el montaje.

Quizá en donde el sentido ilustrativo de la imagen se quedó más corto fue en la parte del «Prólogo de Don Quijote y Sancho». La historia ha probado hasta qué punto debemos exigirle, a quien nos proponga «hacer una barbaridad» para salir de «esta miseria, en la que a nadie le importa nada de nada», el «ponernos de acuerdo —cosa que tanto repugnaba al Unamuno de este famoso prólogo— sobre la barbaridad que vamos a hacer». El dudoso idealismo unamuniano de hacer no importa qué «locura» ha sufrido una dura prueba con las locuras es-

---

[1] Cuando escribí este texto, el teatro de Valle aún no se había representado prácticamente. Aunque en la actualidad, siguen sin estrenarse, por razones de censura, algunos de sus grandes textos, es obvio que la situación de su teatro es otra. Ver en este mismo volumen el capítulo dedicado a comentar el montaje de sus obras.

49

pantosas de ciertas minorías erigidas en guías de nuevos destinos nacionales. Esto es importante, porque señala en Unamuno una contradicción política —una más— muy clara: siendo un gran liberal y un defensor de los derechos del individuo, postula, para sacar al individuo de su inmovilismo, una cruzada en abstracto, que corre el riesgo de perderse en peligrosos disparates vitalistas. Esta contradicción unamuniana —gran liberal y, sin embargo, nietzschiano formulador de teorías que encajan en el fascismo— quizá sea necesario mostrarla ahora, para evitar que nadie tome al pie de la letra unas palabras que la historia ha situado contra la personalidad de su autor. Tales palabras fueron escritas en 1905, y, evidentemente, en el contexto de su tiempo, tenían un carácter de rebeldía contra las circunstancias que hoy es necesario matizar.

Sería interesante preguntarse, a la luz de los últimos actos de su vida, si Unamuno no era ya por entonces un «bachiller» que quería ver claramente la «locura» de la flamante «cruzada». Este es un punto en el que no bastaba la proyección ilustrativa. O había que dejarlo fuera de la *Reflexión*, o poner en la pantalla algunas de las mil imágenes posibles que despertaran en el espectador la oportuna reflexión sobre el papel que, a lo largo de un cuarto de siglo, han jugado estos vitalismos abstractos un día reclamados contra el tedio colectivo.

De hecho, González Vergel ha mostrado a Unamuno, con sus contradicciones, sus tensiones, su agonía y sus entusiasmos. Ha «puesto en pie» el drama «no teatral» de nuestro sustancial dramaturgo, don Miguel de Unamuno.

(1964)

Fedra, o la lógica de un fatalismo

Aquí está el drama, sobre los escenarios, cumpliendo con el destino que deseó Unamuno y que le ha sido tan duramente regateado. Los actores, sentados alrededor de la pequeña plataforma circular alzada en el centro del escenario, recuerdan un poco a los que mostraba Brecht en el «Modelo» de su Antígona. Sólo que aquí los personajes siguen siendo tales personajes —en vez de simples actores que esperan su turno— cuando bajan de la plataforma, mientras aguardan que les despedace el mecanismo de la tragedia. Envuelven al escenario tres muros agobiantes, que van saltando a pedazos a medida que *Fedra* va liberando las palabras de su amor por Hipólito. ¿Fatalidad? Bueno, los personajes lo dicen y es obvio que don Miguel recurre a ella. Pero a uno le parece que no hacen falta esas oscuras instancias —que recuerdan a los dioses del ateo Eurípides, convocados para explicar comportamientos que escapan al orden establecido— para comprender la pasión de Fedra. El padre es viejo, está gastado, tiene cierta inclinación a tratar a su mujer como a una hija; Hipólito es joven y trae de sus cacerías una fuerza saludable, capaz de perturbar a la madrastra que duerme con un viejo. La pasión de Fedra está llena de lógica, como lógicas son la ceguera del marido y la huida del atosigado Hipólito. ¿Y no es también comprensible que Fedra, ante su fracaso, acuse a Hipólito de ser él quien la desea?

Lo admirable de esta *Fedra*, llevada por Unamuno hasta la desnudez máxima, eliminada toda ganga anecdótica y armada la acción como los huesos de un esqueleto, es precisamente su inapelabilidad. El «fatalismo» es aquí, en realidad, lo elemental, lo que está en el orden de la naturaleza; sólo que el orden social lo rebautiza para eludir la acusación y atribuir la pasión a los imperativos del destino.

En el montaje de Angel García Moreno —escenografía de Jesús Quirós—, los personajes están envueltos, a excepción de Fedra, por una tela metálica, que igual sirve para asfixiarlos y encorsetarlos que para intemporalizar la tragedia. Hay una vaga resonancia de futurismo en estos atuendos semimetálicos, como si se nos quisiera decir que las pasiones sobrevivirán a los nuevos tiempos del automatismo. Es curioso, pero viendo las ropas de estos personajes, el desnudo se afirma, por contraposición, como una expresión de libertad.

A veces —y muy concretamente en la escena del suicidio de Fedra— la poética de la tragedia, toda pasión y poca sicología, casi desborda a los actores, necesitados de crear una ceremonia que desate sobre los personajes la acción de esos dioses inexistentes, cuya presencia explica lo que la moral convierte en oscuro e inexplicable. Ya los muros se han hecho pedazos. Entre la negrura radical de la escena, el cuerpo muerto de Fedra resplandece. Analogías reveladoras con el final de *La Casa de Bernarda Alba*, donde también Adela muere porque la Madre, como aquí el Marido, no quieren saber lo que saben y cierran las puertas cuando sólo el abrirlas puede evitar la catástrofe. Pero, ¿qué catástrofe? Porque, al fin y al cabo, visto el problema con perspectiva conservadora, bien muertas están Fedra y Adela si el Marido y la Madre pueden arreglar las cosas con las palabras del responso. Algo turbio se «salva» a costa de la muerte de esos dos personajes, los dos suicidas porque su conducta pertenece a un orden que no es el establecido.

Unamuno habla, como los antiguos, de fatalidad. Pero el carácter de «conflicto» es lo que acaba de imponerse; el «orden social» gana y los personajes se matan.

El coro —cuatro muchachos que, tras bailar una música «pop» de nuestros días, se han subido en un alto practicable— ha seguido silenciosamente la acción, fumando un pitillo de vez en cuando. Su presencia ha contribuido a que todo el público se sintiera también parte del espectáculo, parte de ese coro que envolvía la acción de la tragedia.

Entre los intérpretes es imprescindible señalar a Marisa de Leza, cuya Fedra guarda un excelente equilibrio entre la «verdad» del personaje y la estilización a que la descarnada estructura de la obra la obliga. En cuanto a sus compañeros de reparto —yo veo tanto a Vivó como a Corroto en «tipos», en personajes de composición un tanto barroca, antes que en esa verticalidad desgarradora que reclama Unamuno—, es preciso señalar que se defendieron mejor en la primera parte que en la segunda, es decir, a la hora de «exponer» el conflicto antes que a la hora de asumirlo.

Bueno, el dato está ahí: la «Fedra» de Unamuno deberá ser citada como uno de los grandes títulos de la temporada actual.

(1972)

El mismo montaje, con algunos cambios en el reparto, se presentó en la Comedia de Madrid durante la temporada 72-73. El espectáculo no tuvo el mismo vigor que en Valencia, donde yo lo vi y a cuenta de cuya representación escribí la crítica anterior. En todo caso, el público madrileño se desinteresó absolutamente. ¿Qué actores españoles de nuestros días hubieran podido hacer una Fedra convincente?

*Tres dramaturgos
de la Restauración*

El vano ayer

I

Cuando el general Martínez Campos consumó la Restauración —largo tiempo preparada por Cánovas— Arniches, Benavente y Valle Inclán tenían siete años. Cuando Alfonso XIII abandonó el país, derribado por la República, los tres cumplían los sesenta y cinco. Son, por tanto, tres dramaturgos adscritos a un mismo contexto, a unos mismos acontecimientos de alcance colectivo, a un mismo proceso social. En alguna medida, podría decirse que los tres pierden su asidero histórico y dejan de ser protagonistas o antagonistas de su tiempo cuando llega el 14 de Abril.

Arniches, Benavente y Valle se encuentran radicalmente insertos en ese medio siglo de historia española, que empieza con el telegrama de Cánovas a la desterrada Isabel II, anunciándole el golpe de estado en favor de su hijo, y concluye con la muchedumbre congregada en la Puerta del Sol para aclamar a los hombres de la Segunda República. Entre uno y otro momento han sucedido una serie de cosas fundamentales para la sociedad española.

Cuba y Filipinas, con la interesada ayuda de los Estados Unidos, han alcanzado su independencia. El 98 ha operado, en ámbitos diversos, como un dramático corrector de nuestra filosofía histórica. Durante una larga etapa, intentaremos convertirnos en un país «a la europea», sin que el tratamiento dado a los viejos problemas lo permita. Alfonso XII, como buen decimonónico, se ha proclamado liberal. Pero sólo Cánovas parece prever los problemas que, a la larga, tal confesión encierra.

Tras muchos años de miseria y de imbecilidad política, se aspira al orden de una monarquía que asuma un prudente «aggiornamento». Emilio Castelar, el viejo republicano, se incorpora con todas sus fuerzas a la creación de una legalidad liberal, que, según él, debe culminar con la ley del sufragio universal. También Sagasta, al frente de su partido, se dispone a encarnar el ala «progresista» del nuevo aparato de gobierno. Hay un sentimiento general, que sólo Ruiz Zorrilla y algunos exiliados rechazan: después de tantos fracasos y tanta agitación política, hay que trabajar dentro del orden y la continuidad. La revolución, como método de asalto al poder, ha perdido todo su crédito. La burguesía «liberal», beneficiada por las subastas de la Desamortización, se ha vuelto, súbitamente, conservadora.

En el pensamiento restauracionista existen, sin embargo, dos fuertes contradicciones de catastróficas consecuencias para su estabilidad. La primera, y fundamental, es de orden ideológico. El liberalismo, automáticamente, desata un proceso histórico destinado a devorarle. Y es el caso que se trata de un proceso ineludible, adscrito a un orden europeo que nos invade, asentado en el desarrollo político general. Que es tanto como decir el desarrollo científico y económico.

Sagasta, en 1887, había dicho lo siguiente:

> ¿De qué aprovecha la libertad sin el bienestar de los pueblos? ¿Qué consigue con la libertad el pobre labrador que ve morir sus ganados, arruinarse sus propiedades y perecer sus hijos de hambre? ¿Qué puede esperar de la libertad un pueblo que no barre, ni alumbra sus calles y que vive sin luz, sin agua, sin ventilación y hasta sin aire...? Démosle libertad, pero démosle bienestar[1].

Castelar, intérprete español por excelencia de la doctrina demoliberal, declaraba en una carta, fechada en 31 de enero de 1890, y dirigida a don Adolfo Calzada:

> No puedes imaginarte cuánto me complace la votación definitiva del sufragio. Tras tanto batallar (quince años), la victoria definitiva se nos ha entrado por las puertas. Paréceme imposible que la influencia de uno haya sido tanta, hasta extraer de una Cámara monárquica el triunfo de los principios democráticos: más que la República. Con sólo mi palabra he reivindicado la libertad de creer, pensar, escribir, asociarse, reunirse,

---

[1] *Historia política de la España Contemporánea*, de Melchor Fernández Almagro, Madrid, ediciones Pegaso, 1959, vol. II, pág. 43.

enseñar, vivir en hogar inviolable, para los españoles. En el período último de mi vida e historia política he reivindicado todo esto, que es la conquista entera de la libertad, y, además, el sufragio universal y el jurado popular, que es toda la democracia...[2]

Ambas posiciones, las de Sagasta y Castelar —sobre todo la de este último—, entrañaban un idealismo, una reducción del problema político a términos sentimentales, cosa que, desde luego, no existía en el pensamiento más conservador y coherente de Cánovas:

> Yo creo que el sufragio universal, si es sincero, si da un verdadero voto en la gobernación del país a la muchedumbre no sólo indocta, que sería casi lo de menos, sino a la muchedumbre miserable y mendiga, de ser sincero, sería el triunfo del comunismo y la ruina del principio de propiedad, y si no es sincero el sufragio universal, porque esté influido y conducido, como en este caso estaría, por la gran propiedad o por el capital, representaría el menos digno de todos los procedimientos políticos para obtener la expresión de la voluntad del país[3].

Ciertamente, como Cánovas pronosticaba, «la gran propiedad o el capital» se emplearon pronto, a través del caciquismo y la connivencia de la mayor parte de los ministros de gobernación —algunos, como Romero Robledo, se hicieron imprescindibles por su talento y eficacia en la organización de elecciones victoriosas—, en la «influencia y conducción» del sufragio. El bajísimo nivel político-económico de nuestro pueblo se prestaba a estos manejos: sólo un tercio del censo votó en las primeras elecciones generales españolas. Lo que, en resumidas cuentas, vino a sentar la deformidad de una democracia sin democracia, de una sistemática divergencia entre la realidad española y su versión oficial.

La oposición entre la libertad y el tradicional modo de entender la propiedad privada era evidente. En esta contradicción, nunca afrontada seriamente por la política de la Restauración —ahí está la ingenuidad, el paternalismo o el temor de Castelar, Sagasta y Cánovas—, radica la causa fundamental del desgaste del demoliberalismo y, a la postre, de su muerte.

---

[2] *Ob. cit.*, vol. II, pág. 81.
[3] *Ob. cit.*, vol. II, pág. 80.

La otra contradicción a que me he referido está en una divergencia de orden histórico. Queda perfectamente expresada a través de la crónica del Desastre.

La llegada de Alfonso XII significaba no sólo el comienzo de una etapa de paz y prosperidad, sino una alianza entre el liberalismo y la tradición española. Al concepto de orden demo-liberal había que añadir, pues, el de grandeza histórica, el de Restauración de los ideales del pasado. Las guerras coloniales pusieron a prueba la inoportunidad de esta alianza. Aparte de significar una nueva contradicción dentro del proceso «liberal» —puesta a votación la autonomía de Cuba, cuando todavía era tiempo para remediar males con ella, a más de una decisión progresiva, se opusieron 217 votos monárquicos contra sólo 17 republicanos y autonomistas—, obligó a asumir un papel que no correspondía a la realidad española. Historia e intrahistoria, pasado y presente, ideario político y realidad, chocaban entre sí. Cánovas, al tiempo que disminuían las posibilidades de la victoria militar —a largo plazo, porque, en lo inmediato, se aniquilaba a las guerrillas cubanas, pronto sustituidas por otras— y se avecinaba la decisiva intervención norteamericana —en nombre de la democracia, por supuesto—, manifestaba su criterio de «no realizar ninguna transacción con el enemigo mientras no depusiese las armas». Weyler, recién puesto al frente del gobierno y la Capitanía General de Cuba, señalaba en su informe:

> En la misma Habana no entraban, diariamente, artículos comestibles del campo sin pagar a los insurrectos el impuesto que exigían, y, al día siguiente de mi llegada, no permitieron que entrase leche. Se conspiraba en la misma capital, en la que entraban y salían municiones y recursos para los insurrectos en diversas formas, se murmuraba públicamente, se comentaba todo, censurándolo, y haciendo mofa de España y de los españoles, habiendo desaparecido todo vestigio de autoridad y respeto...[4]

El Heraldo de Madrid, considerado un órgano de la izquierda, publicaba un artículo —«Fusiles, no reformas»— en· el que, entre otras cosas parecidas, podía leerse:

[4] *Ob. cit.*, vol. II, págs. 280-281.

Dispongámonos a todo, incluso al conflicto con los Estados Unidos, que ojalá no venga, pero que, si viene, debemos afrontar con el pensamiento puesto en Dios y en la Patria, resueltos a sufrir todos los riesgos de la adversidad antes que deshonrarnos consintiendo la independencia de Cuba[5].

Cleveland, el presidente de los Estados Unidos, consideraba los esfuerzos militares españoles con estas palabras:

Si los ejércitos regulares pudiesen trabar combate en campo abierto con sus enemigos, fácil sería augurar rápidos y decisivos resultados, debido a la superioridad inmensa de las fuerzas peninsulares, en número, disciplina y armamento; pero es el caso que han de luchar con adversario que rehuye las batallas, que puede escoger y escoge aquel paraje que le conviene; que, a favor de la fragosidad del terreno, se hace visible o invisible a su voluntad, y que sólo pelea emboscado y cuando reúne a su favor todas las ventajas que pueden proporcionarle la posición y el número; y si a esto se agrega que el país ofrece, fácilmente, cuanto es indispensable a la vida, y más aún a los que son nacidos en él, resultará punto menos que imposible calcular el tiempo que pueda prolongarse una guerra empeñada en tales condiciones[6].

Frases clarividentes que servirán, en cualquier lugar, para saber quién es el agresor y quién el que se defiende.

Cánovas era asesinado un año antes del Desastre. Los Estados Unidos planteaban al gobierno español la siguiente disyuntiva:

O aplastaba totalmente la rebelión o intervendrían en ella para darle a Cuba su libertad.

La paz, según el presidente Mac Kinley, debía ser:

Justa y honrosa para los cubanos y para España, al par que equitativa para los intereses de los Estados Unidos, tan íntimamente ligados al bienestar de Cuba [7].

---

[5] *Ob. cit.*, vol. II, pág. 293.
[6] *Ob. cit.*, vol. II, pág. 391.
[7] *Ob. cit.*, vol. II, págs. 441-442.

La autonomía de Cuba fue, al fin, reconocida por un gobierno de Sagasta, cuando la larga lucha y aun las parciales y sangrientas victorias de Weyler hacían imposible toda solución pacífica. La oportunidad se había perdido mucho antes, cuando se identificaron intransigencia y patriotismo. La voladura del Maine —las 9,40 del 15 de febrero— precipitó los hechos. Estados Unidos hizo su oferta: compra de Cuba por trescientos millones de dólares, más un millón para los mediadores oficiales, o la guerra. Dice el duque de Maura que, ante la nueva situación:

> La Regente proponíase encargar del poder a quienquiera que le aconsejase el allanamiento a la solución pacífica del dilema de Mac Kinley; pero ni la perspectiva de la paz, ni la cifra de la indemnización, ni la del suculento corretaje, bastaron para decidir a ninguno; y esta rara unanimidad honra tanto al patriótico desinterés como a la sagaz previsión de los hombres políticos de entonces[8].

USA pone en marcha una campaña diplomática de paz: los síntomas de guerra son mortales. Se busca la cobertura ante la opinión pública:

> El Presidente no puede contemplar sin horror el sufrimiento de la muerte por hambre en Cuba... Es intolerable para el sentimiento de una nación cristiana y para el mundo civilizado... Estados Unidos no quieren la Isla y sí contribuir a darle pleno gobierno propio[9].

Nuestro ministro de la Guerra, Correa, replica patrióticamente:

> ¡Ojalá no tuviésemos un solo barco! Esa sería mi mayor satisfacción. Entonces podríamos decir a los Estados Unidos, desde Cuba y desde la Península: ¡Aquí estamos! ¡Vengan ustedes cuando quieran![10]

El efecto que estas arengas provocaban en la clase media española era fulminante. La gente se lanzaba entusiasmada

---

[8] *Ob. cit.*, vol. II, pág. 463.
[9] *Ob. cit.*, vol. II, pág. 470.
[10] *Ob. cit.*, vol. II, pág. 488.

a la calle. Versos patrióticos. Manifestaciones en las principales capitales. Destrozos en los consulados norteamericanos. *Marcha de Cádiz* a todas horas. Corridas de toros sobre arenas rojigualdas.

> Colores de sangre y oro
> tiene la hispana bandera.
> No hay oro para comprarla
> ni sangre para venderla.
>
> Al pelear con los yanquis,
> señores, tendrá que ver
> cómo de dos ladrillazos
> les haremos de correr.
>
> Tienen muchos barcos;
> nosotros, razón;
> ellos, armamento;
> nosotros, honor[11].

Los votos del ministro Correa fueron escuchados. España se quedó pronto sin barcos. Pero a nadie se le ocurrió invitar a los norteamericanos a una lucha a la bayoneta. La retórica cambiaba su terminología y su objetivo. Se restañaban las heridas con la crónica de los heroísmos individuales. No había más que una palabra para responder a tanto y tanto interrogante: el honor.

La Restauración reveló así —antes y después del 98— su destiempo radical. Su incapacidad para moverse en esas nuevas aguas de la historia, sólo atisbadas, pero nunca asumidas, por los hombres y grupos rectores. Había querido ir hacia adelante cargando con la totalidad de su pasado. Y no hubo en su seno —probablemente porque desde el punto de vista ideológico era imposible— una sola fuerza capaz de enderezar el rumbo.

La Restauración encontró en esta «duplicidad» de España —unida a la contradicción socioeconómica ya señalada— la razón de su muerte. Liquidada la guerra, y pese a las protestas individuales y patéticas de unos cuantos, la vieja filosofía se esforzó en volver a decir, viniese o no a cuento, que ser español era lo más importante del mundo.

---

[11] *Ob. cit.*, vol. II, pág. 593.

II

Quizá sirvan estas dos coordenadas para señalar la diversa relación existente entre la sociedad española «restauracionista» y la obra teatral de Arniches, Benavente y Valle Inclán. Ambas coordenadas —la contradicción socioeconómica y la contradicción histórica— pasan a través de los niveles y estamentos que estructuran oficialmente la sociedad española. Es más que presumible que esos dos tercios de la población que ni siquiera vendieron su voto en las primeras elecciones generales del país, sólo supieran de Cuba y Filipinas que eran tierras en guerra, a las que podía ser uno enviado —ya se sabe que los hijos de las familias ricas se libraban de estos menesteres mediante una cuota— durante el servicio militar.

Esta división del país entre una clase que hace la historia y las demás que la padecen, está claramente aceptada por el pensamiento político de la Restauración. De ahí, precisamente, los temores de Cánovas a que el sufragio rompiese el «statu quo», como así sucedió, en la medida que fuese dando entrada en el juego político a los millones de españoles hasta entonces marginados. De ahí, la implantación del paternalismo como fórmula de relación entre administradores y administrados; la idea de beneficencia como sustitutivo de la idea de justicia. De ahí, también, ciertas formas de patriotería que responden a una sustitución de la efectiva participación política popular por la concentración de masas en torno a cuestiones de «honor nacional».

En principio, Arniches, Benavente y Valle, como autores teatrales, habían de ponerse al servicio del ideario socialmente rector. La burguesía es la que sostiene el teatro. La que proyecta sobre él sus problemas y sus exigencias. Y, por tanto, sus contradicciones.

Los tres, Arniches, Benavente y Valle, salen de una misma situación histórica y están en una misma sociedad. Cada cual se planteará a su modo la relación que, en tanto que autor teatral, debe sostener con el medio. Los tres, a partir de una común adscripción inicial a la monarquía liberal —el carlismo estético de Valle fue circunstancial y jamás correspondió exactamente al carlismo efectivo—, desarrollarán una distinta trayectoria, en la que habrá siempre una constante referencia a las dos apuntadas coordenadas: la «cuestión social» y el «tema de España».

Es curioso que ningún país moderno tenga en su literatura una tan reiterada preocupación por el «tema nacional». En ningún lugar han existido tantos escritores dispuestos a hablar, bien o mal, entusiástica o dolorosamente, de su país y sus contradicciones. Algunos piensan que el «tema de España» es una de las· más sentimentales y cargantes limitaciones de la literatura española contemporánea. Yo no lo veo así. Si desde el 98 hasta hoy seguimos «hablando de España» es porque el tema está sin resolver. Probablemente por los anacronismos que, ya en el último cuarto del siglo xix, revitalizó la Restauración.

III

Sin las correcciones idealistas, afrontado el tiempo por una sociedad viva y dispuesta a contemplarse en un espejo auténtico, lo lógico es que hubiese surgido la tragedia de nuestras contradicciones básicas. Pero, sin duda, la sociedad rectora era demasiado débil para generarla y para permitirla. Por contra, esta debilidad exigía que la imagen de la realidad fuese optimista, blanda, respetuosa, retórica, y, sobre todo, que no pusiera en tela de juicio los supuestos ideológicos y económicos de la sociedad. Cabía mostrar tales o cuales vicios, tales o cuales corrupciones, pero señalando que se trataba de males imputables a individuos concretos. El Sistema «tenía que ser» perfecto, y si las cosas fallaban era por la consabida debilidad humana. La distancia entre la realidad y el escenario —entre la intrahistoria y la historia— había de ser todo lo grande que hiciese falta para que el espectador pudiera sentarse cómodamente en la butaca.

Resultó así que una sociedad crepuscular y contradictoria no tuvo en los escenarios el teatro que correspondía a su situación. Quizá porque el aceptarlo —pensemos en el agónico e irrepresentado Unamuno— habría sido un síntoma de relativa salud. Con lo que vino a cumplirse una de las paradojas de la época: mientras otras sociedades, estabilizadas y en etapa de desarrollo, tuvieron un teatro que reflejaba la angustia y la crisis de la burguesía occidental, en la España de la Restauración y del Desastre se cerraron las filas para que esto no fuera posible. El público intuyó que dudar era tanto como morir, con lo que vino a dificultarse la evolución.

Innumerables autores aceptaron el juego. Estaban tan integrados en el medio que lo hacían sin saberlo. El caso de Arniches, Benavente y Valle —como también el de Unamuno— no es ése. Los tres se plantearon, en mayor o menor medida, a distintos niveles, la «cuestión social» y el «tema de España». Los tres vivieron sus respectivos procesos, viniendo a ser Benavente el más débil y, por ello mismo, el más aplaudido y pagado, y Valle el más fuerte, y, en consecuencia, el más pobre y el más repudiado.

Valle, arrancando en el mundo del modernismo, tras conquistar cierto prestigio como estilista y esteta, acabó, a medida que se intrahistorizaba y se ponía en contra de la imagen oficial de su tiempo, por escribir sin la más mínima preocupación de estrenar, tan sólo atento a realizar una obra válida. A los espejos cómplices, Valle oponía la toma de conciencia de las «deformaciones sistemáticas», el único teatro verdaderamente agónico —en unión del de Unamuno— escrito en aquella sociedad agónica: el esperpento.

Valle era el espejo proscrito. No el espejo del naturalismo, sino ese otro que permite al autor la interpretación de su tiempo a través de su propia y lúcida agonía.

IV

En el primer Benavente —el mejor— hay asomos de un teatro crepuscular. Sólo asomos, porque el chejovianismo de tales obras suele ser pulverizado por un pensamiento trivial y por las concesiones de todo tipo que, finalmente, ofrece al público. Hay ejemplos típicos y casi escandalosos, como el de *La comida de las fieras*, obra enclavada en la atmósfera de la subasta de un viejo palacio y rematada —en su doble sentido— con una breve escena destinada a mostrar la felicidad conyugal de los antiguos y empobrecidos propietarios.

Benavente pensó —dentro del más puro optimismo restauracionista— que la solución del teatro podía estar en la educación de la nueva burguesía. Él, que era un hombre de gran curiosidad intelectual, uno de nuestros primeros escritores «europeos», sintió pronto el freno de la baja calidad del público español. Habló entonces del teatro popular. Y, más aún, del teatro para niños, entendido como una escuela de sensibles y futuros espectadores. Durante una época, Benavente la emprendió con los problemas económicos de ciertos sectores de la alta y media burguesía, más o menos inadaptado a los procesos del capitalismo. Tímidamente se adentró en el significativo drama de «las apariencias», en esa perentoria necesidad de clase que consistía en mostrarse públicamente prósperos aunque de puertas para adentro se viviera en la estrechez. Disociación o desarmonía entre lo público y lo privado que venía a ser un eco familiar y exacto de la ideología rectora del país. Tiempo vendrá en que García Lorca, con *La casa de Bernarda Alba*, escriba la tragedia de lo que, en manos de Benavente, suele quedarse en los matrimonios por interés y el solapado desprecio de los ricos por los amigos que se empobrecen.

Benavente es, entre los tres dramaturgos a que nos estamos refiriendo, el más «seguro», el más identificado con su público. Su literatura dramática, explícita, sin subtextos, es un continuo «magisterio» y alarde. Su verdad procede del profundo acuerdo, de la común necesidad de evasión, que existen entre él y su público. Es un teatro que llegará al Premio Nobel y que, sin embargo, tiene un porvenir inseguro.

A medida que cambia la sociedad y evolucionan las circunstancias se va haciendo más difícil entender las razones que sustentaron la estimación crítica de Benavente. Su última etapa de escritor no hará sino disociarle todavía más de la intrahistoria española. Benavente, en fin, quedará antes como un eco de clase que como un autor que vivió problemáticamente su sociedad y su tiempo. Sus ideas sobre la condición fundamentalmente evasiva del teatro —«bastantes dolores sufre el mundo, para que encima, etc»[12]—, a raíz de nuestra última guerra civil, en la misma época en que los grandes dramaturgos hablaban del «compromiso» y de la función reveladora del drama, es la síntesis teórica de su larga y aplaudida carrera de autor.

---

[12] *Veinte años de teatro en España*, de Alfredo Marquerie, Editora Nacional, 1959, pág. 32.

V

Benavente y Valle eran dos «intelectuales». Arniches, en cambio, era un hombre de juventud difícil, que empezó a escribir obritas del género chico en colaboración y, probablemente, con la única idea de ganar dinero. Participó totalmente del pensamiento dominante, sin que sus primeras sátiras fuesen más lejos de la pretensión puramente cómica. De acuerdo con los principios de la alta clase media —la U.G.T. se fundó, sin mucha fuerza, en 1888, el año en que estrenaba Arniches su primer título: *Casa editorial*—, interpretó a las clases populares según el patrón castizo y despolitizado que correspondía a la vida pública española. Cayó, pues, en la trampa del «esencialismo», de la adoración al «alma popular», entendida como un conglomerado eternamente feliz, gregario y descircunstanciado. Había un paralelo exacto entre el paternalismo retórico de los gobernantes que hablaban del «valor del pueblo español» y la masificación pintoresquista de Carlos Arniches.

Sin embargo, Arniches no se inmovilizó. Cuando saltó del género chico a la obra larga y sin cantables, llegó muy pronto a la tragicomedia. No lo eran muchas obras así calificadas, pero lo cierto es que Arniches quiso trascender la obra cómica al uso —hay una nutrida generación de cultivadores, entre los que Antonio Paso, el primero de los Paso, es el más conocido— y formular la que, según él, era la estilización adecuada para la representación de sus contemporáneos, la tragicomedia grotesca, con todo lo que ésta tiene de confluencia extremada de contrarios. Dentro de los esquemas generales del teatro que tenía éxito y llegaba al público de entonces, Arniches fue, poco a poco, rebelándose. Sus críticas tenían el exigido carácter «individualista», pero, a veces, atacando el caciquismo o la moral de la pequeña burguesía provinciana, prefiguraban la imagen de un país cansado y peligrosamente vacío. *La señorita de Trevélez*, *Los caciques* y *La heroica villa*, constituyen, sin duda, una de las imágenes críticas más vivas que nos ha transmitido el teatro español de la época. Aun aceptadas todas las limitaciones y convenciones, cuya raíz estaba en el modo de ser de aquel público y en las expresiones de la mayor parte de su cultura.

También con el tiempo, Arniches revisó su casticismo. En los Sainetes Rápidos se habla de la miseria de los suburbios madrileños, de la picaresca de sus habitantes, de su suicida insolidaridad. Ya no basta dar un ¡Viva el Manzanares!, en el último parlamento.

Más tarde, Arniches volvió a perderse. Pero la razón era esta vez muy distinta. Como le sucedió a Benavente, su época concluyó con la salida del último Borbón. Empezaba un tiempo distinto. Y el uno y el otro, antes ligados a los problemas de la sociedad de la Restauración, al medio siglo de insostenibles contradicciones, no hicieron sino sobrevivirse a sí mismos.

VI

Valle, considerado el «esteta» de su generación, no ya por la crítica oficial, sino por sus mismos compañeros, resulta hoy la clave fundamental de una interpretación dramática de la época. Quienes no la problematizaron y se limitaron a satisfacer llanamente las exigencias del público, murieron sin asomarse a los entresijos de su tiempo.

El triunfo de Benavente confiere hoy a sus textos el valor de un documento sociológico. El fracaso de Valle y la explicación del mismo a través del esperpento —de su texto literario, de su estructura teatral y de su base crítica y agónica— es también otro dato histórico. Con la diferencia de que Benavente, por morir con su sociedad, es sólo historia, mientras Valle, por encararla y vivirla trágicamente, es y será siempre un extraordinario teatro.

Valle Inclán

La Galicia de Valle Inclán

Ninguno de nuestros grandes escritores ha sido peor entendido que Valle. Nadie se ha encontrado tan desasistido; sin valimiento entre las derechas —salvada su etapa de carlismo estético y ambiguo—, que acabaron considerándolo un extravagante de afilada lengua, ni entre las izquierdas, que no entendieron su agonía aristocrática; sin la comprensión de los «realistas», que lo tomaron por eco del modernismo —no hay más que leer las terribles cosas que dice Baroja de Valle en sus Memorias— y sin la aceptación de los estetas, para quienes el esperpento fue un pecado de facilidad literaria, un reniego de la serenidad y la armonía.

Y hasta hubo quienes, como es el caso de Ramón Sender, admirando ilimitadamente a Valle, escribieron muchas veces que su teatro era para leer pero no para llevar a un escenario[1].

Ante tan desbarajustada literatura sobre Valle[2], pienso si no se tratará de un autor inasequible a sus contemporáneos. Si no será uno de esos personajes patéticos cuya grandeza y significación necesitan de cierta perspectiva histórica. Esperpéntico en su vida, en su obra, en su tertulia, quizá Valle fue un hombre demasiado contorsionado para ser visto de cerca. Había que alejarse un poco de aquel voluntario chafarrinón, de aquel gesto siempre en pie de guerra, para ver el alcance del conjunto, la compensación y armonía última de su desfile de desplantes, sufrimientos e inconformismos.

---

[1] *Valle Inclán y la dificultad de la tragedia*, de Ramón J. Sender, Madrid, Gredos, 1965.

[2] El panorama ha cambiado sensiblemente en los últimos años. El teatro de Valle cuenta ya con documentados trabajos en los que ha desaparecido la posición que aquí se combate. Citemos los libros del hispanista Sumner M. Greenfield, *Anatomía de un teatro problemático* (Madrid, ed. Fundamentos, 1927) y *Ramón del Valle Inclán: la política, la cultura, el realismo y el pueblo*, de Juan Antonio Hormigón (Madrid, ed. Comunicación, 1972).

Citaré dos casos concretos. Los de Melchor Fernández Almagro[3] y Ramón Gómez de la Serna[4], los dos biógrafos casi oficiales, y siempre consultados, de don Ramón. Para el primero, Valle:

> es un hombre fabuloso, tan dado a la creación de sí propio, de su mundo, que llegó a reducir mentiras, imaginaciones y caprichos, a una superior unidad de vida y de obra.

Fernández Almagro hará suya, en definitiva, la tesis con que el dictador Primo de Rivera tuvo a don Ramón dos semanas en la Cárcel Modelo, de Madrid: «Eximio escritor y extravagante ciudadano.»

Esta es exactamente la medida que le aplicará nuestra sociedad dominante, valiéndose de esa oscura moral que permite dividir al hombre en compartimentos estancos, por separado aceptables o recusables. El mismo esperpento, nacido de un choque entre el irracionalismo histórico español y la humanidad de Valle, será explicado poco menos que como una consecuencia de la mala salud del escritor. Una y otra vez nos hablarán de su exhibicionismo, de sus ganas de hacerse notar, de su desclasamiento, sin adentrarse en la significación de tales actitudes. A los gritos de Valle los llamarán «cosas de Don Ramón», y su constante evolución, su proceso de escritor, su camino hacia el esperpento, será, por lo general, silenciado, para proponernos las partes menos cortantes de su obra, las aventuras donjuanescas del marqués de Bradomín o los ecos rubendarinianos de las fuentes, los palacios y las frondas de Galicia.

Ramón Gómez de la Serna, el otro de sus biógrafos, asistirá con terror a la cita de Valle Inclán y Francisco de Goya. En su biografía, tras muchas páginas de admiración al «maestro», romperá en lamentaciones:

> Lo barroco iba a ser el consuelo del artista desplazado, sin estabilidad, loco ya de probreza. ¡Santo delirio!

---

[3] *Vida y literatura de Valle Inclán*, de Melchor Fernández Almagro, Madrid, Taurus, 1966.

[4] *Don Ramón María del Valle Inclán*, de Ramón Gómez de la Serna, Madrid, (Espasa Calpe, colección Austral, núm. 427, 1944).

¡Delirio! Otra palabra para cubrirse. Y pobre. Y manco. Y muerto de hambre. Y raro. Y mentiroso. Y gallito...

Sin duda, cuando Valle escribió aquello de «Los escritores españoles nos parecemos a los gitanos en que a todos nos persigue la Guardia Civil», no se refería concretamente a la Benemérita.

La unidad de Valle

Este trabajo parte de los siguientes supuestos:

1. Existencia indiscutible de una distancia sustancial entre el Valle primero de *Sonata de Otoño* y el Valle último del *Ruedo Ibérico* y de los esperpentos.

2. Presencia de un proceso ininterrumpido, aunque precipitado por Valle en su última etapa. Desde sus primeras obras podemos rastrear la presencia de una serie de deformaciones esperpénticas, primero secundarias, luego cada vez más importantes.

3. En consecuencia, armonía de la obra valleinclanesca, una vez considerada su permanente evolución. Valle habría comenzado cerca del «modernismo» para iniciar muy pronto, dentro del espíritu de la Generación del 98, su proceso a la sociedad española de la Restauración.

Galicia

He empezado —después de leer tantas veces que Valle fantaseaba sobre sus palacios y los títulos nobiliarios de sus antepasados— por ir a Galicia para ver de cerca los lugares en que vivió el autor. He de confesar que muchas cosas me han resultado claras y nuevas, a partir de la conciencia del distinto valor de numerosas palabras y conceptos, según se haya vivido alrededor de la Puerta del Sol o en las casas ruinosas, enormes, con escudos heráldicos en las fachadas, cerca de la ría de Arosa, junto a los bosques de pino y laurel, en la punta casi perdida de Pontevedra.

Valle pasó la parte fundamental de su vida alternando entre Madrid y los pueblos de la ría vinculados a su infancia. No puede, pues, hablarse cronológicamente de una etapa gallega y una etapa madrileña. Sin embargo, sí cabe otra consideración muy oportuna: la distinta imagen de un Valle especialmente alimentado por la atmósfera sensorial y social de su Galicia, y la de un Valle que, conservando sus viejas raíces, hace del «problema de España» la base de su obra.

En este primer trabajo —al que seguirá otro, más atento al Valle «madrileño»— quiero hablar de lo que he visto en Galicia. De la realidad crepuscular que envolvió auténticamente a Ramón del Valle Inclán, tan increíblemente lejana de las verdades cotidianas de la vida madrileña. Ante ella he sentido, incluso, un poco de vergüenza por cuantos tomaron el aire de Don Ramón por mimetismo literario. Rúa Nova, Caramiñal, Puebla del Deán, Cambados, Villanueva de Arosa... son las estaciones de un camino en el que está no ya la geografía de Valle, su asombroso paisaje asomado a la ría de Arosa, sino su agonía, su condición de Gatopardo gallego. De este mundo no podía salir un escritor a la medida del público burgués español; de aquí salen emigrantes, que vuelven de América muchos años después, con los ahorros necesarios para construir la casita de su vejez y de su muerte. Este es un mundo marginado, con los bosques y los pazos metiéndose en el mar. Con los cementerios alrededor de las iglesias parroquiales. Con fuentes y cruceros. En Puebla del Deán —unida a Caramiñal—, cada tercer domingo de septiembre, sale la procesión del Nazareno, con los ataúdes de los que prometieron desfilar vistiendo la mortaja si lograban salvar la vida en un trance difícil. No muy lejos del itinerario de la procesión está la Torre Bermúdez, el palacio de los antepasados de Valle, ahora medio en ruinas.

Ser de este rincón pontevedrés es ser un poco apátrida, en la medida en que uno debe sentirse ligado a raíces viejas y oscuras, ajenas a la historia política de España. Todo el quietismo valleinclanesco de *La lámpara maravillosa* está materializado aquí. Como decía el escritor, lo temporal se inserta automáticamente en una sensación de eternidad. Valle empezó, pues, mirando el presente desde una perspectiva emocional de honda antigüedad. Ningún «ismo» en esta actitud. Ir a Madrid era como salir de casa para subirse a un escenario y gritar, actuar, mostrarse, consciente siempre de lo efímero de la representación.

No es extraño que Valle escribiera:

Al cabo logré despertar en mí desconocidas voces y entender su vario murmullo, que unas veces me parecía profético y otras familiar, cual si de pronto el relámpago alumbrase mi memoria, una memoria de mil años[5].

Villanueva de Arosa, nacimiento

En una casa de Villanueva de Arosa, bella y sólida por fuera, hoy ruinosa por dentro, nació don Ramón. Era hijo de don Ramón Valle Bermúdez y de doña Dolores Peña Montenegro. Abuelos paternos eran, don Carlos, natural de San Lorenzo de András, y doña Juana, de Puebla del Deán. En estos nombres encontramos una serie de llaves de la Galicia valleinclanesca. Ahí están ya los apellidos Bermúdez —Torre de Bermúdez— y Montenegro, este último muy querido por don Ramón y adjudicado a uno de sus personajes literarios más significativos y famosos: don Juan Manuel Montenegro. Ahí están también los lugares que, con su nombre auténtico o cambiado, conforman el ámbito geográfico de la Galicia de Valle. Villanueva de Arosa nos sitúa en la ría medular de las alusiones marineras. Puebla del Deán es la inspiración de Viana del Prior. Y en San Lorenzo de András, varias veces citado por el escritor, está el pazo de Rúa Nova, con la capilla de *Romance de lobos*.

En Villanueva de Arosa no hacían más que hablarnos de la hermosa casa de los Camba, nacidos en Villamayor, un pueblecito unido ya a Villanueva. Quizá creen que los Camba son más importantes que Valle. Quizá recuerdan que Julio Camba colaboró hasta el fin en *ABC*, mientras guardan de Valle un viejo recuerdo de extravagancias. Puede ser, simplemente, que la casa de los Camba, además de magnífica, se encuentre muy bien conservada. Sin embargo, Villanueva de Arosa no será una ciudad cabal mientras no sepa que Valle fue uno de los más grandes españoles de nuestro tiempo.

La casa de Valle no pudimos verla por dentro. Tras la puerta entornada, los ojos huidizos de la ocupante —una cuñada de Carlos, el hermano de don Ramón— nos cortaron el paso.

La mujer nos dice:

> Está en ruinas. No se puede pasar. Yo apenas conocí a Ramón, pero su hermano Carlos, el notario, valía bastante más que él.

[5] «La lámpara maravillosa», *Obras completas de don Ramón del Valle Inclán*, Madrid, ed. Plenitud, vol. II, pág. 557 y ss.

En el patio, sí pudimos entrar. Bajo un árbol hay una gran mesa de piedra. Un nogal, un tejo, un magnolio, un castaño, una parra, sombrean aquel gran caserón envejecido, donde pasó Valle parte de su infancia. Septiembre ha llenado el suelo de hojas amarillas. Cerca está el puerto, con las barcas sobre la tierra en las largas horas de marea baja...

El cementerio de Cambados

Me enseña la carta Carlos Valle Inclán, uno de los hijos del escritor. Está fechada en Cambados, el 2 de octubre de 1914, y dirigida a Ortega y Gasset:

> La casa se me viene encima y tampoco quiero, por ahora, volver a Madrid, donde nació mi niño hermoso que se me murió. Quisiera ir a Italia.

Cambados es la ciudad triste de la vida valleinclánesca. «¿Dónde vivió don Ramón?» —hemos preguntado. En Cambados nos mandaban a la casa de don Ramón Cavanillas, el poeta gallego. «No, no, nosotros preguntábamos por Valle.»

Dimos con la casa —calle Real, número 1—, en cuya fachada colocaron, hace dos o tres años, una inscripción junto al perfil en bronce del escritor. Un poco más adelante está el palacio de Fefiñanes, escondido bajo otros nombres en muchas descripciones de Valle. Frente al inmenso palacio, en la gran plaza, juegan los muchachos que suben de la playa del Pombal, la misma donde empezó la muerte de Joaquín María del Valle Inclán, el hijo de don Ramón. Preguntamos a uno de los muchachos que ha dejado de seguir la pelota:

— ¿Sabes quién era Valle Inclán?
— ¡Claro!
— ¿Quién era?
— ¡Un gallego! Pero no sé más.

Nuestro guía nos acompaña al cementerio. Está en lo alto, en las ruinas románicas de Santa María, un templo del siglo xv. Quedan en pie los arcos, descubiertos, limpios, apoyados en los muros verdeados por el musgo. Casi todos los enterramientos están fuera del solar de la iglesia. Dentro, entre las escasas losas, hay una en que se lee:

«Joaquín María del Valle Inclán.
28 de mayo-28 de septiembre. mcmxiv»

Entran algunas gentes en el cementerio. Se arrodillan frente a las tumbas, bajo las sombras de los árboles, cerca de los arcos románicos, con el mar a sus espaldas. Aquí concluye el vía crucis que tanto afectó a Valle: la muerte del primero y por entonces único de sus hijos varones.

A la salida de Cambados, nos detenemos junto a un viejo crucero. Es de un realismo minucioso y terrible. Las pezuñas de una serpiente monstruosa, los colores de las figuras, el hilo brillante que va del costado de Cristo al cáliz, todo está ingenuamente acabado. Si Baroja hubiese tenido que describir este crucero, es seguro que le hubiese salido ¡aun a él! una prosa valleinclanesca.

Romance de lobos

Salimos de la carretera general para meternos por un mal camino. Llegamos a un cruce, lindante con un pazo. En la misma esquina del muro que circunda el pazo se levanta una torre con su escudo heráldico.

—¿Es éste el pazo de Rúa Nova?
—Sí. Pero está todo dividido. Mejor entrarán por el otro lado, llamando en la puerta vecina a la capilla.

Para estos campesinos el nombre de Valle Inclán no es nuevo. No han leído nada suyo, pero han oído hablar de él. Un hombre, ya maduro, que me escucha, asocia a Valle con las historias de brujas:

—Cerca está el río donde dicen que se reunían las meigas.

De ese río debía de hablar Valle en las acotaciones de *Romance de lobos:*

79

Cuando de nuevo se atreve a mirar, la procesión se detiene a la orilla de un río, donde las brujas departen sentadas en rueda. Por la otra orilla va un entierro. Canta un gallo[6].

Son leyendas que él oyó en Rúa Nova, donde pasó largas temporadas, y a cuyo pazo debió referirse cuando escribió:

Atajábamos la Tierra de Salnés, donde otro tiempo estuvo la casa de mis abuelos y donde yo crecí desde zagal a mozo[7].

Llamamos en la puerta que nos han indicado y nos abre don Ángel Valle, hijo de un primo hermano de don Ramón. Nos metemos en el jardín de árboles frutales, emparrados —esa parra que nunca deja de citar Valle en las casas de don Juan Manuel Montenegro—, una fuente...

aquel retiro, donde mirtos seculares dibujaban los cuatro escudos del fundador en torno a una fuente abandonada...

y la cercanía de un bosque de laurel. Allí están, medio tapadas por las ramas, las figuras de don Miguel del Valle Inclán, el fundador del pazo, soldado en la conquista del Perú, y la de su esposa. La casa, de altos techos, está en angustiosa decadencia. Sus ocupantes me dicen:

—¡Quién arregla nada, si todo está pendiente de nuevas divisiones! ¡Si hasta hay herederos que quisieran vender los pocos santos de la capilla y repartir el dinero! Cuando don Ramón pasaba aquí temporadas, las cosas ya andaban muy mal...

—La capilla se abría al público todos los años el día de San Miguel, en que se celebraba misa. Hará unos diez años que se interrumpió la costumbre.

Ya estamos en la capilla. Los hijos de don Juan Manuel Montenegro no han dejado casi nada. Bien hacía el Caballero en recelarse esta lucha entre los lobos de su dinastía. Quedan aún algunos Cristos de proporciones grotescas, con rizos sobre la frente y grandes bigotes de granadero. La tribuna, sobre

---

[6] «Romance de lobos», jornada 1.ª, escena 1.ª, *ob. cit.*, vol. I, pág. 654.
[7] «La lámpara maravillosa», *ob. cit.*

cuyo barandal se doblaba Farruquiño, está carcomida y ruinosa. El arcángel tutelar de la capilla, a quien un día quitara
el seminarista su espada de plata, tiene ahora otra de madera;
a sus pies está:

> aquella cabeza de moro negro, que saca la lengua de sierpe
> al ser aplastada por las angélicas plantas.

En esta capilla semiderruida, de figuras deformes, está la
sustancia de *Romance de lobos*. De aquí sale ya, durante la primera juventud de Valle, un vaho esperpéntico, una inspiración
granguiñolesca, una visión agónica de la historia. Por un momento, recordamos la cerámica popular de Barcelos, donde,
también, se manifiesta este alucinado y deforme depósito de
una cultura originariamente aristocrática.

La fachada —balcón único frente al crucero— de la casa
y la capilla se ciñe rigurosamente a la acotación valleinclanesca:

> Don Juan Manuel llega por el camino aldeano, de verdes
> orillas (...) Con el andar desfallecido, llega a la puerta y pulsa.
> Apoyado en la jamba, espera. Los mendigos y los criados se
> agrupan detrás, todos en un gran silencio. El Caballero vuelve
> a pulsar en la puerta, y acompaña con grandes voces los golpes
> de su puño cerrado (...). Ante la puerta hostil y cerrada se
> levanta, como un oleaje, el vocerío de la hueste mendicante
> y los viejos criados despedidos de la casona. De pronto cesa
> el clamor. Espantados de sus voces, mendigos y criados oyen
> en un gran silencio el descorrer de los cerrojos de la puerta:
> se abre rechinando, y, sobre el umbral, como una sombra
> de malas artes, aparece Andreíña. Al mismo tiempo asoman
> con bárbara violencia los cuatro segundones en aquel balcón
> de piedra que remata con el escudo de armas [8].

Me dice Ángel Valle que el pazo estuvo prácticamente
abandonado durante los años siguientes a la muerte del fundador.
Y que luego vinieron los grandes pleitos de familia. Vivir en
Rúa Nova es preguntarse continuamente sobre el pasado. Es
sentirse al final de un tiempo que se cierra sin continuidad
lógica. El pazo explica muy bien aquellas palabras de Bradomín:

---

[8] «Romance de lobos», acotaciones de la jornada 3.ª, escena 5.ª, *ob. cit.*,
vol. I, págs. 718-719.

Después de haber vivido como yo he vivido, se está siempre con los ojos vueltos hacia el pasado.

Sólo que, tratándose de un escritor, nacido en el ámbito de una vieja familia aristocrática, años después del último mayorazgo, mirar hacia atrás, es tanto como poblar con la imaginación aquella escenografía crepuscular.

Entre el Valle gallego y el Valle madrileño y esperpéntico no existe, pues, ninguna incompatibilidad fundamental. La diferencia está en que, en el primer caso, imagina la historia, y en el segundo, la vive. Pero siempre, sea en Galicia o en Madrid, bajo el estímulo de realidades sensoriales próximas, tangibles. Valle llegó al crepúsculo de España desde la palpable agonía de los antiguos mayorazgos de su tierra.

Pontevedra

Pontevedra es, en términos generales, la ciudad antipática en la biografía de Valle. Los biógrafos hablan de las dificultades de un escritor incipiente y rebelde en la atmósfera de una capital de provincia. Valle encajaba en las Tierras de Salnés, pero no en el marco puritano y conservador de una ciudad como Pontevedra. Sin embargo, en la tertulia pontevedresa de Jesús Muruais sería donde oiría hablar por primera vez de Barbey D'Aurevilly y de D'Annunzio.

A esta tertulia de Muruais —establecida en su casa, la Casa del Arco— suelen dar los críticos de Valle una gran importancia. Allí estaría el secreto de su modernismo literario. Yo intuyo, sin embargo, que esto es, al menos en parte, falso. Si Valle sacó de aquellas reuniones nombres y guías para sus lecturas, es porque en todo ese material encontró sugerencias estéticas, que cuadraban perfectamente a su mundo de infancia y juventud. Valle Inclán, el Valle de Tierra de Salnés, imaginador entre ruinas y soledades, no podía ser jamás un escritor de talante naturalista. D'Annunzio, Rimbaud, o Barbey D'Aurevilly, le remitían a un tipo de realidad excepcional, que respondía a las suscitaciones de los pazos cuarteados, los escudos y las leyendas de familia. Para Valle imaginar no equivalía a mentir. Se trataba de una forma de realismo determinada por el medio ambiente.

Por ello, no tiene nada de extraño que quien empezó, en la Casa del Arco, junto al gran magnolio de su jardín, por admirar y seguir a los modernistas, acabara tirándose a las peligrosas arenas históricas del Ruedo Ibérico. Nuevas y habitadas realidades ocupaban ahora el sitio de los vacíos caserones.

Viana del Prior

También en Caramiñal —unida a Puebla del Deán para formar Puebla del Caramiñal— creían que andábamos detrás de otro escritor: Victoriano García Martí. «No, nosotros queremos saber cosas de Valle Inclán.» Y nos contaron cosas.

—Valle estaba loco. Tiraba los folios que escribía y su mujer, una actriz, los recogía y guardaba. Aquí vivió mal, con muchas apreturas económicas. Algunos le tuvieron que ayudar. Primero se instaló en Villa Eugenia, cerca del Ayuntamiento. Luego se fue al pazo de la Merced.

—Ya no quedan Montenegros. El apellido anda en tercer y cuarto lugar. Unos emigraron, otros murieron sin hijo varón. Ludovina Montenegro, que vivió donde hoy está el Café la Artística, fue una de las últimas. Creo que dejó la casa a una sirvienta o a una ahijada...

—Hace algún tiempo, nos mandaron de Pontevedra un busto de don Ramón. Estuvo en el Ayuntamiento mucho tiempo, hasta que el Alcalde decidió colocarlo en la Curotiña, el monte a donde el escritor subía con alguna frecuencia. Pues bien, al descargarla, ya en lo alto del monte, se soltó sin que hubiera forma de detener la caída. Rodó bastantes metros por la pendiente, y donde se paró allí la hemos dejado.

A la Curotiña se llega por una carretera mordida por los tractores y las carretas de bueyes que transportan los pinos. Se pasa por delante de la Virgen de Maudes, una terrible figurilla. Pronto empieza a verse toda la ribera de la ría. El barquito que va de Villagarcía a Caramiñal, en cuya travesía fantaseaba Valle que había nacido, es un punto apenas mayor que los criaderos de mejillones. Saliendo del camino, entre peñascales, seguimos la ruta de aquella cabeza rebelde que se fue monte abajo. Donde se plantó, donde ahora está, con la nariz rota y el aire combativo, es el sitio justo para un monumento del nunca académico don Ramón. Tiene su Galicia al pie y cuesta llegar hasta él...

Cerca está el pico de la Curotiña, desde donde se domina todo lo que un día se creyó el fin de la Tierra: la ría de Muro, la isla de Sávora y el cabo Finisterre, con sus bajos rocosos que llaman de la Muerte. Hay aquí arriba caballos salvajes y pinadas quemadas por los que no aceptan que sean hoy del Patrimonio Forestal después de haber sido comunales. Una gran piedra, abrigo de vientos, es la que llaman Piedra de Valle Inclán. Allí se sentaba con frecuencia el escritor. Y allí se fechó un homenaje, sin que la fuerte erosión haya dejado huellas de la inscripción de circunstancias.

En Caramiñal, visitamos la vieja farmacia de don José Tato, nieto de don Santiago, el farmacéutico amigo de don Ramón. Aún están los bancos blancos, casi íntegramente despintados, en los que diariamente se sentaban García Martí, Díaz de Rábago, Santiago Tato, Julio Camba, don Ramón y algún otro contertulio. A veces, cuando hacía bueno, la tertulia se plantaba en las puertas de la farmacia, y don Ramón, según dicen, piropeaba salvajemente a las muchachas.

Valle venía de La Merced con su poncho mejicano montado en un burrito. Otras veces le traía el cochero de los Llamas, dueños de La Merced. Nos lo cuenta Carmiña Porteiro, la prima del actual farmacéutico.

> —Aquí Valle lo pasó muy mal. No tenía dinero. Creo que vivía en La Merced sin pagar, como si fuera su casa. Recuerdo que era un hombre con mucha imaginación y que en las tertulias hacía callar a todo el mundo.

Los Montenegro

Tres hermanos: María, Manuela y Juan. Llevan el apellido en cuarto lugar. Ellas han sido maestras; él ha trabajado en un Banco. Viven en un gran caserón ruinoso, de cristales rotos. Son amables, hospitalarios, y tienen en la mirada una desconcertante quietud, un ensimismamiento patético. Las hermanas están algo sordas y hay que gritar para llevar la conversación adelante:

84

—Benito Montenegro, nuestro bisabuelo, fue el último mayorazgo. La abuela, Lina Montenegro, pleiteó ya con sus hermanos. Ella fue la que vendió Colo de Arca, ‹la finca que inspiró a Ramón su *Cara de Plata*. Ramón era un extravagante, pero era un genio.

Juan dice:

—Yo trabajé en la sucursal del Banco de Vigo, aquí en Puebla de Caramiñal; es un Banco que quebró. Ayudé mucho a don Ramón a retener letras, obtener créditos y todas esas cosas.

Hablan con ojos traspuestos, abiertos a realidades invisibles. «*Mi primo Augusto, el millonario*»...«*El Montenegro que se fue a La Habana*»...«*Cuando la abuela vendió Colo de Arca*»... etc. Todos tienen, sin saberlo, una chispa de locura valleinclanesca.

(Luego, con ocasión de un reciente viaje a Cuba, he sabido del emigrante Carlos Montenegro. Homicida, preso, escritor, millonario, batistiano, exiliado en Miami, son los tramos de su increíble y violento itinerario).

«*Cara de Plata*»

Valle había escrito en su primera etapa *Águila de blasón* y *Romance de lobos*. Muchos años después —1923—, tras su segundo viaje a Méjico, escribió en Caramiñal *Cara de Plata*, argumentalmente la primera de las tres *Comedias Bárbaras*.

Cara de Plata transcurre en Colo de Arca, un pazo situado en las afueras de Caramiñal. La casa —hoy propiedad de un industrial maderero— es de dos pisos. Falta parte del tejado. Y sus terrazas se abren, una, sobre los bosques de laurel y de pinos, la otra, sobre el lado de la ría. Los frutales sombrean la que debió de ser entrada de la servidumbre. Un gusto exquisito resulta evidente en los rasgos de aquel enhiesto esqueleto. En el gran comedor crepuscular anda por los suelos la fotografía de un caballero de largos mostachos, firme en su silla de montar, con la mirada alzada, quién sabe si uno de los últimos Montenegro. Por la finca, enorme, cruza el camino que, según la leyenda recogida por Valle, no dejó atravesar el vinculero ni a los mendigos ni al Abad con el viático. «Por aquí no pasa ni Dios», asegura la leyenda que dijo el auténtico Montenegro de Colo de Arca.

La Merced

Dos hijos de Valle nacieron aquí. Aquí ensayó Valle la agricultura. Está la casa —en Madrid diríamos el palacio— sobre una pequeña playa, iniciando la loma, apenas separada de la carretera. La Merced tiene escudo y ermita. Detrás del edificio comienza el bosque de eucaliptus. Delante, cerca del solemne arco de entrada a la finca, se alza el crucero.

Todo está cerrado y desportillado. Es una hermosísima casa olvidada y acongojante, cuyo silencio llenan los ecos de una fuente.

«Divinas palabras»

> Iglesia de aldea sobre la cruz de dos caminos, en medio de una quintana con sepulturas y cipreses. Pedro Gailo, el sacristán, apaga los cirios bajo el pórtico.

Esta es la primera acotación de *Divinas palabras*. Éste podría muy bien ser el mundo de la iglesia de Ribadumia, adonde nos ha llevado Carlos, el hijo del escritor. Aquí están, en efecto, todos los elementos. La casa de Mari Gaila y el sacristán, la iglesia, el cementerio y la gran plaza adonde llevarían a la mujer tras sorprenderla con el compadre Miau en los cañaverales del Umia. Aquí está materializada la increíble síntesis valleinclanesca. Cerca de una piedra, que quizá sirva para depositar los ataúdes en la última bendición, hay un estrado que tiene todo el aire de lugar de la orquesta para los días de baile y de fiesta. La iglesia —con la placa de homenaje al emigrante muerto en América que protegió a la aldea— está bordeada de lápidas, entre las que andan jugando los niños. A unos metros, pasta el ganado. Y es seguro que la fruta de los árboles que rodean el cementerio, será una fruta más, sin ascos ni distingos. Hay, incluso, una muchacha enana que pone el acento exacto en la unidad valleinclanesca.

Guardémonos de la tontería de decir que la naturaleza imita al arte: fue Valle quien tuvo aquí sus raíces.

«Aromas de leyenda»

Valle versifica la leyenda de San Gundián en *Estela de prodigio:*

> Padre de la barba florida
> por tres siglos de santidad
> desde que oíste al ruiseñor
> primaveral y celestial...

El milagro, según la leyenda, sucedió en el monasterio de Armenteira, del siglo XII. San Gaudián quiso saber lo que era la eternidad y Dios lo tuvo en éxtasis durante tres siglos, tiempo que pasó como un canto de ruiseñor. El monasterio, ruinoso y abandonado durante muchas décadas, va siendo hoy reconstruido lenta y tenazmente. Ya hay salas renovadas. Y la iglesia, de curiosa cúpula caifal, está abierta al culto. Pero domina y dominará por mucho tiempo el signo que imponen los grandes muros cuarteados y rotos de la vieja estructura, en mitad de los senderos verdes de la Tierra de Salnés.

> Quedé cautivo, sellados los ojos por el sello de aquel valle hondísimo, quieto y verde, con llovizna y sol...[9]

Santiago

Esta es la ciudad que acabó conquistando a Valle Inclán. Aquí pasó sus años de universitario, viviendo en la calle de las pensiones estudiantiles —la calle del Franco— a dos pasos del Obradoiro; aquí comenzó a interesarse por la literatura; aquí pasó largas temporadas; aquí murió —el 5 de enero de 1936— en el sanatorio del doctor Villar Iglesias; aquí está enterrado. *«De todas las rancias ciudades españolas, la que parece inmovilizada en un sueño de granito, inmutable y eterno, es Santiago de Compostela»,* escribió don Ramón.

Estuve en la ciudad el día del Apóstol. Hablé con el limpiabotas de Valle; otros muchos recordaban al escritor viejo y manco, extravagante y moribundo. Luego me fui al ferial de ganado,

---

[9] «La lámpara maravillosa», *ob. cit.*

87

que se celebra en mitad de un vecino bosque. Corría el dinero y abundaban las Mari Gailas campesinas. Cerca se alzaban las barquitas de tiro al blanco, los puestos de pan, los corros alrededor de incansables charlantes vendelotodo. Había también dos lugares dedicados a la explotación de la monstruosidad. En uno, no se qué mago prometía cortarle la cabeza a una rolliza muchacha rubia, que saludaba vestida de lentejuelas; y, más aún, aseguraba que pasaría la cabeza seccionada de mano en mano. En otro, la Vaca Juanita, «animal raro», con más de cuatro patas, sacaba el dinero a la cola de asombrados campesinos. Uno pensaba en seguida en el carretón de *Divinas Palabras* y en las ferias de la sacristana... El polvo y el ruido eran terribles. Aquella era una feria para adultos, para gentes de las aldeas que tocaban en Santiago el dinero de la venta del ganado, en nada semejantes a las ferias tranquilas e infantiles de nuestra pequeña burguesía.

Estuve, finalmente, en el cementerio de Boisaca. Es el cementerio general de Santiago. Debiera ser el único, si las familias más pudientes no tuviesen ricos panteones en el cementerio antiguo y en el de la sociedad «El Rosario». Como Valle no era un hombre rico, lo enterraron aquí, en Boisaca. Primero, en un ángulo del cementerio. Desde hace poco, y quizá al tiempo que subía su prestigio de escritor y se olvidaba un poco su biografía de rebelde, en un lugar destacado, a la sombra de dos magnolios, un ciprés y varios rosales. Sobre su tumba, sólo una gran piedra negra, quién sabe si traída de la agreste Curotiña de su juventud. En la piedra, las incisiones de una cruz y su nombre: Valle-Inclán.

Nos dice el sepulturero:

> —Esto era un bosque. Pero, hace aproximadamente un año, se decidió talar los árboles. Quizá se lleven a Valle a la misma iglesia donde está enterrada Rosalía. Todos dicen que era muy importante. Aunque pienso, por lo que me cuentan, que fue una suerte para él el morirse antes de que empezara nuestra Guerra Civil... ¡Quién sabe lo que hubiera pasado!

Hacia Madrid

Aquí concluye el itinerario valleinclanesco. Pienso que sólo después de este viaje por Galicia podemos plantearnos la aproximación al Valle madrileño y combativo, permeable primero a las actitudes del 98, luego autor fundamental él mismo de esa Generación, observador atento de los cataclismos históricos de su época, entre los que el Desastre, la Revolución Rusa del 17 y la Guerra del 14-18 fueron, en tanto que español, fundamentales.

Quizá ahora podremos liberarnos, con conocimiento de causa, del despego con que sus contemporáneos y biógrafos han tratado el «histrionismo» del autor. Quizá ahora no veamos sólo esteticismo y fantasía, en lo que, a través de la personal concreción de don Ramón, tiene una raíz histórica, social y geográfica. Quizá comprendamos que no fue en las modas literarias ni en las rachas de mala salud y mala economía donde don Ramón tomó fuerzas para decir «no» a tantas cosas, pelear con el mundo, y caer alguna vez por las comisarías. De Bradomín a Max Estrella hay un itinerario coherente; al fin y al cabo, Roquito, el sacristán guerrillero, patético y esperpéntico defensor del carlismo, andaba ya por la literatura valleinclanesca mucho antes que Max Extrella ingresase en los calabozos de la Dirección General de Seguridad.

La «inadaptación» de Valle a la sociedad española de su época, el desequilibrio del escritor, su desmesura, su patetismo, y hasta cierto halo de anacronismo, están ahí: en que todas sus raíces se clavan, no en el progresismo demoliberal de la pequeña burguesía, ni en los movimientos obreros, por citar los dos planos «históricos» del «desarrollo social» español, sino en una sociedad vieja, agotada, que encuentra en él al más lúcido acusador de la época, justamente porque dicha sociedad —recordemos las voces de Montenegro a los mendigos— ya no forma parte de las fuerzas, ambigüedades y contradicciones, del presente político español.

El Valle de los años cincuenta y comienzos del sesenta se llamó en Italia Luchino Visconti. Salvando, claro, las distancias que impone el proceso político y la realidad cultural.

Don Ramón frente a su época

Bastaría el examen de la mayor parte de los juicios sobre Valle emitidos por sus contemporáneos para comprender el antagonismo entre el escritor y la sociedad española de su época. Todo juicio literario lleva en sí una serie de supuestos implícitos, y si Valle fue tan terriblemente trivializado por muchos de sus críticos —aun en el caso, muchas veces, de posiciones «admirativas»—, será necesario concluir que entre el pensamiento de aquél y el de éstos había divergencias fundamentales.

En mi anterior trabajo sobre Valle puntualizaba el sentido último de las actitudes de Melchor Fernández Almagro y Ramón Gómez de la Serna. Allí señalaba la incomprensión sustancial que, a mi modo de ver, encierra la visión de un Valle genial y extravagante. Versión a la que, justo es decirlo, han prestado su aquiescencia escritores de los que cabía esperar mayor agudeza, como es el caso, por ejemplo, de un Baroja o un Ortega.

El hecho cierto es que hoy, la perspectiva histórica nos permite contemplar a don Ramón en el marco de una España incómoda y tragicómica, sustancialmente inmóvil desde entonces en muchos de sus rasgos. Hoy tenemos elementos de juicio de los que no disponían los contemporáneos de Valle. Hoy sabemos —en parte, gracias a la asimilación de sus imágenes de la sociedad española— que Valle fue un gran escritor «extravagante» y genial, precisamente a partir de su oposición al espíritu restauracionista; y que, en la medida que dicho espíritu ha pervivido, su obra tiene el valor de un violento y vigente trazo de protesta.

Resulta de ello que «politizar» a Valle es tanto como defenderle; como descubrir la clave última de sus problemas de escritor español, y aun la razón de que, a estas alturas, no se haya estrenado una parte de su obra teatral[1]. A la actitud que tiende a convertirlo en un modernista, un extravagante, o un fantasioso que escribía admirablemente, hay que oponer la que le sitúe en un tiempo y unas circunstancias históricas, sin excluir con ello, naturalmente, el examen de su estética, de sus propias contradicciones, de sus pasos en falso...

Sólo así entenderemos la razón última del desprecio o benevolencia con que Valle ha sido tratado por una parte —la parte rectora— de la sociedad española y la vehemencia con que otra parte le defiende hoy, y, si me apuran, reivindica.

Proponernos hoy un Valle esteta y extravagante es como querer perpetuar —ahora con toda la premeditación y alevosía de que hablan los códigos— la deformación defensiva de sus ofendidos contemporáneos. Sacarlo de ese panteón y ponerlo en la gran plaza esperpéntica de España, es recuperarlo vivo y restallante, tan hermosamente insoportable como resultó siempre.

A este criterio responde este trabajo, escrito, en unión de algún otro, con ocasión del centenario del nacimiento de Valle: a la contemplación del escritor en lucha con la burguesía española de la Restauración. E, indirectamente, a cuanto pueda seguir en pie —el escritor se sobrevive— del viejo pleito.

Sobre el realismo de Valle

Ciertamente, el concepto de «realismo» se nos ha ido de las manos en estos últimos tiempos. Ha servido mientras tenía un valor funcional y de oposición al evasionismo. Pero, al ensanchar su significación y ofrecerse como un valor en sí mismo y no con respecto a otro valor o concepto, se nos ha vuelto equívoco. Un realismo sin riberas, como el que hoy se propugna, en el que encajan por igual Kafka, Brecht, Beckett o Miller, no ha hecho sino revelar el sentido vigilante que tuvo, durante mucho tiempo, el término. Los extravíos del realismo socialista son, por otra parte, la prueba de las trampas adonde se puede llegar con la etiqueta.

---

[1] Con posterioridad a la redacción de este trabajo, la situación se ha ido modificando. Las críticas posteriores recogen el punto en que nos encontramos en el verano del 75.

Baroja, desde su realismo naturalista, veía en Valle un modernista. Vagaba la sombra de Rubén y los versos que el nicaragüense dedicó a don Ramón. Otros, más modernamente, como es el caso de Laín, aun viendo claramente el significado crítico y estético del esperpento, no dejan de estimarlo como una especie de furor último del escritor, juzgado, en general, a partir de su inicial filiación modernista.

Creo yo que, en este punto, es necesario tener en cuenta varios significados de la obra pre-esperpéntica de don Ramón. Primero, la premonición que existe en muchas de sus obras, donde abundan personajes y situaciones de dimensión y desarmonía esperpéntica. Segundo, como intentaba explicar en mi trabajo anterior, las raíces biohistóricas de esta actitud de Valle: enfrentado a un mundo gallego en agonía, en el que la realidad era una contrafigura del pasado —palacios en ruinas o sólo parcialmente habitados, viejos mayorazgos divididos y pleiteados entre herederos—, intentaría, primero, la conciliación de ambos términos mediante una estética que resucitaba, o reconstruía, las glorias en ruinas, para luego, consciente ya de la contradicción, de la divergencia entre el dato monumental —la historia— y la realidad cotidiana —la intrahistoria—, aceptar el esperpento como la expresión de un medio social que perdió su armonía.

De Echegaray a los Quintero, pasando por Galdós y Benavente, puede trazarse una línea continua que marca lo que la sociedad rectora española ha ido entendiendo por «realismo». De la catástrofe puramente pasional se ha pasado al melodrama «social» de Galdós. Benavente ha escrito luego la crónica de las nuevas angustias de la burguesía, casi sin sacarla del tresillo. Los Quintero se han encargado de distraerla, de anecdotizar los problemas, de mostrar el lado ingenuo y blanco, menos agresivo, de las clases obreras, quinterianamente alegres, pacíficas y felices.

En los cuatro ejemplos, la «realidad» es, sencillamente, el mundo de la burguesía encarado con el talante que corresponde a cada escritor. La visión de la «otra» sociedad española suele detenerse en los criados y los chóferes. Se entiende, pues, por auténtico lo que la burguesía vive y lo que la burguesía ve. Más allá están las hordas, las masas, algo oscuro, desarrapado, quizá peligroso. Nuestro teatro es social y realista en la medida que se adscribe a la realidad de una clase social que carece de perspectiva para situarse en un marco superior y más amplio. Menos de un millón de españoles dicen lo qué es España, lo que conviene a España, lo qué debe y no debe tolerarse.

El valor del esperpento valleinclanesco consiste, entre otras cosas, en su radical superación de tales coordenadas. Valle es un desclasado, un hombre igualmente fuera del paternalismo feudal de los mayorazgos gallegos —ya desaparecidos— que de un demoliberalismo rigurosamente administrado a través de los caciques. Su «realidad» es distinta a la del sector que hace y sostiene el teatro.

Como Rosalía de Castro, su casi vecina de Padrón, a Valle le preocupa lo «que no se ve». Social y ontológicamente, el mundo es mucho más que esas cuatro esquinas en las que vive la cultura y la política españolas. Su «realismo» va, por tanto, por otros caminos, que parecen extraños o fantásticos a los héroes del tresillo y a los críticos literarios. De ahí la paradójica búsqueda de «ismos» para explicar un fenómeno literario perfectamente enclavado en la total realidad social española.

Lo malo es que muchos que hablan de la España «oficial» y la España «real», de la historia y de la intrahistoria, no acaban de ver que el realismo de Valle nace precisamente del choque entre ambos mundos.

Las luchas de Valle

Hay un Valle tentado por la Eternidad. Y otro, ganado por la Temporalidad. El primero, de raíces gallegas, envuelto por la belleza cansada de las tierras de Pontevedra, se expresa, sobre todo, en *La lámpara maravillosa*. El segundo no sólo está en el esperpento y en las novelas del *Ruedo Ibérico*, sino en una actividad pública repleta de incidentes significativos.

El Valle esteta, adorado por Gómez de la Serna, es un producto totalmente lógico en el ámbito social y geográfico de su Galicia. El Valle esperpéntico, parcialmente asentado en el anterior, crece cuando el escritor se sube a la atalaya de Madrid. Los términos son ahora más concretos, los fenómenos toman nombre de personas, las causas de los males aparecen más inmediatas. Valle adopta una posición frente a esa historia que pasa por debajo de sus balcones y en la que tiene ya un papel de aguafiestas.

Quizá sea interesante examinar los tres planos que definen el antagonismo entre Valle y su medio. Entre el escritor gallego del 98 y la sociedad española de la Restauración. Tales planos serían, a los efectos de esta síntesis, el político, el social y el estético.

Oposición política

Yo creo que los movimientos políticamente integrados en la Restauración podrían tipificarse en las posiciones del conservador Cánovas, el liberal Sagasta y el republicano Castelar. La coexistencia de estas corrientes determinó un movimiento de signo demoliberal, empeñado en la construcción, dentro del orden, de un estado de derecho. Para Castelar, sobre todo, una legislación liberal equivalía ya a la libertad. Sagasta no lo veía tan claro, consciente de que no bastaba, en un país subdesarrollado como el nuestro, repartir derechos civiles entre los hambrientos. Cánovas, el más agudo de los tres, no dejaba de comprender que la integración de los «no propietarios» en el proceso político español iba a acarrear a la larga profundas transformaciones. El simple hecho de que votaran quienes nada tenían entrañaba un peligro, contra el que se lucharía a través de la legislación electoral, primero, y con las prácticas del caciquismo, después.

Tuvimos así, muchas décadas de liberalismo superficial, sin que abajo, en la realidad de nuestras clases populares, ocurriera nada nuevo. El hambre era la misma, aunque, ahora, el hambriento pudiese sacarle algún provecho a la venta de su voto. Si, entre aquella legislación liberal, surgía algún hecho práctico contrario al «statu quo», el ejército se encargaba de mantener las cosas donde habían estado siempre, o donde había que transigir que estuvieran. Pero los problemas de fondo de la sociedad española seguían sin abordarse. La «hoja de parra del patriotismo», según expresión de Valle, tapaba nuestras vergüenzas.

Junto a la coartada patriótica, la Restauración levantaba la coartada del orden. Desde 1808, España había pasado por una serie de agitaciones y barbaridades casi continuas, y la Restauración prometía paz. Paz para el propietario. Paz para el transigente. De forma que los debates venían a concretarse, muchas veces, en los conceptos de «amigos» y «enemigos» del orden, sin entrar a analizar las razones de cada cual y la necesidad de resolver estructuralmente los problemas. Valle no aceptó jamás este esquema. Si en algún momento coqueteó con el carlismo no fue sólo por estética: pensó, seguramente, que aquél era un movimiento que contaba con el apoyo incondicional de un sector popular; que allí había, además de discursos, un campesinado vasconavarro dispuesto a morir por su causa. Luego, don Ramón, integrado al dinamismo histórico español, abandonaría el carlismo, pero nunca la idea de que la política ha de ser vivida por todo un pueblo y no por sus políticos profesionales.

Este principio le llevó a incesantes formulaciones. Las hay ya en las *Comedias Bárbaras*, cuando imagina a don Juan Manuel Montenegro, el último mayorazgo, poniéndose al frente de los mendigos para conquistar la justicia social que niegan sus propios hijos, los primeros Montenegro destinados a integrarse, entre pleitos económicos, a la burguesía española. Las hay en algunas de sus obras de transición, donde se burla cruelmente de las cortes de fantoches. Y las hay, sobre todo, en sus grandes esperpentos, donde el pueblo es una realidad intocada por los progresos parlamentarios.

Durante la dictadura del general Primo de Rivera la oposición de Valle al orden «desde arriba» se agudiza, hasta llevarle a la multa gubernativa y a la alternativa de dos semanas de reclusión en la Cárcel Modelo de Madrid.

Pero nada de esto es «tan nuevo» como parece a algunos de sus biógrafos. Podríamos remontarnos, por ejemplo, a la guerra de Cuba, para encontrar ya a un Valle opuesto a las deformaciones de nuestro patriotismo. Mientras nuestro ministro de la Guerra soñaba con la destrucción de la propia flota, y los madrileños, excitados por la prensa, se manifestaban con fanfarrona patriotería, don Ramón, el «extravagante y siempre deseoso de hacerse notar» don Ramón, había sido agredido por uno de estos grupos histéricos ante el que se atrevió a manifestar su disconformidad. La enmienda Platt, impuesta por los Estados Unidos a la nueva Cuba, mostraba hasta qué punto había sido torpe la actitud española. Pudiendo ser un país liberador, pusimos a los cubanos en la tesitura de cambiar —por mucho tiempo— de amo.

Luego, pasada la Dictadura —en cuya etapa se retiró de

librerías y quioscos *La hija del capitán*, esperpento basado en un hecho real de la época—, Valle se unirá, como la mayor parte de los intelectuales, a la naciente República[2]. No mucho tiempo después, dentro de la radical mejora de su situación, surgirán las discrepancias.

De nuevo estará en juego la oposición de Valle a la política «profesional», al juego táctico de superficie.

Lo que haya de «inviable», de radicalismo quimérico, en la posición de Valle es otro problema. A fin de cuentas, la primera virtud del político es su sentido de lo objetivamente posible, y la del escritor, su autenticidad y su capacidad de revelación de las estructuras sociales.

Oposición social

A ciertos niveles elementales, nadie comprende por qué Valle y otros escritores del 98 se pusieron tan frenéticos cuando su compatriota Echegaray obtuvo el Premio Nobel. Y es que el problema, como la mayor parte de los problemas teatrales que apasionan a un grupo social amplio, no era «puramente» teatral. Echegaray representaba, a fin de cuentas, al público de la Restauración. El Nobel implicaba la consagración de unos módulos culturales que a Valle le parecían terriblemente falsos.

Luego, muchos años después, cuando Valle arremetía contra los Quintero —«Sería curioso ver lo que quedaba si los tradujesen al español»—, mantenía su misma línea de oposición a toda la dramaturgia que respondía a las exigencias precisas del público español de la época, es decir, de la burguesía de Madrid y las capitales de provincia. Sólo Benavente, en atención a su cultura, a lo que inicialmente aportó a la escena española, y, sobre todo, al carácter siquiera reflexivo, docto, de su obra, se salvó de los ataques de Valle. Un Benavente cuya tensión con la estructura desapareció definitivamente durante sus años de mayores éxitos.

Simultáneamente, y al tiempo que rechazaba a los autores más aplaudidos de la Restauración, Valle se oponía a las em-

_____
[2] Para el estudio del pensamiento político de Valle Inclán debe atenderse especialmente el trabajo de Hormigón, *ob. cit.*

presas y a los directores teatrales. A Galdós, director del Español —calificado por Valle, injustamente, de «garbancero», en función de la minuciosidad realista de sus novelas—, le dirigía una violenta carta por no programar *El embrujado*. Con Fernando Díaz de Mendoza chocaba definitivamente al censurar su interpretación de *Voces de gesta*. A su mujer, Josefina Blanco, la incapacitaba prácticamente para contratarse a raíz del famoso incidente de Canarias, donde, para evitar que trabajase en una obra de Echegaray, la había encerrado con llave en el camerino. Y así año tras año: frente al público —que no toleraba su actitud crítica, su lenguaje, su concepción del teatro—, frente a los actores, frente a los empresarios, frente a la mayor parte de los críticos, todos de acuerdo en juzgarle «poco teatral».

Así, hasta decir, en amargas cartas, que él no escribía para estrenar, o que sus obras eran de «una sola noche y gracias»[3].

Oposición estética

La lucha de Valle contra la sociedad y la historia de su tiempo nos explica su oposición al teatro que las representaba. En el plano sociológico, esto aclara su famosa teoría sobre el teatro popular, enunciada en *Los cuernos de Don Friolera*:

> Este tabanque de muñecos sobre la espalda de un viejo prosero, para mí, es más sugestivo que todo el retórico teatro español. Y no digo esto por amor a las formas populares de la literatura... ¡Ahí están las abominables coplas de Joselito![4]

Repásese este concepto valleinclanesco y confróntese con toda la vertiente que va desde Federico García Lorca a Lauro Olmo y Alfredo Mañas. ¡Cuántas veces no se habrá hablado desde Valle para acá de la necesidad de servir a «otro público», es decir, otra sensibilidad y otros intereses históricos!

También —y en ello influiría su fastidio por los «cómicos» ilustres, siempre solemnes y recortados por el latiguillo— pensó, en función de ese «otro público», en la necesidad de un teatro de títeres, con lo que abría otro de los caminos lorquianos. Y,

---

[3] Revista *Primer Acto*, núm. 28, noviembre de 1961, págs. 18-19.
[4] Prólogo.

por la vía opuesta, huyendo asimismo de la mediocridad de nuestro público, consideraría también necesario un teatro experimental, a cuya idea responden sus vinculaciones a la «Escuela Nueva» y el «Mirlo Blanco», éste último el «teatro de cámara» de los Baroja.

Es importante ver hasta qué punto esta oposición a la sociedad de su tiempo le lleva a proponernos un teatro estéticamente distinto. Cúmplese aquí con claridad la norma de que nuevos conceptos exigen formas nuevas, de tal modo que Valle, por enemigo de las bases ideológicas del teatro burgués, nos propone no ya un teatro que dice cosas distintas sino un teatro radicalmente distinto.

Al romanticismo de Echegaray, o al nuevo naturalismo pequeño burgués, ya hemos visto que opone una visión profundizada y transreal de lo inmediato. Al drama, a la acción, opone la narración, la épica, hasta el punto de que uno de sus textos pasa literalmente de la novela —*Sonata de otoño*— al teatro —*El marqués de Bradomín*— en gran parte de sus fragmentos. A la «identificación», a la emoción, enfrenta la distancia y la crítica, incomprendida anticipación de Brecht. Al drama de protagonistas y antagonistas individuales sucede un drama social, en el que las acciones «episódicas» se entretejen y desbordan la linealidad tradicional de héroes contra antihéroes. Al sentido de la intriga sucede el afán de totalidad. A la escenografía naturalista, la acotación sugeridora de ámbitos escenográficos. Al montaje «ilustrativo», la necesidad de una puesta en escena creadora. Al lenguaje inerte, coloquial, un lenguaje creativo, fresco, libre. A la pudibundez cómplice, la violencia salvadora. A un teatro, otro. A los Quintero o Muñoz Seca, el esperpento.

Fue alrededor de 1925 cuando se suscitó en España el tema de la crisis del teatro y la novela del XIX. Don Ramón, en una entrevista, declaró:

—Está empezando una fase del gran género que se llama novela, por lo mismo que está acabando otra. Basta saber un poco de historia para darse cuenta del fenómeno. La novela, por su misma naturaleza, más que ningún género literario, acusa las transformaciones ideológicas y políticas de la humanidad. Sin remontarnos más que al período inmediato, al que ahora acaba, veremos que es consecuencia de la Enciclopedia y de la Revolución Francesa, exaltadoras del individuo, del individualismo. Un período cuyo primer maestro es Stendhal, y cuyo último representante es Proust. Proust representa la exageración, lo morboso, y estos son siempre indicios de caducidad. Creo, pues, que puede decirse que la novela individualista ha pasado por su último período, aunque esto no pueda decirse en absoluto de la novela en general. Creo que empieza un período que pudiéramos llamar de novela de masas, en contraposición al de novela individualista. La causa de esta transformación es muy honda; está en el cambio total respecto al interés que despiertan las cosas. Por de pronto, ha dejado de interesarnos el individuo; al menos, se ha borrado el primer término ante el interés mayor que despiertan en nosotros las colectividades, la nación, el hecho social. El individuo, tomado como centro del grupo social, no es más que un tic nervioso, un punto...[5]

Consideremos la obra de Valle en la etapa en que hizo estas declaraciones, 1924: *La rosa de papel* y *La cabeza del Bautista;* 1926: *Tirano Banderas, Los cuernos de Don Friolera* y *Ligazón;* 1927: *La hija del capitán,* basada en la historia real del capitán Sánchez, cuya edición fue rápidamente recogida por la policía; 1929: está en la Cárcel Modelo del 10 al 25 de abril. Estos datos son el testimonio de un proceso ideológico y creador, dudosamente explicado por algunos críticos con los argumentos de su delirio, su extravagancia, su mala salud o su poco dinero.

A los cien años de su nacimiento

Es tal la creciente carga explosiva de Valle, tal su cualidad, que mal pueden medirle quienes ponen por encima de todo el inmovilismo o quienes se definen por su mediocridad turbulenta. Valle, en esto, escapa a quienes lo deforman desde arriba y a quienes lo agitan desde abajo.

Justamente, su valor, su persistencia, como fenómeno vivísimo de la cultura española, radica en que no se adscribió a ninguna de nuestras ocasionales tragedias políticas, sino a la muy vieja y permanente que subyace en nuestras estructuras sociales.

---

[5] Revista *Primer Acto*, núm. 82, 1967, págs. 10-11, donde se reproduce una entrevista hecha a Valle en 1965.

No fue un antirrestauracionista o un antidictador que necesitara de la Restauración o de la Dictadura para seguir vivo y válido. Ni aceptó ninguna de las simplificaciones maniqueas que reducen el problema de España a una lucha de buenos y malos.

Lo impresionante de Valle está en cómo, dentro de una coherencia profesional, a partir de las influencias estéticas lógicas, unido a tantos escritores que no aceptaron la restaurada filosofía histórica, ni la condición meramente legislativa del liberalismo adoptado, llegó a asumir las contradicciones dramáticas de nuestro país. En cómo acabó siendo él mismo un espejo vivo del callejón del Gato, en cuya pluma esperpéntica se reflejaba nuestra personalidad de país agónico. Este es el Valle doliente, clarificador y nuestro, destinado a sobrevivir.

Quien piense que pintar como Goya o escribir como el último Valle es una opción puramente formal no sabe por dónde se anda.

Valle en la escena
española contemporánea

Publicamos estas críticas del teatro de Valle por dos razones. Una, por lo que puedan aportar al estudio del autor; otra, de bastante más peso, porque reflejan la pequeña historia de la obra de Valle en la sociedad española contemporánea. Los pasos seguidos hasta llegar a Tirano Banderas, *desde autor maldito a «gloria oficial de nuestra escena»— con dos obras aún prohibidas—, quedan así registrados; indicándose al tiempo algunos de los elementos estéticos y políticos que conformaron el proceso.*

Queremos añadir que de Valle se han estrenado otras obras y se han realizado otros montajes. Pero, bien sea por las características amorfas de esas representaciones, bien sea por su escasa proyección sobre el público —y aquí habría que citar los montajes de los teatros universitarios, teatros de cámara y grupos independientes—, preferimos prescindir de su comentario, que, traído aquí, podría confundir el propósito de este apartado.

Dos representaciones de «Luces de Bohemia»

Bilbao

Yo no sé si se había puesto antes de ahora, en algún escenario español, *Luces de bohemia*, de Valle Inclán. Creo que no. Parece ser que Adolfo Marsillach decidió programarla durante su temporada en el Español y que, antes o después, José Osuna ha querido montarla en el Goya. Ninguno de estos proyectos prosperó y lo cierto es que la «oportunidad» del Centenario da sus últimas boqueadas sin que el gran esperpento de don Ramón haya subido a un escenario madrileño.

Inesperadamente, la obra se ha montado en Bilbao. Ya se sobrentiende que no ha sido en el Arriaga, por ninguna de las compañías rutinarias que alimentan la agonía teatral de la ciudad. Ha sido en el Campos y por un grupo de teatro independiente recién formado: el Grupo Akelarre.

Yo fui hasta el Campos de Bilbao con todos los recelos propios del caso. Estaba, por un lado, el interés en ver una representación de *Luces de bohemia;* por otro, la casi seguridad de la impotencia de un grupo no profesional y joven para montarla dignamente. Imaginaba que las buenas ideas no iban a faltar, pero que la obra de Valle, dadas sus dificultades, encallaría en la falta de medios y de experiencia. Además, ¿soportaría el público una versión íntegra de *Luces de bohemia?* ¿No habría quien se marchase en las escenas más violentas, o quien se opusiese al lenguaje cortante de la obra?

Gonzalo Torrente Ballester, cuando «revisó» *Divinas palabras* para su representación en el Bellas Artes, sostuvo que Valle había empleado un determinado lenguaje por saber que su teatro no sería estrenado y que era a un lector y no a un espectador a quien se dirigía. «Si Valle hubiese sabido que sus obras iban a ser montadas —venía a ser la tesis de Torrente— es seguro que habría empleado un lenguaje más comedido.»

Gonzalo Torrente tenía razón, probablemente, en una cosa: en que ni nuestro público tradicional, ni los diversos factores que lo conforman y sostienen, aceptarían los grandes esperpentos. Por eso no se ponen. Por eso están prohibidos o parcialmente censurados para las representaciones profesionales y regulares. Pero éste no es un problema de lenguaje. La armonía expresiva de Valle es tan radical —y ésta es, quizá, la conclusión más importante de cuantas yo he sacado del Campos de Bilbao—, que el público sabe siempre que el lenguaje no puede ser de otra manera. Palabras y conceptos que, desde nuestra perspectiva de espectadores de comedias españolas, parecen verbalmente detonantes, encajan admirablemente en la realidad total del esperpento. Rota la convención del coloquialismo, metido el autor en el esperpento expresionista, lenguaje, situaciones, personajes, estructura, ámbito escenográfico, son elementos que se exigen entre sí. Ningún recelo, pues, del público ante tal o cual palabra. La obra se acepta o se rechaza en bloque.

De lo anterior se deduce ya que las representaciones de *Luces de bohemia* en Bilbao han sido muy estimables. Treinta y tantos intérpretes han ensayado durante meses, con un espíritu social y estético propio del buen teatro independiente. Sabían que era necesario poner en pie el drama para un público, en un teatro normal, sin la cobertura de las sesiones para amigos y familiares. Temían, probablemente, la reacción del mundo hostigado por Valle en *Luces de bohemia*. Y salieron al escenario con la máxima honradez, dominando perfectamente el texto, dispuestos a que Valle llegase entero al público.

Telón arriba. Centenario —¡oh, el prestigio de los Centenarios!— de Valle. Muchos no saben de qué va. Y la obra, cuadro a cuadro, va siendo aplaudida, aceptada, tensamente escuchada. ¡Pero si resulta que el teatro es una cosa viva, un espectáculo para adultos! Aplausos. Aplausos. Esos aplausos rabiosos, que tan rara vez suenan en nuestras salas, y que dan fe de haberse realizado plenamente la comunicación entre la escena y el público. ¿Cuánto tiempo hacía que no se decía un texto así en un escenario español? Y, de pronto, uno se acuerda de la censura prohibiendo, apenas unos años atrás, la publicación de ese mismo trozo de diálogo que ahora dicen los actores y los espectadores aplauden[1].

Al día siguiente, la crítica ha sido buena, sin que nadie se rasgue las vestiduras. Don Ramón ha tenido en Bilbao, en estas dos representaciones de *Luces de bohemia*, una de las cimas de su Centenario. Por el texto, por los actores, por la dirección, por el público, por toda la fuerza con que el autor ha sido levantado sobre esta ciudad de Bilbao, tan fuerte y tan débil, tan hermosa y tan contradictoria.

(1966)

Sevilla

Acabo de ser testigo de otra representación de *Luces de bohemia*. De otro éxito del esperpento valleinclanesco. Esta vez en Sevilla, en su grande y hermoso teatro Lope de Vega y gracias a un grupo universitario.

No sé si primero tendría que hablar de la pavorosa desolación teatral sevillana. De los intentos, heroicos y esporádicos, que unos pocos han librado contra la abulia general y las limitaciones particulares. No sé si habría que empezar preguntándose por qué no dedica el Ayuntamiento de la ciudad el Lope de Vega a una actividad teatral regular y responsable, sosteniendo su propia compañía titular, en lugar de utilizarlo como sala de los más diversos actos y asambleas. No sé si convendría analizar las singularidades socioeconómicas de Sevilla, y ver de encontrar en ellas la razón última de este radical desahucio que la ciudad ha hecho del teatro. O llegarse hasta el blanco y relamido pueblecito, levantado en honor de los Álvarez Quintero, para descubrir en cada uno de sus azúcares la causa del actual no-teatro sevillano...

Algo de esto, en todo caso, hay que decir. Porque sólo entonces la representación de *Luces de bohemia* —más allá de cualquier crítica inmediata— alcanza su auténtica significación. Hablemos, sí, de cómo se ha hecho en Sevilla este esperpento de Valle; pero comencemos por situar la representación en su marco cultural: ¡si hasta algún periodista ha hecho su nota

---

[1] En la edición de *Luces de bohemia*, publicada en el núm. 28 de la revista *Primer Acto*, noviembre, 1961, faltan algunas frases en la escena décima, suprimidas por la censura que las consideró obscenas.

crítica sin aparecer por el teatro! Circunstancias éstas que cargan de valores éticos a todos cuantos potencian y realizan fenómenos como éste de la representación sevillana de *Luces de bohemia*.

Concurren en esta representación varias circunstancias especiales. Se trata de un grupo universitario que ha sido invitado a participar en el Festival Internacional de Nancy. Por imperativos del reglamento, en Nancy los espectáculos deben durar una hora, lo que pone a la mayor parte de las compañías participantes en el brete de las «adaptaciones» acopladas a ese tiempo[2]. En Sevilla, con *Luces de bohemia*, han tenido también ese problema. De modo que la dificultad ha venido a ser doble: de «adaptación» del texto y de forma escénica.

Vi la segunda y la tercera representación. Ésta última abarrotó el Lope de Vega de un público joven, repitiéndose el fenómeno que ya hemos visto en Madrid con el programa de José Luis Alonso dedicado a Valle. La tarde de la tercera representación ocurrió además un incidente que, con otro público y otra obra, quizá habría resultado catastrófico: hubo un apagón de luz en toda Sevilla. El telón se había levantado cinco minutos antes. El público permaneció en su butaca durante un cuarto de hora. Pasado ese tiempo, volvió la luz, se alzó nuevamente el telón y la representación continuó con toda normalidad. Es una historia trivial, pero yo pienso que sólo el aglutinante ético de la obra de Valle hizo posible tan sencilla solución. Actores y público, por la fuerza del texto, se sintieron obligados a defender una representación en la que todos esperaban ganar, que todos querían hacer posible en virtud de imperativos éticosociales que no concurren en otras representaciones.

En cuanto al tono de lo que vimos en el escenario, fue más que estimable. Fue bueno. Es lo mejor que yo he visto al Teatro Universitario sevillano. La prueba de una unidad y un espíritu colectivo que hacen del grupo en cuestión la más seria posibilidad y realidad teatral inmediata de Sevilla.

Dentro de su convincente dignidad, su disciplina, su madurez, es indudable que a este *Luces de bohemia* podría repro-

---

[2] Este montaje de *Luces de bohemia* no se presentó posteriormente en Nancy, pese a lo anunciado.

chársele, por ejemplo, su blandura, cierta falta de crueldad
o dureza. Pero esta objeción no deja de ser un poco desvergon-
zada, si, en lugar de partir solamente del esperpento, partimos
de él y de la realidad teatral sevillana y aun española. En
nuestros océanos de trivialidad y dulzura un tanto canallas,
la versión sevillana es —en su respeto a Valle— un golpe de
salud y de intransigencia, destinado a adquirir aun más rigurosas dimensiones a lo largo del mes y medio de ensayos que
separan la representación que yo he visto de las fechas del
Festival de Nancy[3].

(1967)

---

[3] Ténganse siempre presentes en la lectura de estas críticas las fechas en que
fueron escritas, y, en función de ellas, el discurso histórico que reflejan. La situación del teatro andaluz —que encuadra trabajos de diversos grupos y autores— es hoy distinta.

Dicen que está muerto Valle Inclán

«La verdad es que el teatro de Valle está
muerto, muerto y muerto», *ABC*, 15-4-66.

Los tres centenarios —Arniches, Benavente, Valle— se
han cumplido, implacablemente. La conmemoración en los
teatros oficiales se ha impuesto. Ninguna dificultad para encontrar un título de Arniches, uno de esos sainetes peligrosamente melodramáticos, un poco cursis, pero vivos en la gracia
verbal de sus diálogos cómicos y en el valor crítico —siquiera
relativo— de parte de sus conflictos. Bastantes obras «valían»
para la ocasión del Centenario. Difícil, muy difícil, en cambio,
honrar a Benavente. Quizá porque su teatro más auténtico,
menos libresco, estaba destinado a un mundo, a una sociedad
española —una burguesía económicamente insegura y a la
defensiva—, cuyos problemas, límites e ideas, son ahora distintos. Benavente parece que, al menos como buen dramaturgo,
sobrevivirá difícilmente a sus contemporáneos. Recordemos los
patéticos homenajes de Lola Membrives...

¿Y Valle? ¿Ha sido difícil dar con un título para su Centenario? Veamos sus obras. Empecemos por las últimas, las
más definitorias, las del Valle decididamente descendido de la
marfileña torre de la estética. Quedémonos con ese Valle que
tanto preocupaba al «artista» Gómez de la Serna. Cojamos a
nuestro don Ramón esperpentizador y noventayochista, al
amigo de Antonio Machado y no al adorador de Rubén Darío.
Del maduro al primerizo, del último hacia el Valle todavía
formalista, hay que pasar por todos los esperpentos, los retablos,
Divinas palabras y Romance de lobos, hasta llegar a *Águila de blasón*, la obra finalmente elegida. Leamos ahora *Águila de blasón*
y asistamos a la representación del María Guerrero; a pesar de haber ido tan atrás, todavía ha habido que suprimir

una escena importante, quizá la primera gran escena esperpéntica de don Ramón. Y también el lenguaje ha sido recortado, reblandecido...

¡Cuánto andar para descubrir y rehacer un Valle soportable! ¡Cuánta vida que nos excede, que no podría estar en un escenario español sin que lloviesen cartas y denuncias —firmadas y anónimas— sobre las mesas de nuestros ministros!

Cuando se representó *Divinas palabras* en el Bellas Artes —en el Español, entonces, no fue posible; se puso, en su lugar, *El genio alegre* de los Quintero— un periodista se apresuró a recordarnos que Valle era sólo un estilista, un orfebre de la lengua, y esas cosas que se dicen cuando quiere ocultarse lo fundamental. Antes, en un Festival de Teatro Universitario celebrado en Murcia, don Ramón había sido acusado por un diario de la ciudad en los términos siguientes:

> ¿Desde cuándo el vanguardismo y el progreso y los avances de la humanidad se han hecho apoyándose en el vicio? Y ¿es que por vanguardia vamos ahora a resucitar a Valle Inclán —y a este Valle Inclán precisamente?[1]

Estas preguntas se las había formulado el periódico murciano en abril del 59, a cuenta de una representación de *Los cuernos de Don Friolera*, esperpento morigerada y ocasionalmente rebautizado con el título de *Don Friolera*. Lo significativo es que la protesta iba más contra la resurrección de «este Valle precisamente», que contra Valle en general, lo que presuponía que había «otro Valle», distinto a *éste* de *Los cuernos de Don Friolera*, que quizá sí debía ser resucitado.

Ahora, después de «replegar» a Valle hasta *Águila de blasón*, un crítico ha sentenciado, en el más importante diario del país, que el teatro de Valle ha muerto, muerto y muerto.

A todo esto, a la propuesta de un Valle esteta, a la descornación de su Friolera, o al triple homicidio del crítico, hay que oponer el Valle esperpéntico, fundamental y último. Valle, de quien han tomado veredas los mejores dramaturgos españoles. Valle, que sepulta la trivial y mecánica concepción de nuestro teatro pequeño burgués. Valle, que remonta el seudo-

---

[1] Citado por Ricardo Doménech, en *El teatro hoy*, Madrid, Edicusa, 1966, cap. XII.

naturalismo teatral español. Valle, expresionista y épico. Valle, cruel y artaudiano. Valle, que se levanta clarividente contra las sinrazones de nuestra moral crepuscular. Valle, que no le importa escribir un teatro que difícilmente será estrenado. Valle, el más libre, más indomeñable y más nuevo de nuestros autores.

¿Muerto Valle? El esperpento continúa. Los muertos aún entierran a los vivos.

Las Comedias Bárbaras

Puesto que apenas se representa a Valle, no hay más remedio que acudir a nuestra experiencia de lectores para situar las *Comedias Bárbaras (Cara de Plata, Águila de blasón y Romance de lobos)* en la totalidad de su obra teatral. Empecemos por donde él empezó y sigámosle.

Partiendo de *El yermo de las almas*, una obra todavía brumosa, amañada, el camino va haciéndose poco a poco, primero acogedor, luego ya amigo y compañero. Sigue —seguirá hasta el final— la preocupación estilística. Pero las palabras son cada vez menos frías, menos marfileñas, más humanizadas. Poco a poco, el camino se va llenando de risotadas, de fantasmas machacados, de rajas en las propias vísceras y en las ajenas. En un momento dado, comenzamos a sospechar que aquél no es un camino que da vueltas alrededor de Valle, sino que andamos atravesando oscuros y enfermos hondones de la vida española. La transición es paulatina. Y empieza ya, entre rubendarinianos cantos a Castilla, en el mismo *Cuento de abril*.

> (Por las Fiestas Mayores, —repique de campanas todo el día, —en los zaguanes muchos pordioseros, —en las rúas devotos y romeros, —y labradores ricos y callados, —con hijas mozas llenas de patenas —yantando en los mesones retirados— o en las frescas olmedas de los ríos)[2].

Después, *La marquesa Rosalinda* no deja de ir completando, en el falso Versalles de una comedia del arte, la imagen de esa Castilla, que, muchos años más tarde, encerrará al magnífico

---

[2] *Cuento de abril;* el Infante, escena 2.ª *(Obras completas de don Ramón del Valle Inclán*, Madrid, ed. Plenitud, vol. I, pág. 185.)

Max Estrella en los prosaicos calabozos de su Dirección General de Seguridad.

> (Con los ramajes de los boscajes —aquí hace hogueras la Inquisición) [3].

Vendrá luego la burla irreverente de los académicos de la lengua y del pensamiento, en la corte venerable y esperpéntica de *La enamorada del rey*. Y la gran aventura de *La cabeza del dragón*, para niños y para mayores, para los que van y los que no van al teatro. Detrás, el desplante irrespetuoso, violento, jocundo, de *La Reina castiza*. Y ya, las *Comedias Bárbaras*, en prosa, sin el agobio de la rima y de la métrica.

Comedias que concretan la renovadora crisis valleinclanesca. Aún anda el Valle dividido. Aún conviven el Valle violento, libérrimo, incontenible, y el Valle que se detiene y se controla para hacer, siquiera a ratos, eso que entonces llaman literatura dramática. Aún hablan algunos personajes —muy particularmente los femeninos— con ecos del teatro de la época, con razones y sentimientos medidos y prudentes, para, en seguida, surgir otros, desamordazados y brutales. *Romance de lobos* —la última, desde el punto de vista argumental, aunque *Cara de Plata* la escribiera algunos años más tarde (1923)– es la más agónica, la más violenta y significativa.

Concluyen las *Comedias Bárbaras*. Ya está explicada una de las causas de nuestra desarmonía. Del vinculero feudal, Galicia ha saltado a los tiempos actuales, sin transición, sin revolución burguesa. Cuando muere el caballero don Juan Manuel Montenegro no hay a su alrededor sino corte de mendigos, peregrinos profesionales, e hijos que lucharán a muerte por la herencia. El mundo de Juan Manuel Montenegro es un mundo anacrónico, sostenido a fuerza de gesto, de palabrería, de machismo. Lo que un día estuvo vivo es ahora caricatura, representación sostenida, teatro muerto y momificado. Don Juan Manuel Montenegro, y él lo sabe muy bien, es el último intérprete, el Gatopardo de Valle. Un Gatopardo que no tiene —contrariamente al siciliano de Lampedusa— la más mínima relación con el futuro histórico. La paz tras él es, por ello mismo, imposible. Ninguna herencia que pueda ser defendida, quizá con

---

[3] *La marquesa Rosalinda*, jornada 1.ª, *Obras completas*, vol. I, pág. 238.

nuevas palabras, bajo nuevas circunstancias sociales. Cuando moría el Gatopardo siciliano, una nueva etapa histórica, con sus lacras y sus posibilidades, se ponía en marcha. Cuando muere el Gatopardo valleinclanesco, sólo queda, por no haber vivido en su tiempo, por su radical inmovilismo, el augurio de un inacabable y violento pleito entre herederos.

> Todo el maíz que haya en la troje se repartirá entre vosotros
> —dice don Juan Manuel a los mendigos. Es una restitución
> que os hago, ya que sois tan miserables que no sabéis recobrar
> lo que debía ser vuestro. Tenéis marcada el alma con el hierro
> de los esclavos. El día en que los pobres se juntasen para quemar
> las siembras, para envenenar las fuentes, sería el día de la gran
> justicia... Ese día llegará [4].

Parece que Valle mismo ha vivido las *Comedias Bárbaras* y ha salido de ellas empavorecido. Toda España se le antoja un romance de lobos, partida entre señoritos ladrones y mendigos maliciosos y cobardes. El camino, ese largo camino por el que Valle nos lleva, es ya una pura herida. En seguida, *Divinas palabras*, aún su Galicia, con interferencias entre la religión, la milagrería, el sexo, la violencia y la muerte. Y ya, tras el Retablo, sus cuatro inmensos esperpentos. Los más feroces y trágicos textos de nuestra escena. Los más desesperados gritos contra la sociedad que, no mucho tiempo después, se entregaría a una guerra civil.

¿Qué sería del teatro español contemporáneo sin Valle Inclán? ¿Dónde iban a encontrar los jóvenes autores a su maestro?

Los grandes directores del Nuevo Cine brasileño dijeron [5] que la estética del Tercer Mundo ha de ser, necesariamente, y en función de las condiciones socioeconómicas que definen el subdesarrollo, violenta, esperpéntica.

Valle también descubrió esto hace muchos años.

---

[4] *Romance de lobos*, jornada 1.ª, escena 6.ª, *Obras completas*, vol. I pág. 671.
[5] «Revisión crítica del cine brasileño», de Glauber Rocha, ediciones Icaic, La Habana, 1965.

Ya he dicho que *Águila de blasón* es aún una obra puente en la trayectoria teatral de Valle. Es, en todo caso, una obra importante, cargada de significaciones, de libertad y de verdad. Es, pues, una obra que cumple su función conmemoradora y que abre al gran público, desde un escenario, el teatro de Valle Inclán.

Las grandes revoluciones «técnicas» de don Ramón están ya en ese texto. A la unidad de acción, a la cominería temática, a esas cuentas de cocinera que nuestros autores y nuestros críticos llaman la «carpintería», Valle opone ya un cosmos colectivo, del que son parte los personajes. Hay, es cierto, una especie de acción central y canalizada, pero, a su alrededor, fluyen los elementos generales que la determinan. Las supersticiones, la pobreza, la astucia, el sentimiento de lealtad, las relaciones de sexo, las relaciones de sangre, la picaresca... todo se articula en una realidad superior que define la existencia y las decisiones de los personajes. Imposible escribir *Águila de blasón* a partir de una idea argumental, unas situaciones escalonadas, unos equívocos ingeniosamente dosificados. Todo eso, en última instancia, sería absolutamente accidental. Porque importa, sobre todas las cosas, el personaje colectivo, el microcosmos dramáticamente desvelado.

Justamente, si *Águila de blasón* no es todavía uno de los grandes dramas de Valle, es porque se superpone, en cierta medida, la destemplada y rica contemplación de esa realidad colectiva, y el delineado, un tanto artificioso, de dos personajes femeninos importantes: la esposa de Montenegro y Sabela, una de sus amantes. Dos mujeres que «suenan» a mal teatro en el contexto desatado y vital.

La concepción colectiva de la obra determina, de inmediato, una estructuración distinta a la que es propia del teatro de «problemas» individuales. No cabe andar siguiendo al personaje de la alcoba al tresillo, y del tresillo a casa de su novia. Valle —y en esto hay una exigencia que le lleva al teatro épico o narrativo, y aun a la inconsciente demanda de los medios propios del montaje cinematográfico— ha de dividir la obra en una pluralidad de obras, o acciones menores, a su vez, ligadas e independientes entre sí. En este orden, Brecht no puede ser más valleinclanesco.

113

La percepción y expresión no es naturalista. Valle es el más grande de nuestros dramaturgos expresionistas. Toda la realidad está sometida a una voluntaria y profundizadora exasperación de sus líneas. Es éste un modo vital de manifestar la discordancia del autor con la realidad dramatizada; una realidad que se encona y enrarece en el proceso teatral de recreación. Es también un modo de clarificar las significaciones últimas de esa realidad, camuflada otras veces en los medios tonos, la sensatez retórica o el paternalismo sentimental.

Es interesante señalar que uno de los obstáculos que encuentra Valle para llegar al público conservador español es, precisamente, su expresionismo. El espectador está acostumbrado a una estética de dulcificaciones, a una convención que señala lo menos para que el espectador imagine lo más, mientras que Valle, por el contrario, subraya y acusa y aumenta los trazos, para que el espectador se desasosiegue y perciba, sin defensas, la tragedia.

Aún habría que señalar, con relación a este expresionismo, la entrada en escena de elementos subconscientes, esta vez liberados y no reprimidos, puestos delante de nuestros ojos y no celosa y mojigatamente escondidos.

Y habría que hablar también del lenguaje. Porque aquí la artesanía de la réplica, el juego verbal que va graduando la anécdota, no es posible. Los personajes viven en una atmósfera determinada, sus situaciones están referidas a puntos diversos, el solo hecho de existir es ya un problema abierto... No hay modo —por fortuna— de que la palabra sólo sirva para ir enhebrando, organizando, adornando, la historia.

En otro orden, es también un teatro que moviliza y sensibiliza el factor escenográfico. Que hace de la luz un elemento estético específico. Que destruye el convencionalismo de los decorados que, según las habituales acotaciones, simulan «el cuartito de estar»; que niega la ambigua convención de «representar como si no se representase», de olvidar que estamos ante una expresión e interpretación artísticas.

También al actor lo saca de la caracterización puramente exterior. Y aun de la identificación escuetamente sicológica con su personaje. Reclama de él una participación vital en el todo de la obra. El actor está allí para dar testimonio de un personaje, para representarlo, dentro de un mundo que nos es propuesto como la imagen de una tragedia colectiva.

La representación

No quiero concluir sin detenerme un momento en la excelente representación de Adolfo Marsillach en el María Guerrero. Sin disputa, y a mucha distancia, la mejor que el director ha montado en esta temporada.

El gusto «espectacular» de Marsillach encuentra esta vez su oportuna medida. Fue excelente, por ejemplo, que rehuyera una Galicia «naturalista» para mostrar una Galicia valleinclanesca. Es decir, una Galicia filtrada por los supuestos estéticos e ideológicos de *Águila de blasón*. Funcionó a la perfección el sensualismo del montaje: su apoyo en la luz, en la iluminación de la carne, en la violencia física de la acción, en el erotismo de algún personaje, en el tenebrismo de ciertas escenas, en esa configuración material y tangible de la superstición, el deseo, la fuerza, la muerte. Los perros, los escopetazos, el olor a pólvora, eran los síntomas extremos de este criterio sanguíneo de la puesta en escena.

El reparto es excelente. Empezando por Antonio Casas, un Montenegro violento, feudal, convincente. Y pasando —hasta completar un reparto de cuarenta y tantos personajes— por los puntos relevantes de Nuria Torray, José María Prada, Gemma Cuervo, Fernando Guillén, Carlos Ballesteros...

No es cosa de nombrarlos a todos, aunque a todos los doy por nombrados. Vi la función un domingo por la tarde. Sin chin-chin de estrenistas. El público aplaudió durante varios minutos. La compañía saludaba de un modo distinto. Al fin Valle, aún el Valle de *Águila de blasón*, aún un Valle recortado, estaba en un Teatro Nacional.

(1966)

Tres obras de Valle en el María Guerrero

Uno de nosotros —no sé exactamente quién— se' atrevió a decir, no hace muchos años, que Valle Inclán era el mayor dramaturgo contemporáneo. La cosa pasó aún por extravagancia o delirio juvenil. Toda la tradición crítica —la de la derecha y la de la izquierda: desde Melchor Fernández Almagro a Sender— estaba contra esa afirmación. El teatro de Valle había sido etiquetado con la peyorativa calificación de «curiosidad literaria», del quiero y no puedo dramático de un buen estilista. ¿Cómo iba a ser teatro aquella dramaturgia coral, sin unidad de acción, sin protagonistas claros, sin sicología, sin confortables tresillos en que hacerse las confidencias? ¿A qué autor teatral se le hubiera ocurrido cuidar hasta el punto que lo hacía Valle la literatura «funcional», y destinada al silencio, de las acotaciones? Para la crítica «tresillista», el teatro de Valle no pasaba de un torpe intento, lastrado por las modas «culteranistas» y la condición literaria del autor. Valle, era, según esta perspectiva, «hombre de libro», y no «hombre de escenario». Su teatro estaba destinado a ser, en el mejor de los casos, pasión de minoría, teatro para leer, audacia estética, pero nunca obra dramática con la que, a través de la creación escénica, interesar a un público.

Había otro grupo que no era tan concluyente. Creía en las posibilidades relativas de la representación de Valle, entendido como un autor de lo insólito, de lo impalpable, de lo maravilloso. Estos se oponían a los «tresillistas», asegurando que el escenario no ha de ser necesariamente una salita de estar de la calle de Serrano, y que la obra de Valle contenía los elementos precisos para un teatro plástica e imaginativamente renovado.

Pero la verdad es que nosotros, uno de nosotros —no sé quien—, cuando dijo que «el teatro de Valle era fundamental» no pensaba ni en los butacones ni en las magias. Pen-

saba en toda la apabullante blandenguería verbal y conceptual del moderno teatro español, y, quizá también, en las
limitaciones de nuestro escaso neorrealismo escénico, emo-
cionalmente rebelde y alzado por los mejores y más jóvenes
autores. El «esperpento» asomaba como una síntesis de teatro social y libertad individual, de renovación formal y potencia crítica. Lo de menos era seguir escribiendo «esperpentos»,
pensar que la «estética» de Valle debe ser imitada; eso son
deformaciones, «populismos», en los que ha caído algún
autor lleno de las mejores intenciones. Lo importante era
—es— enlazar con la «actitud» de Valle, con su ética de escritor, con el rostro creador —no con esa máscara defensiva que
ha engañado a tantos contemporáneos de Valle, ridícula-
mente perplejos ante las significaciones que hoy damos al escritor— del dramaturgo. Volver a sentir la fuerza verbal,
la libertad, el drama existencial, la crítica y la pasión de
Valle...

El no muy lejano éxito de *Divinas palabras* desconcertó a la
crítica tradicional, sin que faltara la voz que nos recordase que
el buen Valle es el de las *Sonatas*, anterior a las convulsiones del
esperpento. Luego, *Águila de blasón* volvió a congregar a los
grandes diablos de la escena española: los cortes de censura,
las condenas y los silencios. Se representó la obra sin una escena —sin parte de ella—, el crítico de *ABC* certificó la defunción artística de don Ramón, y muchos de los que manejan el
nombre de Valle como un talismán ni siquiera aparecieron por
el María Guerrero.

Ahora, en el mismo escenario nacional, se ha estrenado un
nuevo programa dedicado a don Ramón. Lo ha dirigido José
Luis Alonso y está integrado por tres obras: *La cabeza del Bautista*,
La enamorada del rey y *La rosa de papel*.

He visto la función un domingo por la noche, dos o tres
días después del estreno. Había muchísima gente. Y se aplaudía
con una satisfacción inusitada en nuestros teatros. Esa fuerza
de Valle, tantas veces reclamada, muchas más veces recusada,
estaba allí, y los espectadores escuchaban, se reían, o aplaudían
de un modo distinto.

¡Cuánto ha costado! ¡Cuánto queda aún por hacer en este
sentido! Pero algo nuevo ha sucedido. Ya no es uno, o dos, o
tres, quienes escriben que el teatro de Valle es fundamental.
Ya no es uno, o dos, o tres, quienes lo reclaman. Tampoco es

ya una coartada para múltiples justificaciones. Ahí está Valle, en un escenario, ante un público que le aplaude y entiende.

No sé la juventud que aún nos falta para ver, sin corte alguno, *Luces de bohemia* en un teatro subvencionado. Pero yo aún recuerdo la bochornosa sustitución en el Español de *Divinas palabras* por *El genio alegre*. Y pienso, lógicamente, que ahora somos más jóvenes; que la obra de don Ramón está más cerca de nuestro público.

Este es el valor último del interesante trabajo de José Luis Alonso en el María Guerrero y de la posibilidad de ver tres obras de Valle Inclán en uno de nuestros teatros nacionales.

El múltiple don Ramón

El programa del María Guerrero nos permite asistir a la evolución —en una especie de síntesis— del autor. Y, lo que es más importante, comprobar la coherencia de esa evolución, la existencia de elementos esperpénticos y críticos en las obras tomadas un día por eclosiones estéticas. De este carácter de obra puente que tiene *La enamorada del rey*, del valor que cobran el monarca y su corte, hablaba yo en otro de mis artículos dedicados a Valle. Y ahora, he aquí que José Luis Alonso, sobre un escenario, prueba la exactitud de aquella hipótesis.

La enamorada del rey, en tanto que farsa incluida en un *Tablado de marionetas*, exige un juego de títeres, de personajes de trazo grueso, sin sicología diferenciada, alimentados por el subconsciente colectivo del público español. Así lo ha hecho José Luis Alonso, conciliando la estilización con la desvergüenza crítica, y no, según solía hacerse, con lo menos vivo de la obra: su dimensión lírica. Como en el epílogo de *La persona buena de Sezúan* también aquí podría decirse aquello de que «la leyenda dorada ha tomado un giro amargo»; de que todo estaba dispuesto para una ingenua farsa infantil, e imprevistos elementos han añadido serias significaciones a los muñecos.

Sólo esto puede explicar la comunicabilidad y el vigor de la representación de esta farsa. Alonso Zamora, en un excelente trabajo, ha señalado la realidad última de *Luces de bohemia*, la posibilidad de identificar la mayor parte de sus esperpénticos lances y personajes. El viejo espejo sthendaliano —la novela es un espejo a lo largo de un camino— se cambia por el espejo cóncavo del callejón del Gato; detrás de cada fantoche hay un hombre de carne y hueso: la farsa italiana de *La enamorada del rey* es uno de los pasos de esa poética.

La cabeza del Bautista

El título nos remite al episodio bíblico. Salomé, Herodes y el Bautista estarían representados por la Pepona, Don Igi y el Jándalo. Quizá la obra no deba ser considerada un esperpento, si nos atenemos al carácter sociopolítico que alcanzó este último. Quiero decir que la «deformación esperpéntica» es un concepto referido a toda la sociedad española, a la contorsión impuesta por una serie de falsos valores generales. *La cabeza del Bautista* es, en cambio, un drama de tres personajes, literariamente ligado a la atmósfera de los emigrantes gallegos. No olvidemos que el propio Valle intentó la aventura de la emigración y que ésta se cierne constantemente sobre la vida de las pequeñas aldeas de Pontevedra.

La obra gira en torno a una situación única. Según se mire, casi parece un boceto de drama, el «climax» de una posible obra más larga. Es seguro que de ser Valle un autor más «profesional», la hubiese aprovechado para ello. Así, por fortuna, no. Dentro del tono de los romances o los pliegos de cordel, Valle resume la historia en unos pocos minutos, y de esta escena se infiere todo lo demás; de aquel cuarto de hora sacamos nosotros, los espectadores, un drama tenebroso, largo, complejo. Es decir, justamente lo contrario de lo que se hace en el teatro al uso, que sugiere poco o nada y gasta su tiempo y el nuestro en perfilar y hacer verosímil la anécdota.

La enamorada del rey

Ya he comentado sus rasgos fundamentales. Quizá, apurando ciertos criterios, podrían discutírsele a José Luis Alonso algunas decisiones, como, por ejemplo, el desparpajo un tanto excesivo y amanerado del narrador. Pero ello no deja de ser dudoso frente a un hecho que no lo es en absoluto: la total eficacia de la representación, su frescura crítica, su comunicabilidad. En un ámbito luminoso, frente al ciclorama y con una escenografía convencionalmente elemental, la historia de este rey, de nariz borbónica y aduladores cortesanos, se conecta con numerosos datos de la vida y la sensibilidad popular españolas. No sé si, en última instancia, podría sostenerse que Valle, duro con los políticos que rodean al Rey, acaba teniendo hacia éste una conmiserativa comprensión. No sé tampoco hasta qué punto podría ser esto un legado del antiguo monarquismo de Valle y su terror a la cháchara del parlamentarismo y a la democracia controlada por la oligarquía. No conviene forzar o concretar estos extremos. En cambio, el pensamiento de Valle se revela rico e incuestionable si orientamos todas sus pullas hacia la demolición de un sistema de ideas y valores que han usufructuado facciones opuestas. De lo que Valle se ríe es de una concepción furibunda del gobierno, la cultura y la sociedad. Por eso, *La enamorada del rey* es casi un esperpento.

La rosa de papel

Aquí es donde estamos más cerca de lo que pudiéramos considerar el Valle estéticamente esencial. La escena —la muerte de la esposa, el cacheo del cadáver buscando su dinero, su amortajamiento por las vecinas, el regalo de una rosa de papel, la necrofilia y el incendio final —aglutina los elementos que, en su unidad última, constituyen eso que se llama lo «valleinclanesco». La luz juega un decisivo papel expresivo. La escena resulta alucinante y real, justamente porque Valle incluye en su concepto de la «realidad» un tipo de vivencias que no han sido, contra lo que es costumbre, lavadas y hermoseadas antes de llevarlas a un escenario. Diríamos que si el «seudonaturalismo» habitual suprime «todo lo desagradable», Valle ni siquiera se conforma con el documento completo de los hechos, sino que los amplía, los profundiza, los impone, en la medida que los lleva hasta su situación límite, hasta sus máximas posibilidades potenciales.

El trabajo de José Luis Alonso fue casi impecable. Quizá no debió sostener todas las acotaciones, que, en algún caso, son puramente funcionales y añaden poco a la acción. Inútil hablar, por sabido, de lo que Lorca tomó a este Valle tenebroso, de mujeres enlutadas. Inútil también señalar las razones de este tenebrismo, sus fundamentos económicos, ideológicos, culturales. No en balde Lorca acabaría escribiendo *La casa de Bernarda Alba*.

La labor de los actores de *La rosa de papel* es, sin duda, lo más discutible. Entre nuestro teatro cotidiano y esta transrealidad valleinclanesca hay tal distancia que quizá no fuese justo hacer una crítica. Porque si Valle y su «esperpento» tienen algo que ver con el «sainete grotesco» desde una perspectiva histórico-literaria, lo cierto es que, a niveles de expresión escénica, la distancia es enorme y cualquier alusión al «naturalismo» —y, por tanto, al melodrama— es mortal para el actor. Y ¿cómo improvisar, de pronto, otro modo de interpretar?

(1967)

Cara de Plata, o nuestra impotencia

Una consideración amplia de *Cara de Plata*, *Comedia Bárbara* escrita en 1922, nos pondría poco menos que en la tesitura de enjuiciar todo el teatro de Valle. Escrita después de *Luces de bohemia* (1921), y ligada, en cambio, a las otras dos *Comedias Bárbaras* —*Águila de blasón* (1907) y *Romance de lobos* (1908)—, constituye una especie de atalaya desde la que puede observarse la creación total de don Ramón.

Cumple, sin embargo, hablar ahora de la versión escénica que acaba de estrenarse en el Beatriz, procedente del Moratín, de Barcelona.

Y acaso convenga hablar, antes que por otras razones, para alzar testimonio de una impotencia que, en gran parte, responde a la situación general del teatro español. *Cara de Plata* es una obra instalada, en muchos aspectos, en ese terreno límite del que ahora se habla tantas veces. Un terreno que, escénicamente, no hemos solido pisar. Ciertamente, se han contado cosas bastante más terribles que las luchas entre Montenegro y el Abad, o entre el vinculero y Cara de Plata; pero siempre normalizadas, encajadas en conversaciones más o menos coloquiales. El espectador ha estado a favor o en contra de los contenidos del drama, pero —salvo esporádicos ensayismos— no ha querido ser sorprendido por sus formas escénicas.

Don Ramón es, por el contrario, un insumiso radical. Al rechazar una sociedad ha rechazado su teatro, y, por tanto, las formas y convenciones de ese teatro. Al lenguaje coloquial e ingenioso ha opuesto el trallazo de la violencia verbal, dentro siempre de su personal estilo literario. A las «unidades» más o menos rigurosas, la acción múltiple, el conflicto dentro del conflicto, el multiprotagonismo. Al naturalismo decorativo, la exigencia expresionista. A la caracterización sicológica, trabajosamente elaborada, el manchón significativo y contundente.

Al intérprete que dice, el intérprete que necesita de todos sus medios de expresión. A la continuidad, la interrupción y el punto y ·aparte.

No cito tales cosas con el ánimo de «definir» a don Ramón, autor vario y complejo, sino con el de señalar algunas de sus características necesitadas de la realización en el escenario. ¿Y cómo vamos a realizarlas de pronto? El teatro, como hecho escénico, es la expresión de una cultura social y el resultado de una técnica. Abordado el primer punto, nos encontraríamos metidos en una sociedad que ha eludido siempre el teatro-límite y que prefiere no ser sorprendida o rebasada por la escena. Abordado el segundo, con una técnica creada para expresar un teatro verbal y domesticado. ¿Cómo, entonces, hacer a don Ramón?

Si recordamos las últimas experiencias —casi las primeras— hechas sobre nuestros escenarios con obras de Valle, veremos que, dentro de sus diferentes méritos, han encontrado dificultades técnicas para expresar la violencia. Incluso debería añadirse que *Águila de blasón*, montada por Marsillach, quizá por ser —pese a la escena suprimida— la que anduvo más cerca de esta violencia valleinclanesca, fue la acogida con mayor frialdad. En cuanto al programa de José Luis Alonso, resultaba evidente la comodidad con que se hacía *La enamorada del rey*, .frente a los sudores de *La rosa de papel*, aunque las intuiciones y aportaciones del director resultaran igualmente patentes. Y es que, en definitiva, Valle plantea la destrucción de muchas de las máscaras del actor y del espectador, lo que exige, respecto del primero, una técnica, y, del segundo, una revolución.

Así las cosas, se ha estrenado *Cara de Plata*, bajo la dirección de Loperena, en el Beatriz, teatro destartalado, de dotación escasa. Y, naufragando, quizá hayan sido sus actores los únicos que se han salvado. Porque, en definitiva, ellos intentaban hacer *Cara de Plata* en nuestro contexto, y nosotros, como público, somos los habituales mantenedores de ese teatro alzado, no ya más acá de los límites de nuestra comodidad intelectual, sino al alcance de la mano. Los grandes esperpentos están aún por estrenar.

Yo creo que *Cara de Plata*, por ejemplo, nos remite a muchas de las técnicas que hoy se barajan dentro de la estética teatral. En cualquier caso, cada rasgo valleinclanesco es identificable dentro del teatro moderno, cosa que no ocurre con ningún otro autor español, al menos en tales términos. Durante años hemos hablado de la estructuración épica de la obra valleinclanesca, encontrando innumerables analogías con Brecht. También hemos discutido muchas veces sobre los elementos «absurdos» incluidos en obras como *Luces de bohemia*, a través de los cuales conectábamos a Valle con un Samuel Beckett. Ahora, cuando se habla de la expresión aliteraria o corporal, o del teatro de la crueldad, de nuevo encontramos en Valle una serie de elementos afines. Lo que, en definitiva, prueba que ninguna verdadera obra de arte vive en su parcela y que lo propio del gran teatro es su tensión entre lo que explícitamente es y las implicaciones hacia las que tiende.

A través de Valle podemos encontrar todo el teatro moderno.

Y otra vez la pregunta, ¿cómo hacerlo?

Loperena ha tenido, me parece, una cosa importante a su favor: no ha querido falsificar a don Ramón. Se ha metido de lleno en la obra y se ha empeñado en mostrar todas sus dimensiones. Lo que ocurre es que no ha sabido o no ha podido hacerlo. Lo que ocurre es que esas bajadas de telón, en función de unos decorados naturalistas y nada expresivos, más que «distanciar» enfriaban y cortaban el ritmo. Y lo mismo habría que decir de otras decisiones, entre las que es forzoso citar la limitación manifiesta de algunos intérpretes, en especial de Vicente Parra, cuya buena intención no le salva del sostenido envaramiento. Otros, como Luis Prendes, apuntan lo que podía ser un camino del personaje. Pero, a fin de cuentas, en el teatro no caben salvaciones individuales: o se crea una tensión colectiva, un contacto entre los actores, o no. Y en esta *Cara de Plata* no existe.

Un examen de la escenografía o de la iluminación o de la música, que, un tanto arbitrariamente, liga los cuadros, habría de situarnos ante el mismo problema de las limitaciones. Sólo que yo, vuelvo a confesarlo, no me atrevo, a la vista de tantas comedias estúpidas aplaudidas por el público y elogiadas por la mayoría.

Evidentemente quien intenta hacer un teatro en los límites de nuestras posibilidades escénicas es quien se arriesga... y muestra tales límites. Yo creo, desde luego, que aquí podemos hacer bastante mejor *Cara de Plata;* pero también estoy seguro de que no podemos hacerla bien. Desde la arquitectura teatral a la intolerancia del espectador, pasando por todos los elementos técnicos que configuran el teatro —y, en especial, el actor—, nos encontramos con un conjunto que no alcanza las necesidades de Valle.

Digamos, pues, que *Cara de Plata* sale mal. Pero añadamos que mejor es ver hasta dónde llegamos y lo que no sabemos hacer, que afrontar cualquiera de esas representaciones que, por estar más acá de los «límites», hacen creer en la solidez formal del teatro español.

Algo de esto ocurrió con el *Gorki* del María Guerrero. Era una representación bastante más cuidada que ésta de *Cara de Plata*. Pero también allí nos encontrábamos con la impotencia de algunos actores para ajustarse a exigencias que presuponían la práctica del Método de Stanislawsky. En el caso de *Los bajos fondos*, la dirección fue, sobre el papel, buena, y, sin embargo, el espectáculo «no salía». Ahora, con peor dirección, ocurre otro tanto en *Cara de Plata*. Lo que significa, me parece, que los males están en la larga siesta de la escena española y que puestos a luchar contra ella, no es cosa de tirar piedras a los que hacen a Valle Inclán.

Trabajemos, simplemente, para tener y merecer una mejor representación de *Cara de Plata*.

(1968)

«Romance de lobos», una visión ornamental

¿Por qué Valle fue considerado un autor no teatral durante años? ¿Por qué muchos pensaron que su teatro se perdía en el perfeccionismo literario y en una especie de plasticidad estática, cerrada, que no reclamaba la participación del espectador? ¿Por qué, en cambio, hoy estiman muchos que el teatro de Valle desborda aquella vituperada plasticidad, aquella condena estético-ideológica, aquel cargo de que se trataba de un teatro para leer, abriéndose en cambio como una provocación creadora sobre el público? ¿Por qué el antes hosco paisaje se ha poblado de caminos que van desde la obra de Valle a sus posibles espectadores contemporáneos?

Evidentemente, el reconocimiento del valor teatral de Valle se halla íntimamente ligado a la consolidación de un sentimiento de frustración colectiva, que encuentra en las obras de don Ramón, en su vena esperpéntica, una formulación escénica de gran interés. Cuanto hay en Valle de colérica visión de su entorno y de las constantes históricas que lo han determinado, convertido ya en la explicitación artística de una zona interior del hombre celtibérico, es lo que determina la exaltación actual del autor. Y hablo, antes que de sus ideas precisas, de su rabia, de su actitud «contestataria» —quizá la poética de la contestación sea, en el teatro español, el esperpento, por lo que tiene de renuncia radical a todo reformismo; por su presentación de la realidad como algo que debe ser apocalípticamente destruido, perdida la esperanza de una razonable transformación paulatina de esa realidad—, de la soledad política del escritor, del desconcierto de su razón, que, en su conjunto, generan una nueva poética dentro del teatro español. Valle, superando el naturalismo y el conformismo del teatro español de su época, aparece así como una sensibilidad rebelada, como el espejo cóncavo o convexo que rompe la imagen confortable propuesta por el orden establecido. Las *Comedias Bárbaras*, sin llegar a la nitidez de sus grandes esperpentos, participan ya de esa visión valleinclanesca; *Romance de lobos*, como saben nuestros lectores, es una de ellas, y acaba de estrenarse en el teatro María Guerrero.

Pienso yo que, a partir de la apuntada interpretación de Valle, no es posible teatralizar sus textos, hacer proyectable su poética sobre un público, sin meterse en sus agonías, sin participar de algún modo de su rabia, incluso trascendiéndola o criticando sus limitaciones individualistas. Sin esta participación, sin este puente, Valle corre el riesgo de quedarse en esa plástica pictórica y barroca que muchos de sus primeros detractores le habían atribuido.

El *Romance de lobos* del María Guerrero tiene, a mi modo de ver, ese defecto. Se trata de una aproximación culta, llena de buenas intenciones, pero falta, en la puesta en escena de José Luis Alonso y en la interpretación de los actores, de la poética crepuscular y sacrílega que el texto solicita. De ahí la sensación última de placidez y culturalismo que provoca el espectáculo. Un espectáculo —con armónicos decorados y figurines de Francisco Nieva— que se queda, tras la genialidad de su presentación —una especie de tótem sacudido por el viento—, en una función llena de elementos potencialmente válidos, pero falta del demonio valleinclanesco. Así, por ejemplo, se nos narra el saqueo de la capilla como un hecho anecdótico, sin que sacudan jamás al espectador las significaciones del robo de los cálices por el hijo cura del viejo Montenegro. La agonía, la violencia, la decrepitud, entre meigas y mortajas, de *Romance de lobos*, se nos hace ornamento, sin beber en las fuentes de la gran decepción o frustración que encarna la obra de don Ramón.

La misma profecía valleinclanesca sobre ese día de la justicia y la violencia de los pobres —celebrado ya en alguna ocasión histórica— suena a demagogia o a paternalismo, desligada como está de un coro de mendigos demasiado convencional o de unas escenas en las que resulta torpemente perceptible el fingimiento de la violencia.

La verdad es que hasta ahora los dramas de Valle siguen estando por encima del aparato expresivo del teatro español. El mejor Valle que hemos visto ha sido *La enamorada del rey*, dirigido por José Luis Alonso en este mismo María Guerrero; pero la obra

127

exigía un tipo de actores y una clase de juego escénico distintos y encontraba su proyección crítica sobre el público a través de los caminos de la comedia.

(1970)

«La marquesa Rosalinda»
y el desconcierto del público

Cumplido el trámite de *El condenado por desconfiado*, Miguel
Narros ha querido jugar fuerte con *La marquesa Rosalinda*, de
Valle Inclán. Las dificultades de la obra y la significación
crítica que hoy tiene el autor creaban ya un serio problema
en las mismas bases del proyecto. ¿Qué relación existe entre
La marquesa Rosalinda y ese esperpento agresivo y lúcido que ase-
guran la vigencia de Valle? ¿Hasta qué punto un público de
1970 podía acceder a esta farsa estrenada en 1912 y cimentada
sobre supuestos históricos y literarios desplazados de nuestro
momento? ¿Tiene sentido representar una obra que expresa el
primer paso hacia el esperpento si no se han representado los
grandes pasos posteriores? Valle se burla del modernismo (al
cual él mismo había pertenecido); Valle caricaturiza a toda esa
realidad literaria que gusta perderse en las frondas de Versalles;
Valle ataca la intransigencia histórica castellana:

AMARANTA	Aquí no danzan amores griegos
	en los jardines, bajo los lauros.
ROSALINDA	Aquí las ninfas no hacen sus juegos
	de cabalgatas en los centauros.
AMARANTA	Aquí no vuelan, tras los ramajes,
	furtivos besos del Trianón.
ROSALINDA	Con los ramajes de los boscajes
	aquí hace hogueras la Inquisición.

Valle se burla de todos los dramas calderonianos, de «los
maridos del teatro español»; Valle sustituye el naturalismo
dirigido, la falsa imagen de la realidad, por la farsa de personajes
deshumanizados y claramente investidos de sus máscaras;
Valle incorpora a un contexto escénico terriblemente elemental

129

el juego entre la comedia del arte, el microcosmos del afrancesamiento literario, la intolerancia española y una mirada crítica superior y desveladora...

Nadie que piense un poco puede negar el interés histórico de *La marquesa Rosalinda* en la obra del gran autor español. Lo que sucede es que sus temas encontrarán más adelante nuevas vías, nuevas y más ricas asperezas, sustituido ya definitivamente Aranjuez por la Puerta del Sol, y los ridículos reyes o abades por el dictador Primo de Rivera. *La marquesa Rosalinda* es, «todavía», una obra del Valle que ensalzó Gómez de la Serna. Su «adaptación», su «adecuación», al espíritu de nuestros días no plantea graves problemas literarios, porque está ya hecha por el propio Valle. Se llama, por ejemplo, *Los cuernos de Don Friolera*. Está escrita en prosa y no se autorizan sus representaciones, al menos dentro del teatro comercial.

Está, pues, claro que un montaje de *La marquesa Rosalinda* propone innumerables preguntas, cuya respuesta resulta dialécticamente difícil, ya que la obra vive —como hecho escénico presente, para un público que no ha estudiado a Valle y escucha y mira desde la sala— en la medida en que la representación destaque unas líneas dominantes sin dejarse mecer por una hojarasca literaria que, inadvertida su intención satírica, alarga y hunde el intento. Acaso, entonces, sólo un montaje decididamente esperpentizador, que proyectase sobre «La marquesa Rosalinda» las obras posteriores, alcanzaría la frescura y sentido necesarios, aunque esto no deja de ser, a su vez, discutible, en la medida en que la farsa en cuestión posee en sí misma unos valores precisos y muy interesantes, tanto para conocer el curso de la literatura española como el del propio Valle Inclán.

Narros ha optado por la valoración máxima de la literatura valleinclanesca, subrayando los elementos satíricos y los líricos, sin abordar la posible significación sociopolítica de este pre-esperpento. Ha colocado una pequeña orquesta detrás del ciclorama para crear el clima de ciertas situaciones, y, ante el siempre insoluble dilema de decir o no las hermosas, intencionadas y, a veces, paralizadoras acotaciones, ha optado por respetarlas, distribuyéndolas entre los personajes y acompañándolas de unas notas musicales. Los intérpretes no han estado ni bien ni mal, sino un tanto mecánicos y monocordes, en lucha contra las dificultades del texto y la falta de una planificación dialéctica que aclarase su posición dentro del conjunto. Señalemos, en todo caso, la presencia de Amparo Soler Leal, una graciosa Rosalinda, que ha vuelto al teatro tras una larga y grave enfermedad.

Excepcionales, por inteligentes, imaginativos y rigurosos, los figurines y los objetos escenográficos de Nieva. Cierto «machismo» no comprendió que la decadencia y el barroquismo de los elementos utilizados eran irónicos y se ajustaban admirablemente tanto a las exigencias de la farsa y el carácter épico de la obra —elementos ante un gran ciclorama, sin fingir jamás naturalísticamente un jardín— como a la imaginación satírica de Valle. El gran reloj, con sus figuras móviles, era el trasunto escenográfico de muchos versos de Valle.

Al final hubo serias y violentas protestas de una parte del público; y aunque uno comprende esas protestas, no deja de pensar que hay mucho teatro estúpido que navega sin problemas, y que los errores e insuficiencias de espectáculos como éste de Valle deberían servir para reflexionar, para preguntarnos muchas cosas, más allá de ese honroso gesto de la repulsa pública.

(1970)

«Luces de Bohemia»,
un esperpento contemporáneo

Estamos, como todo el mundo dice y bastantes aceptan, ante una de las obras fundamentales del teatro español contemporáneo. Se ha estrenado, al fin, en Madrid, en este 1971, tras una larga peripecia censora. El texto ha «pasado» íntegro —en realidad fue autorizado hace un año— y ha sido el propio Tamayo quien, por prudencia, ha eliminado dos palabras que podían haber tomado en el actual contexto político una significación anecdótica contraproducente. La obra se presentó incluso dentro de la Campaña Nacional de la temporada anterior, estrenándose en muchas capitales españolas.

Un juicio sobre *Luces de bohemia* resulta terriblemente complicado. La obra, en todo caso, es de tal calibre que no puede despacharse con unas cuartillas, a menos que aceptemos quedarnos en lo que ya son lugares comunes. Por eso renunciamos aquí a lo que es materia de un ensayo.

Vendría luego la contemplación de *Luces de bohemia* dentro de la vida teatral de nuestros días. Este me parece un punto fundamental. Porque, al fin y al cabo, lo que se trata no es de juzgar en abstracto el valor del esperpento de Valle Inclán, sino lo que significa en este otoño de 1971. Cada vez, y en la misma medida en que la contemplación del hecho teatral se despega de la simple ilustración de un texto literario, resulta más claro que la representación debe ser examinada como un acto de comunicación, cuyo alcance y contenido es imposible calibrar si nos limitamos al estudio de la obra literaria. Tampoco se agota la cuestión con el análisis de las puestas en escena y las formas concretas de la representación. Falta un tercer capítulo, esencial, y, todavía, no incorporado regularmente y con la importancia que merece a la historia del teatro. Me refiero al público y a las circunstancias que matizan su percepción de la obra.

En este aspecto sociológico el interés de *Luces de bohemia* dentro de la vida española y el teatro de nuestros días es tal que uno confiesa que pocas veces asistió a un ejemplo tan claro de lo que debiera ser una constante en el teatro: la incidencia del espectáculo sobre la realidad, su valor como instrumento de análisis de nuestra vida y no-vida de cada día. En cuyo punto, el valor de las técnicas teatrales se reordena y modifica.

El tema me parece enormemente sugestivo. Si la forma teatral no es un valor abstracto y está en función de la comunicación entre el espectáculo y el espectador, resultará, automáticamente, que el estudio de las formas teatrales es inseparable del estudio de los espectadores y sus circunstancias. No sólo un mismo texto, sino también una misma forma de representarlo, podrán «comunicar» cosas distintas según el momento y la naturaleza de sus destinatarios. Señalemos, pues, la necesidad de atender a este fenómeno sociológico, al tiempo que al texto y a la puesta en escena, para comprender la «teatralidad» o comunicabilidad desde un escenario de la obra que nos ocupa. Son elementos inseparables: el texto de Valle Inclán, la puesta en escena de Tamayo y el público español de nuestros días[1].

Vayamos ya al plano escénico del esquema: al de la puesta del director José Tamayo y el trabajo de sus actores. Bueno será empezar diciendo que la representación jamás se alza como un «obstáculo» entre Valle y el público; que no existe ningún tipo de mediación que perturbe la comunicación vivencial e ideológica y nos conduzca a apreciaciones o perspectivas fundamentalmente «teatralistas». Este vuelve a ser, para mí, un sugestivo tema dentro del campo de la crítica teatral. Personalmente, siento mucha más necesidad de referir la representación al público que a ciertos preconceptos sobre el esperpento. El debate, por lo demás, que en este punto ha suscitado

---

[1] La obra había intentando estrenarse repetidas veces. Pero los múltiples cortes de censura hicieron desistir del proyecto. Finalmente, se autorizó en su integridad, y la obra, con un par de supresiones dictadas por el propio director, se presentó en varias capitales españolas, a menudo con escándalo de las «fuerzas vivas». En otras no pudo representarse. Hasta que se estrenó en Madrid, —donde estuvo muchos meses en cartel— precedida de una campaña destinada a recordarnos la época en que fue escrita, y, por tanto, su desvinculación del presente.

el espectáculo del Bellas Artes entre los «especialistas» que han estudiado a Valle está claro: ¿es demasiado naturalista?, ¿demasiado emotivo?, ¿no debiera haberse buscado, en el movimiento y en el gesto de los actores, la «deformación sistemática» de que habla Valle?, ¿no debería ser un espectáculo más brechtiano?

Ya digo que no quiero contestar a estas preguntas fuera del contexto concreto de las representaciones del Bellas Artes. En todo caso, el último espectáculo de José Tamayo suscita inevitablemente ese tipo de polémica, no sólo ateniéndonos a lo que propone desde el escenario sino a las ideas existentes sobre el esperpento, que también entran, lógicamente, en cuestión. Se diría que los elementos sainetescos de *Luces de bohemia* no habían sido tenidos en cuenta todo lo que merecían y que ahora la representación —¡el estreno, prácticamente!— de *Luces de bohemia* ha puesto en pie un debate que quizá no es del todo nuevo entre nosotros. La pugna entre naturalismo y esperpento, que existe en la obra de algunos de nuestros jóvenes valleinclanistas —un ejemplo: Lauro Olmo— estaría también en *Luces de bohemia*. Carlos Lemos, que ha sustituido en Madrid a José María Rodero, y Agustín González, serían la encarnación de esos dos polos o imágenes de la obra: Lemos propondría un Max Estrella humanizado, caliente, casi sudoroso; González, un don Latino grotesco, distanciado, gesticulante. La diversidad de sus interpretaciones correspondería a esta dualidad formal de *Luces de bohemia*, respetada por Tamayo en una puesta en escena que atendió al texto sin realizar ningún esfuerzo de profundización o unificación estilizadora. En cualquier caso, pocas veces un teatro madrileño tuvo la dignidad y la razón de ser de este Bellas Artes de *Luces de bohemia*.

(1971)

«Tirano Banderas» o Valle en los altares

Que nadie piense que se llega a la adaptación de *Tirano Banderas* después de agotar las representaciones de todo el teatro de Valle. Dos títulos de gran importancia, *Los cuernos de Don Friolera* y *La hija del capitán*, encuentran aún —presentada, al fin, *Luces de bohemia*— escollos de censura. Y otros, como *Las galas del difunto*, si bien se montan con alguna asiduidad, suele ser en condiciones que los hacen de difícil acceso al gran público.

Quizá no sea ésta una aclaración gratuita. No estamos en el caso de un autor repetida y diversamente representado, del que resulte oportuno intentar ampliar el área de lo escenificable. Valle es, todavía, en el campo concreto del teatro —que no en el de la literatura— un valor sólo parcialmente descubierto, con el agravante y la paradoja de que, por ser un escritor extraordinario, se le trata a menudo en la escena con el respetuoso talante que se emplea para lo que ya ha sido agotado y definido.

Con Valle hemos pasado de una negación general —Benavente era el modelo— a una defensa que, a mi modo de ver, siendo absolutamente justa, ha hecho de Don Ramón un dramaturgo prematuramente ilustrísimo. En definitiva, muchos van a ver a Valle, o montan a Valle, o interpretan a Valle, como si Valle fuera en sí mismo el objeto del trabajo y no la aguda mirada sobre una realidad. Pasa lo mismo que ocurrió con Brecht, cuando ciertos brechtianos contemplaban los espectáculos más atentos al *Pequeño Organon* que a las propuestas concretas de sus obras.

Yo pienso que en esta versión y este montaje de *Tirano Banderas* ha sobrado, decididamente, unción y acatamiento. Que si Valle propuso en su día —adelantándose en ello a la general posición de los escritores españoles ante los temas de

América Latina— una novela sobre la tiranía, en el marco sensorial y extrovertido de una Tierra Caliente, y el tema de los dictadores latinoamericanos sigue en pie, lo que contaba ahora no era «poner a Valle», sino valerse de Valle, encontrar en Valle la poética reveladora y estilizadora de una realidad histórica. Poner en un escenario *Tirano Banderas* presupone, en fin, a mi modo de ver, tener un punto de vista y una pasión por el tema concreto de la tiranía en América Latina, antes que una admiración por Valle. El texto está lleno de puertas por donde meter esa pasión y ese análisis de que hablo.

Sé que otros conciben el teatro de modo distinto. Pero al mismo Enrique Llovet debemos una versión de *Tartufo* que, escrita contra la hipocresía, mereció incluso el coherente honor de ser prohibida. ¿Por qué a través de Molière nos acercábamos al mundo, mientras que a través de *Tirano Banderas* nos acercamos casi exclusivamente a la literatura de Valle?

El tema es importante, porque quizá ha llegado ya la hora, cubierto el ceremonial de la beatificación, de empezar con Valle una nueva etapa. Pienso, por ejemplo, en la atmósfera de *Tirano Banderas*, en las cárceles, en los palacios, en los prostíbulos, en los escondites de revolucionarios, en las casas humildes, y, de inmediato, nace un mundo sensorialmente opuesto al gran escaparate escénico del Español, pulcro, limpio, casi dorado, hecho para que oigamos la palabra. Incluso la misma muerte de Tirano Banderas, resuelta con una sugestiva imagen, oscuramente ligada a la muerte real de Emiliano Zapata — ¿quién no recuerda aquel plano de la película de Kazán, con los fusiles asomados por lo alto del patio?—, tiene una nitidez retórica que rebaja su dramatismo.

No, no es ese el clima ahogado de una revolución y una tiranía en América Latina. No es ese el mundo de que hablan los corridos de la Revolución Mexicana. No son esas las imágenes que nos han traído las películas rodadas en los lugares históricos de la acción o las crónicas de la violencia... Incluso el mismo idioma de Valle, tan lleno de sonoros americanismos, es en nuestros actores un gusto por las consonantes y los acentos, que puede más que el gusto por sus personajes.

Me parece, pues, que estamos ante un trabajo de incuestionable dignidad literaria, lleno de respeto al verbo de don Ramón. Ante un montaje de imágenes, a veces muy hermosas, pero solemne, estático, y poco dispuesto tanto a meterse debajo

de la piel de los personajes como a indagar en el mundo abierto
y vital de los tiempos revolucionarios. Sólo Ignacio López Tarso,
el gran actor mexicano, se esfuerza por salir del tono museístico
de la representación, sólo él maneja la palabra como parte de
un juego y de una reflexión interior. Los demás están, en términos generales, sujetos por sus frases, atados por un fastidioso
cordón umbilical a las páginas de la novela.

(1974)

Arniches

Arniches o la crisis de la Restauración

Escribía Bergamín que Ramón Pérez de Ayala fue el primer «intelectual» que defendió a Carlos Arniches[1]. Hasta entonces, la crítica ponía muy por encima de él a Jacinto Benavente, que, sin embargo, saldría mal parado de las páginas de *Las Máscaras*.

Es más que probable que nuestros actuales planteamientos del «tema Arniches» tengan un arranque muy preciso en los comentarios de Pérez de Ayala, y, muy concretamente, en el que dedicó a *La señorita de Trevélez*. Allí se nos propuso una nueva jerarquía y un nuevo y más rico criterio estimativo de la dramaturgia española del primer cuarto de siglo. Aún no era llegada la hora de Valle Inclán —cuyo auténtico «descubrimiento» teatral, aún discutido, data de los años cincuenta—, ni las tragedias de Unamuno habían alcanzado los aislados reconocimientos que han ido adentrándolas poco a poco en el «cuerpo teatral» español. Pero, a niveles epidérmicos, en el clima aún polémico que sigue a los estrenos, lo cierto es que Pérez de Ayala, trastocaba radicalmente todos los valores entendidos de la opinión general. Por de pronto, esa crítica casi cantable, blanduzca, escrita «a la manera de Arniches», era desmontada por la actitud de Pérez de Ayala, empeñado en ir más allá y examinar los supuestos serios y menos folklóricos de las tragicomedias grotescas. Paralelamente, el ataque a la insubstancialidad benaventina, afectaba a todo un aparato crítico e ideológico que había llevado a nuestro dramaturgo nada menos que al Premio Nobel...

Los nuevos términos de la cuestión vinieron a quedar así:

1. Grupo de «intelectuales» decidido a rescatar a Arniches

---

[1] «Arniches o el teatro de verdad», artículo de José Bergamín, en *Primer Acto*, núm. 40, febrero 1963, págs. 5-10.

de una generación de autores «de éxito» hacia los que siente, en general, poca estima. Figuras importantes de este grupo son Pérez de Ayala, Salinas y Bergamín, en la preguerra, y Buero Vallejo, Lauro Olmo y Carlos Muñiz entre los modernos.

2. Críticos e historiadores en la línea tradicional, que no alteran las bases popularistas y sentimentales de su aproximación al autor, ni, por supuesto, aceptan que Arniches fuera el más interesante de los «autores de éxito» de su tiempo.

Cabría señalar, todavía, la existencia de una zona de opinión que parece hecha con los evadidos de estas posiciones. En ella están los que, a través de Pérez de Ayala y la subsiguiente corriente proarnichesca, se interesaron por el autor y, en alguna medida, les decepcionó. Están también los que, partiendo de la corriente tradicional, juzgan ridícula la exaltación de Arniches.

Un ejemplo claro de esta última posición es la de Ángel Valbuena en su *Historia de la Literatura Española*, donde, tras glosar ampliamente el teatro de Benavente, liquida la obra de Arniches con unas desfavorables y breves líneas que empiezan con esta precisión: «Menos importante que los Quintero es un sainetista y autor de comedias de tipos y costumbres madrileñas, el alicantino Carlos Arniches, aunque Pérez de Ayala, con crítica superlativa haya tratado de abultar sus méritos. Esta exaltación crítica es desmesurada e inaceptable»[2].

No sé hasta qué punto los artículos y trabajos que se publiquen con ocasión del Centenario van a contribuir a la mejor y más recta comprensión del teatro de Arniches, enriqueciendo así una polémica a la que está faltando la ordenada confrontación de argumentaciones y juicios. Es de temer, a juzgar por lo que va publicándose, que esta confrontación no va a producirse.

Medio siglo de teatro

Benavente, defendiéndose de los juicios adversos a su teatro, escribió mordazmente que la vida activa de un dramaturgo cubre la labor de tres generaciones de críticos. Sería importante considerar hasta qué punto esto es sólo un síntoma de la post-

---

[2] *Historia de la literatura española*, de Ángel Valbuena Prat, Barcelona, Gustavo Gili, MCML, tomo III, págs. 422-423.

vida de un autor a la vida de «su» tiempo. No me refiero a los fenómenos de supervivencia literaria, propios de todos los grandes autores, sino a la permanencia como estrenista activo durante más de medio siglo.

Cada autor —y, sobre todo, si estrena mucho y sin dificultad— se encuentra plenamente relacionado con la sociedad que potencia su éxito. Podrá haber uno u otro tono en esa relación, pero es evidente que un Arniches o un Benavente nos remiten de inmediato a las ideas, necesidades y gustos del sector social donde se recluta el público: la burguesía.

La pregunta que de esto se deriva es la siguiente: ¿puede un dramaturgo ser la expresión de los conflictos de su sociedad durante medio siglo? Es probable que, en excepcionales y estables etapas históricas, pueda ser. Si advertimos las profundas evoluciones que marcan el medio siglo histórico español en que estrenó Arniches —desde la Restauración hasta después de la última guerra civil; desde una España aún gran potencia colonial a la España moderna— habremos de contestar negativamente a la pregunta.

En la trayectoria de Arniches —como en la de Benavente— hubo un momento de aproximación, de balbuceo ideológico y estético; otro, de acuerdo más o menos general con la sociedad y la época y, un tercero, de alejamiento; o, si se quiere decir de otro modo, un tiempo de afianzamiento, otro de madurez, y otro de repetición de sí mismo. Tres etapas que quizá corresponden a esas tres generaciones críticas de que habla Benavente, si aceptamos que, salvo excepciones, el crítico teatral es un reflejo ilustrado y cotidiano de la sociedad que le lee.

Ante un autor como Arniches —nacido en Alicante, el 11 de octubre de 1866, y muerto en Madrid, el 16 de abril de 1943—, cuyos estrenos van desde 1888 a 1943, no cabe el juicio en bloque ni la crítica basada en las asincronías históricas que forzosamente han de registrarse en su último período de autor. ¿Cuándo, en qué época, es Arniches un comediógrafo inserto dinámicamente en la sociedad española? ¿Cuáles son las expresiones, acomodaticias o reveladoras, de esa inserción? ¿Qué vida española aloja su teatro? ¿Cómo empleó Arniches las formas usuales del teatro español de «su» tiempo?

Todos sabemos que no existe un teatro «intemporal», y que cada dramaturgo está adscrito, de algún modo, al proceso histórico. Con todo, es preciso señalar que en casos como el de

Arniches el dato temporal adquiere un valor decisivo. No hay modo de aproximarse a él si no es a través de los supuestos sociales de su época. De no hacerlo así, cualquier juicio —favorable o desfavorable— se nos quedará siempre en el aire.

La Restauración

La primera obra de Arniches, *Casa editorial*, se estrena el 9 de febrero de 1888 en el teatro Eslava. Tiene entonces el autor veintiún años y el país vive una etapa caracterizada por los intentos «democratizadores» —demoliberalismo— de la restaurada monarquía. El nacimiento del futuro Alfonso XIII, hijo póstumo de Alfonso XII, y la personalidad de la Regente María Cristina, garantizan las bases institucionales de la continuidad monárquica. Una minoría política trabaja en favor de la aún irrealizada en España revolución burguesa. Se cita, sobre todo, a Inglaterra como ejemplo...

La «cuestión social» anda ya metida entre los problemas del liberalismo. Sagasta, en enero de 1887, había dicho:

> ¿De qué aprovecha la libertad sin el bienestar de los pueblos? Démosle libertad, pero démosle bienestar[3].

En este «démosle» había todo un programa político, articulado por Cánovas en su famosa expresión de «un gobierno para el pueblo, pero sin el pueblo». Y que, en resumidas cuentas, viene a establecer las bases del paternalismo, liberal o totalitario, que ha caracterizado las relaciones entre los españoles gobernantes y los españoles gobernados. Y del cual es, a su vez, antecedente todo el pensamiento político-religioso de nuestra Monarquía absoluta. Sería, sin duda, interesante estudiar si muchos de los «rasgos» nacionales —el individualismo, la extremosidad, la suspicacia, la violencia, etc.— no nacen precisamente de la pobreza política del español medio, tutelado por unos y otros y nunca aceptado como mayor de edad.

1888 es el año de los debates sobre las reformas de Cassola.

---

[3] *Historia política de la España Contemporánea*, de Melchor Fernández Almagro, Madrid, edic. Pegaso, 1959, vol. II, pág. 43.

Es el año en que se establece el juicio por Jurados —doce «representantes de la conciencia popular»— y en que Emilio Castelar, el viejo republicano, declara que la monarquía liberal es la única fórmula viable en las nuevas circunstancias nacionales. Es el año en que se prepara la ley del sufragio universal y en que se allanan los problemas de reunión, imprenta y asociación. Aunque, todavía en 1887, el gobernador de Madrid, duque de Frías, prohíbe el estreno en el teatro de la Comedia de *La piedad de una reina*, de Marcos Zapata, por entender que alude al indulto de los participantes en el reciente motín de Villacampa por la Reina Regente.

En 1888 se promulga la ley de lo contencioso-administrativo, y se está a las puertas del Código Civil. Es también el año de la Exposición Universal de Barcelona, a tono con las de París, Londres, Amsterdam, Filadelfia, Viena y otras «grandes capitales». Su inauguración —el veinte de mayo— marca uno de los más brillantes momentos del nuevo régimen monárquico, halagado por el patriotismo interior y respetado por todos los gobiernos europeos. Aunque, allí mismo, aflorasen los problemas de la personalidad catalana.

1888 es el año de los gobiernos sagastinos y las broncas al conservador Cánovas en las calles de Barcelona, Zaragoza, Sevilla y Madrid. Es el año del cisma de la comunión tradicionalista, entre los que exigían la sumisión absoluta a don Carlos y los que, como Ramón de Nocedal, se separaron de los intereses dinásticos y proclamaron —bajo la advocación del Sagrado Corazón de Jesús— el gobierno teocrático, antiliberal y fiel a la Santa Sede, no importa bajo qué monarca. Es el año del manifiesto de la Liga Agraria, que proclama su apoliticismo y su escueto empeño en superar la crisis económica del campo español. Es el año del nuevo manifiesto del exiliado Ruiz Zorrilla, revolucionario en cuanto al modo de llegar al poder, pero moderado y aun conservador en el programa de gobierno.

Weyler se posesiona de la Capitanía y Gobierno General de Filipinas el 16 de marzo, actuando inmediatamente con su rigor proverbial. Al tiempo que, en Cuba, el Capitán General Sabas Marín declara el estado de guerra, con la oposición de algún diputado y subsiguiente desarrollo de la conciencia nacional de la Isla.

1888 es también el año fundacional de la Unión General de Trabajadores (U. G. T.), y del Congreso de la Agrupación

145

Socialista Madrileña, del que es principal figura Pablo Iglesias. El tema de la huelga, como instrumento de la lucha de clases, y sus formas de organización, son la base de los informes, conclusiones y programas.

La posición de Arniches en esta coyuntura es clara. Arniches es monárquico y liberal. Su pensamiento responde al diagnóstico del anciano Castelar: la revolución es un arma difícil, porque sus resultados son inseguros y anticipadamente imprevisibles. Mejor, pues, operar al servicio de una evolución democratizada bajo la institución monárquica, considerada como una garantía de orden y continuidad.

La relación con el «pueblo», de acuerdo con esta posición ideológica y sentimental, será el paternalismo. Los enemigos del nuevo orden serán, según este pensamiento, quienes, perteneciendo a las clases adineradas, son incapaces de someterse a la «europeización» que tipifica la ley del sufragio universal. Por eso, Arniches alternará el ataque a las diversas formas de caciquismo e intransigencia de los fuertes con sus paseos por el viejo Madrid y su atención a las clases populares. El contenido de ambas actitudes será coherente: a unos les predicará por sus vicios políticos o por sus traiciones al paternalismo que el nuevo orden les exige; a los otros los contemplará, por lo común, desde la perspectiva costumbrista, atento a tipificar sus rasgos más perceptibles, pero no su condición de sujetos políticos. Arniches da por buenas unas instituciones y un orden determinados —a partir de la monarquía liberal— y su obra es siempre, en el plano ideológico, un examen de los factores morales que, en las diversas capas de la sociedad española de su tiempo, lo dificultan.

Arniches y el 98

Aparte de un pasado histórico cargado de falsas y amenazadoras soluciones, lo cierto es que a la Restauración le llegó demasiado pronto la prueba decisiva del 98. Todo el optimismo y la teoría política revelaron su pobreza ante las nuevas y extraordinarias situaciones planteadas. Hicimos corridas de toros patrióticas y chistes a costa de los norteamericanos hasta el mismo día de la hecatombe. Todo se perdió menos el honor.

A contar de ese momento, se ensanchó la divergencia entre

la realidad y su imagen pública. No importaba que una minoría de escritores empezase a vivir trágicamente nuestras contradicciones, ni que la realidad española estuviese repleta de datos socioeconómicos acongojantes. En los teatros, los autores tuvieron que aliarse con el grupo social que necesitaba sentirse, a un tiempo, amonestado y justificado. Ningún país como el nuestro, de tradición cultural a contrapelo de la historia moderna, derrotado y dividido, parecía más a punto para que surgiese en él una auténtica dramaturgia de la angustia y aun del absurdo. Basta leer los periódicos de la época. Y, sin embargo, en los escenarios, todo era jovialmente minúsculo; todo estaba a punto para el esperpento valleinclanesco. Nuestra sociedad vivía en otro tiempo, protegiéndose contra el tiempo verdaderamente suyo.

El teatro no era, pues, una verdad sino una complicidad. Y el esperpento valleinclanesco nacería más tarde como un testimonio crítico de la deforme conciencia irrealista española. Nada de desesperación o angustia, a niveles mínimamente «públicos». El teatro existía para tranquilizar a la clase media, cada vez con menos recursos económicos, cada vez más necesitada de una compensación a su asincronía histórica. Nuestro teatro y nuestra vida cotidiana estaban repletos de dramas del bien parecer, del quiero y no puedo, de pasarlas estrechas y presumir de grandeza.

Si saltamos de Arniches a Marquina o a los Quintero percibiremos una diferencia. Todos ellos, en tanto que «autores de éxito», tienen una relación de complicidad con el público; pero así como Marquina o los Quintero, fundamentalmente lo halagan, Arniches —como Benavente, en sus primeras obras— alude, quizá un tanto epidérmicamente, a su crisis económica y aun ideológica.

En el Arniches de *La señorita de Trevélez*, *Los caciques* o *La heroica villa* hay, sin duda, una positiva dimensión crepuscular. Quizá el autor sólo quiera echar en cara a los personajes su traición política a la sociedad liberal que quiere levantarse; en cualquier caso, está mostrando la desarmonía entre nuestra historia y nuestra intrahistoria, nuestra fachada y nuestra realidad, nuestro liberalismo teórico y nuestro caciquismo efectivo.

Arniches no es un hombre que entre dentro de los supuestos convulsionadores de la Generación del 98. Pero es, entre los autores de éxito, el que más se aproxima.

El tiempo de Arniches

¿Cuál es, dentro de este esquema histórico, el «tiempo» de Arniches? Nuestro autor empieza a escribir cuando el «género chico», favorecido por el creciente liberalismo, vive una etapa satírica de cierto esplendor. Escribe a menudo en colaboración, más atento a la repetición ingeniosa de las fórmulas aceptadas que a una verdadera creación. Viene luego su etapa de plenitud, su «tiempo», en el que oscila entre los sainetes del Madrid castizo y la revelación de las grotescas degradaciones de las clases rectoras. *La señorita de Trevélez*, en el 16, marca el punto de su madurez artística y de su realismo. Y también el de los límites de un reformismo que confía en transformar la sociedad con la educación escolar, sin preguntarse por los contenidos y posibilidades sociales de esa educación. *Los caciques* y *La heroica villa* se estrenan poco antes de la Dictadura, a cuya llegada puede decirse que las bases ideológicas de Arniches han perdido su sentido histórico. Nuestro país entra en un período turbulento en el que, como decía al principio, Arniches no hace sino sobrevivirse. Y seguir estrenando gracias a un público, que, como el propio Arniches, se sobrevive.

Bastaría citar dos ejemplos: el *Yo quiero*, melodrama risueño, con sacerdote y guardia civil, estrenado poco antes de nuestra guerra, y *El Padre Pitillo*, escrita con ecos de *La heroica villa* —ahora anacrónicos, terriblemente convencionales— en la hora ibérica del millón de muertos.

Las formas teatrales de Arniches

La lectura del teatro de Arniches nos revela pronto la existencia de una falsilla. Los críticos de la época lo dijeron a menudo, habiendo hecho de la negación de este punto cuestión de principio algunos arnichistas. Por mi parte, creo compatible la estimación del autor y la aceptación de que sus obras se sujetan a una serie de esquemas. Ocurre así con los autores que estrenan mucho. Y, por tanto, con Arniches, que escribió —solo o en colaboración— más de doscientas setenta obras.

Fijaremos una serie de características de la estructura del teatro de Arniches, a veces trascendidas por él, y que vienen a configurar la idea que tuvo del teatro el público español de la

Restauración. Idea de la que se derivan una serie de criterios estimativos y de prácticas escénicas que, en alguna medida, aún gravitan negativamente sobre la realidad teatral española.

Hacer a Arniches responsable de esta falsilla es un error crítico. Lo que procede es considerar hasta dónde llegó el autor desde la aceptación de los supuestos del teatro español de su época.

La idea de argumento.—Las obras de Arniches son historias completas y ordenadas. Los personajes y las situaciones están al servicio de ese argumento, cuyo recorrido viene a ser el objetivo fundamental de la comedia.

El orden de las escenas.—He podido leer el plan del acto 3.º de *Serafín el pinturero.* Arniches, con un lápiz de finísima punta, ha escrito:

1.º Preparativos de la paella.

2.º Perdón de los padres. Planes de vida futura.

3.º Primitivo tiene celos de Dorotea. Le han dicho que la han visto con un pollo. Lo trae.

4.º Para entretenerse hasta que esté la paella, el señor Silvino cuenta cuentos y luego él o la Dorotea cantan el cuplé.

5.º Viene Primitivo, dice que cree haber visto al señor Lucio, y al Carraca, que vienen. (Le llaman alarmista). Quedan escamados.

6.º La paella todavía no está. (Voy a probarla, aquí lo de «eso no va a ser paella, va a ser pá usté»). Juegan a la gallina ciega.

7.º Entrada del señor Lucio y el Carraca.

8.º Entrevista del señor Lucio y Silvino. Los dos tiros y final.

El autor no puede, pues, tolerar ninguna rebelión de sus personajes. Son los peones de un juego que está ya previamente establecido.

Sentido ilustrativo del texto.—Dados los supuestos anteriores, nacidos de un cálculo de la eficacia y medida teatral, el texto adquiere un valor ilustrativo, obligado como está a ceñirse a unos caminos predeterminados. Diríamos que el autor no está nunca totalmente en sus textos; que a los personajes les falta la proyección viva del comediógrafo. El proceso «argumentoorden de escenas-diálogo» produce unos resultados artificiosos que despojan a la obra de cualquier carga existencial y de un auténtico sentimiento trágico. El autor está «fuera» de la obra.

La fecundidad.—Esto explica la fecundidad. Cuando el dramaturgo se proyecta en sus obras de forma total, escribir es siempre difícil. Cuando aplica su ingenio y su técnica del diálogo teatral a una falsilla, es un problema de talento y de trabajo. Esta fecundidad, según hemos dicho —como ocurre con Benavente o los Quintero—, redunda en reiteraciones.

El tercer acto.—Considerado el «argumento» como una de las bases fundamentales de la obra teatral, y dado el nivel convencional de su desarrollo, la «sorpresa» —paralela al «ingenio» del diálogo— es un factor continuamente manejado. Justamente, la ordenación previa de las escenas responde a esta acumulación de sorpresas e incidentes imprevistos. El tercer acto, fatalmente, ha de ser una calamidad. El autor cambia súbitamente el estilo de la obra y aun las características de los personajes para que, en un par de escenas aclaratorias, todo pueda ser puesto en orden.

Monólogos y apartes.—No existe apenas lo que hoy llamamos subtexto, cuya razón de ser está en la idea de que las palabras o aun los actos dejan sin explorar una parte esencial del personaje. En este teatro —sin intimidad— sólo importa lo que tiene una funcionalidad argumental. Nada, pues, de Stanislawsky. Y ahí están los monólogos y apartes para sacar afuera cualquier reflexión y llevar linealmente hacia adelante el argumento.

Los personajes escondidos.—En numerosas obras de Arniches hay alguien escondido que «escucha sin ser visto». Es un recurso forzadísimo, que responde a lo señalado en el punto anterior. En alguna ocasión, como en el último acto de *Los caciques*, el propio autor parece burlarse de este procedimiento con la forma deliberadamente cómica de provocarlo.

Los tipos.—Salvo casos muy excepcionales, los personajes «están ya hechos» desde su primera aparición. No existe una acción sicológica. E, incluso, personajes como el «Señor Badanas» o el Don Juan castizo de *El solar de media capa*, cuyo final antiheroico parece cambiar el destino inicialmente previsible, son, si bien se mira, y desde el comienzo, tipos débiles sin ninguna posibilidad de éxito.

Un tipo para un actor.—A menudo, estos tipos están hechos en función de determinados actores. En aquella época era considerada una prueba de sabiduría profesional el escribir un papel «a la medida» de algún actor, el conseguir que ese actor pusiera de manifiesto, a través del papel, sus dotes expresivas más personales. Valeriano León y Casimiro Ortas —y, también, Loreto Prado, la «creadora» de *Alma de Dios*— son los actores más ligados a Arniches. En su voz, en su figura, en sus recursos, está el origen de muchos de los elementos que aparecen en las comedias escritas para ellos.

Las limitaciones de este procedimiento son muchas. El propio Arniches fue víctima, en algún estreno, de ellas. Por ejemplo, cuando Casimiro Ortas, «actor cómico», estrenó *El solar de media capa*, no hubo manera de que el público le aceptase en un personaje tragicómico.

Esta es una limitación a niveles casi costumbristas. En el orden de la creación dramática, la sujeción del papel al actor es, por lo común, de nefastas consecuencias.

El chiste.—Planteado un argumento cómico y ordenadas las escenas con afán de sorprender, el diálogo, sin apoyos sicológicos, o ideológicos, ha de ser, lógicamente, chistoso. Todo el teatro de Arniches se plantea, con independencia de los demás elementos, como afanosa búsqueda del chiste. Incluso sería fácil establecer las normas que regulan verbalmente su provocación: frases oportunamente cortadas por una réplica y reanudadas luego con un sentido distinto, palabras equívocas, palabras fonéticamente afines pero de significación diferente, uniones fonéticas irregulares, etc., etc.

Sin duda alguna, Arniches es un hombre ingenioso. Su mérito está, sin embargo, en que es bastante más que eso, logrando, a través de su peculiarísimo lenguaje y de su concepción de lo grotesco, ir más allá de la escueta comicidad. Quede, sin embargo, registrada esa facilonería chistosa que, en bastantes momentos, resulta demoledora para su teatro.

El melodrama.—Establecidos los argumentos «desde fuera» y no desde el personaje —salvo excepciones—, es lógico que este teatro ande siempre merodeando el melodrama. El autor ha de cargar la mano para conseguir una justificación. La falta de elipsis, la necesidad verbalista de que todo sea dicho, y la exigencia de que la historia culmine en un desenlace preciso y completo, no hacen más que aumentar los peligros.

151

Ya señalé los supuestos ideológicos de la crítica social de Arniches. Veamos ahora brevemente los términos en que se concreta.

Conviene separar, a estos efectos, las obras que transcurren en el Madrid que va del Cascorro al Avapiés, y las que sitúa en la «provincia». En las primeras encontramos una serie de personajes desarraigados de la vida española, metidos en su particularísimo mundo. En las segundas, el autor articula una verdadera crítica moral de la burguesía de su tiempo. El lugar de la acción es siempre uno de

> esos pueblos españoles, en los que todo es extraño, temeroso, desconcertante... porque todo es viejo, solapado, sin sentido renovador... Muebles y personas... ¡Todo tiene un misterio, un secreto, una mácula!

como dicen dos personajes de *Los caciques*.

Ese mundo —un Casino de provincia, unos visillos, una calle mayor, unos chismes, un vacío— es acusado por Arniches de ladrón, de hipócrita y de inmovilista. De las acusaciones de Arniches podría saltarse a las burlas valleinclanescas de *La enamorada del rey*, al antiseñoritismo ingenuo de *Nuestra Natacha* y no sé si hasta la más seria acusación de *La casa de Bernarda Alba*.

De *La heroica villa* es el gran coro de mujeres amargadas y seudopuritanas, que encuentran en sus Juntas de Beneficiencia la vía constitucional para convertirse en seres públicos y oficioso órgano de gobierno. Ya antes, Benavente se había ocupado de esas juntas; después, constituirían un personaje coral innumerables veces repetido. Martín Recuerda lo ha sacado últimamente a escena. Carlos Muñiz ha hecho su esperpento en *Las viejas difíciles*[4].

Arniches no tratará a estas juntas con fatalismo o como si constituyeran una secular enfermedad social. Para él representan, en concreto, una degradación histórica surgida en el seno ideológico en que él se mueve. Por ello a tales juntas opondrá personajes moralmente renovadores. Personajes que encarnan

---

[4] Ver los volúmenes de la colección «El Mirlo Blanco», de la editorial Taurus, dedicados a Martín Recuerda y Carlos Muñiz.

esa monarquía liberal, en cuyo ámbito todo el mundo podría ser feliz si fuese moralmente bueno. Las estructuras económicas o las instituciones del país están, por tanto, fuera de la crítica.

Aun cuando, significativamente, y por las razones apuntadas, Arniches suele separar radicalmente a la burguesía de las clases populares, existen en su teatro una serie de relaciones entre ricos y pobres, bien en una misma obra —que es lo excepcional—, bien por el cotejo entre unas y otras. En *La Flor del Barrio*, Arniches opone la rectitud del pobre a los chanchullos económicos del supuesto rico. Se rastrea aquí un sentimiento popular español desperdigado en numerosos textos: el pobre es pobre pero honrado, mientras que de pequeño comerciante para arriba hay que vivir de especulaciones y de injusticias. Arniches —según veremos al hablar de su casticismo— no comparte totalmente esta teoría, pero sí parece pensar que la picaresca de los de abajo es una consecuencia de la desvergüenza de los de arriba. *Los milagros del jornal* es un ejemplo.

Un grave mal español es para Arniches nuestro ánimo chirigotero. Quizá por ello su teatro aspira a ir más allá de lo chistoso y a alcanzar la tragicomedia. Arniches se hubiera sentido avergonzado si, al hacer un examen de su obra, se le confundiese con uno de nuestros autores simplemente divertidos de finales de siglo. En *La señorita de Trevélez* y en *El solar de media capa* saca dos peñas o cofradías de guasones que acaban autodestruyéndose y destruyendo a los demás.

A Arniches, en suma, le irrita esa combinación de broma e indiferencia social que ahoga las posibilidades de un examen crítico y un desarrollo colectivo español. De ahí que la mayor parte de su diálogo festivo encierre la presencia de un reformista. Bien que más atento a la reforma de los sentimientos individuales que al cambio de la estructura global, sin plantearse nunca la relación entre la situación social de un personaje y su comportamiento. Dando, en fin, al arrepentimiento o al perdón un valor resolutorio que no corresponde al planteamiento crítico de sus mejores obras.

El lenguaje de Arniches

El autor vivía en la calle Montesquinza de Madrid. Desde que llegó de su Alicante había vivido, primero, en una pensión de la calle del Arenal, luego, en una casa alquilada y aún modesta, después, en el piso ya señorial de Montesquinza. Se levantaba temprano y se ponía delante de las cuartillas, junto a las que esperaba una docena de afilados lápices. Comía y, al poco, se iba al viejo Madrid. Elegante, acompañado de su secretario, don Carlos Arniches paseaba por las calles que luego aparecerían en sus comedias —Peñón, Salitre, Toledo, Corrala, Embajadores, Arganzuela, Sombrerete, Avapiés...— y, tras la caminata, se metía en algún tascón. Arniches oía hablar, descubría la sintaxis y el vocabulario de las gentes de aquel Madrid y volvía a su Montesquinza. Los personajes en sí —salvo algunos que, por ejemplo, inspirarían sus Sainetes Rápidos— no le interesaban gran cosa; a Arniches le importaba el lenguaje. Un lenguaje fatalmente ligado a la calle o a la taberna, pero nunca íntimo[5].

Con el material recogido, el autor reelaboraba el lenguaje popular. Con los principios fonéticos y sintácticos advertidos, más el acento y modo callejero de encarar las cosas, Arniches debía construir una especie de cimentación para su trabajo Las notas breves, los rasgos apenas insinuados, se sistematizaban y recargaban en los sainetes. De ahí su sabor libresco, su aroma más populista que popular. Y, desde otro ángulo, también su constante vacío, su valor gesticulante, su falta de reposo, como lenguaje que era cazado en la calle o en una conversación de café. De ahí también su inadecuación a esas situaciones en las que el personaje debería perder su aire parlanchín y asumir íntimamente sus problemas. Al lenguaje popular de Arniches le falta, en un orden dramático, una determinada autenticidad, sin duda por ser una derivación de la actitud observadora y estética del autor y no de vivencias personales.

Añadir a esto que Arniches tiene una gracia indudable para manejar los supuestos que ha descubierto en sus cotidianas correrías por el viejo Madrid es justo y necesario.

El tema no cabe en este artículo. Quiero, sin embargo, señalar algunos principios del lenguaje arnichesco. Por lo pronto, y sobre todo, es un lenguaje con tendencia a la parodia. Los tipos de Arniches parece que están siempre burlándose de los «nuevos ricos» de la retórica. Emplean formas verbales

---

[5] Consultar *Arniches y el habla de Madrid*, de Manuel Seco, Madrid-Barcelona, Alfaguara, 1970.

esdrújulas, recargan lo indecible la expresión de una idea trivial («Tenga la bondad de hollar, aunque transitoriamente, este recatado despacho»), retuercen el francés franchuteándolo. Es como si al ser convocados por el teatro burgués decidieran seguir la corriente para burlarse un poco del público. Léase la prosa de los dramaturgos más aplaudidos del primer cuarto de siglo y saltemos luego hasta Arniches. A menudo, encontramos en él esa necesaria vuelta de tuerca que pone en evidencia todo el retoricismo de la literatura «bienpensante» de la época.

Conviene, a la hora de estimar determinadas inadecuaciones entre la situación y el diálogo —a las que ya me he referido—, considerar aquellos casos en que se produce como expresión estilística de lo grotesco. Es decir, cuando la inadecuación no responde a una limitación del autor sino a un propósito expresivo. Un ejemplo de esto último podría ser aquel párrafo de *Que viene mi marido* en que se cantan las excelencias del suicidio en un parque primaveral.

La tragicomedia grotesca

Es éste un punto clave para comprender hasta qué extremo Arniches no es un autor que apruebe, en su conjunto, la realidad social de su tiempo. Valle hablará del esperpento, Unamuno de las astracanadas trágicas, Arniches de las tragicomedias grotescas... Son, a muy distintas escalas, la expresión de un común sentimiento ante las deformidades de la vida española.

Ciertamente, hay ocasiones en que lo grotesco es una simple exageración de los elementos expresivos, a través de la cual se alcanza una dudosa mezcla de comicidad y melodramatismo. Otras veces, sin embargo, como en el caso de la estimable *La señorita de Trevélez*, lo grotesco se adscribe a las situaciones que son, en sí mismas y a un tiempo, trágicas y cómicas.

La tragicomedia arnichesca se parece bastante al humor pirandelliano. Copio del autor italiano:

> Veo a una anciana señora, con los cabellos teñidos, untados con no se sabe qué horrible grasa, y luego burdamente pintada y vestida con ropas juveniles. Advierto que esa anciana señora

es lo contrario de lo que una anciana y respetable señora debe
ser. Puedo así, en el primer momento y superficialmente, detenerme en esa impresión cómica. Lo cómico es precisamente
un «darse cuenta de lo contrario». Pero si ahora interviene
en mí la reflexión, y me sugiere que aquella anciana señora
no experimenta acaso ningún placer en arreglarse así, como
un papagayo, sino que tal vez sufre por ello y lo hace solamente
porque se engaña piadosamente creyendo que de esta manera,
escondiendo sus arrugas y sus canas, consigue retener el amor
del marido mucho más joven que ella, ya no me puedo reír
como antes, porque precisamente la reflexión, trabajando en
mí, me ha hecho superar aquella primera advertencia, o mejor
dicho, me ha hecho adentrarme en ella: de aquel primer «darme
cuenta de lo contrario» me ha hecho pasar a este «sentimiento
de lo contrario». Y en esto reside toda la diferencia que hay
entre lo cómico y lo humorístico[6].

Arniches opera constantemente con este sentimiento de lo
contrario; por eso se habla de tragicomedia, no en el sentido
que le dio Fernando de Rojas —de alternancia de lo feliz y lo
desgraciado—, sino en el de simultaneidad de lo risible y lo
patético.

Esta simultaneidad ya digo que es, simplemente, el humor.
La anciana de que habla Pirandello podría ser, quitándole
unos pocos años y suponiéndola soltera, la mismísima señorita
de Trevélez.

El matiz, lo que hace particular el humor arnichesco, es
la estilización grotesca. Bergamín la define así:

> El teatro grotesco de Arniches radica su autenticidad, su
> verdad dramática, en esa máscara que, paradójicamente,
> desenmascara lo humano al transparentarlo, porque lo pro-
> fundiza y amplía para los ojos y los oídos: para su entendi-
> miento[7].

Arniches y el populismo

Para unos, Arniches es, sobre todo, un autor del «género
chico», obligado, cuando a este último le llegó su crisis, a pa-
sarse al «grande». Otros, piensan que el Arniches bueno es,

---

[6] *Obras Escogidas*, de Luigi Pirandello, colección Premios Nobel, Aguilar,
vol. I, págs. 1036-1037.
[7] Ver (1).

precisamente, el de esta segunda etapa, a la que llegó por propio desarrollo. Otros, finalmente, no ven ninguna diferencia fundamental entre el Arniches del «género chico» y el otro. Seguramente ésta es una discusión bizantina. Pero, a fin de cuentas, la cuestión está ligada con toda esa estereotipada literatura que presenta a Arniches como el eterno «cantor del pueblo de Madrid».

Por ese camino se llega al pintoresquismo más epidérmico y deshumanizado, haciendo del «pueblo de Madrid» un coro zarzuelero. Y del «Madrid de Arniches», no una imagen parcial, correspondiente a una época y a una sensibilidad literaria determinadas, sino la «esencia», el «alma», de las clases populares.

No resulta nada difícil encontrar el origen de esta contemplación idealista. Responde a las mismas deformaciones que una gran parte de la crítica española ha proyectado sobre los dramaturgos de nuestro pasado inmediato. Valle ha sido «reducido» a esteta; García Lorca, a «poeta»; Arniches, a cantor del más intemporal casticismo...

Y es el caso que en los tres ejemplos citados, aun en grado distinto y desde bases diversas, existe un peso sociopolítico, sin el cual, lógicamente, los autores pierden calidad, vigencia e importancia. No hay duda en que limitarse a una estimación ideológica de Valle, Lorca o Arniches sería tanto como quedarse en la contemplación parcial de lo que ellos fueron en el teatro y la literatura españoles. Pero otro tanto sucede cuando se procede a una sistemática deshistorización. La obra aparece en una especie de «tierra de nadie», de sociedad sin dinámica, de pueblo disfrazado de mendigos gallegos, enlutadas andaluzas, o madrileños de verbena. El país se nos convierte, por este procedimiento, en pasividad estética.

Sería interesante considerar, frente a este populismo de la derecha, el populismo de la izquierda. Y descubrir en qué punto, por su común idealismo, se encuentran. Me refiero a esa «visión dolorida» de España —formulada agudamente por la Generación del 98, estereotipada luego peligrosamente— que acaba conduciendo a una contemplación, asimismo estetizada e inmovilizadora, de nuestras miserias, nuestras aldeas, y nuestra ignorancia, sin atención alguna a la evolución histórica.

Si un idealismo hace del «pueblo» un mito arcádico, el otro lo fija en una tiniebla estética, sin tomar, tanto en uno como en otro caso, más que cuanto se ajusta a una previa decisión ideológica. Nos hace tanta falta en la vida española la integración de todos los estratos, necesitamos hasta tal punto la intervención de eso que llamamos «el pueblo» —en el sentido de proletariado y clases obreras— que cada uno lo ha ido pintando a tenor de su miedo o su esperanza. Quién ennobleciéndolo, quién degradándolo, quién politizándolo, quién imaginándolo en la perpetua mansedumbre de la pradera de San Isidro...

En las obras de Arniches encontramos, en efecto, cierta y aun marcada tendencia a esta visión imanente del casticismo. En la dedicatoria de *El agua del Manzanares* hay afirmaciones como estas:

> Para comprender la emoción de que me sentí poseído la noche en que el pueblo de Madrid me aplaudió en el Novedades, es necesario amar como yo amo las pintorescas costumbres, la castiza y extraña sicología de estos buenos y alegres madrileños de los barrios bajos, vivos en el ingenio, prontos en la emoción, graciosos, burlones, jaraneros...
>
> A través de los años, la gente madrileña ha podido modificar su indumentaria, el aspecto estético; pero nada más. El alma de este pueblo, alma que inmortalizaron por igual don Francisco de Goya y Lucientes y don Ramón de la Cruz Cano y Olmedilla, permanece inalterable en su esencia.

No se trata sólo de una dedicatoria. La misma tesis final de *El agua del Manzanares* es una expresión de este delirante idealismo[8].

> —¡Bendita sea el agua del Manzanares, que es para el pueblo de Madrid limpieza y alegría, honradez y salud! ¡Viva el Manzanares!

Una tesis que bien puede parangonarse con la muy curiosa de *El genio alegre* de los Quintero, cuando la protagonista sostiene que el toque de las campanas produce un alivio en el campesino que aguanta la jornada bajo el sol andaluz.

Y, sin embargo, existiendo este populismo en Arniches —como la preocupación estilística en Valle o la «actitud»

---

[8] *Teatro Completo de Arniches*, Aguilar, vol. II, pág. 387.

lírica en García Lorca—, lo que no parece críticamente lícito es examinar al autor sólo a partir de él. Primero, porque, en sus tragicomedias de la burguesía española. Arniches introduce una serie de elementos problemáticos e históricos. Y, segundo, porque, aun dentro de este teatro populista del Madrid castizo, existen ejemplos que subvierten la teoría esencialista de *El agua del Manzanares*.

A estos efectos, y aparte de algún título como *Los milagros del jornal* o *La Flor del Barrio*, ya comentados, me parece especialmente interesante la serie de los Sainetes Rápidos. Marcan, en cierta medida, la crisis del populismo cómico y simpático del autor, probablemente porque toma clara conciencia de las miserias de nuestro Madrid castizo. En la acotación inicial de *Los pobres*, primero de estos sainetes rápidos, se lee:

> Almas piadosas, corazones magnánimos que cedéis ante la demanda plañidera del mendigo que os tiende en la calle la mano escuálida, seguidme. Venid conmigo a los inmundos rincones de un Madrid lamentable y mísero, artimañoso y agenciero[9].

En la acotación de *La risa del pueblo*, Arniches fija así el lugar de la acción:

> A la izquierda, borroso por la niebla de la tarde fría y gris, se ve el cementerio, con su enorme vastedad erizada de cruces; y hacia la derecha, diseminados en la lejanía, los barrios de doña Carlota, Pueblo Nuevo y Zafra; los caseríos míseros de La Elipa y Puente de Vallecas; y más lejos aún, los tejados del Olivar de Perales. Suburbios tristes, yermos, que circundan Madrid como mendigos que acosan a un viejo hidalgo[10].

Es evidente la distancia que existe entre este Madrid popular, casi barojiano, y la estampa festiva y botijera de un día de San Isidro. O entre la picaresca de estos medios materialmente miserables y la gracia y el melodramatismo de los chulos del barrio del Avapiés.

Arniches en esta ocasión no sólo no endominga a sus personajes, sino que ataca su resignada pasividad, su fatalismo

---

[9] *Teatro Completo de Arniches, ob. cit.*, pág. 1011.
[10] *Teatro Completo de Arniches, ob. cit.*, pág. 1052.

guasón, que les impide mejorar su nivel de clase y contribuir al proceso general. La «gracia popular», el chiste como síntesis, son, según sospecha Arniches aun sin conocer el término, una alienación.

Se diría que esa visión chispeante e inmóvil del pueblo, que el autor ha sostenido en más de una ocasión, se convierte, de pronto, en su enemigo. Pienso que aún más enemigo lo es hoy, cuando, —a partir de un examen deshistorizado e idealista de la cultura— muchos lo fijan, para alabarlo o denostarlo, como escritor festivo.

Ciertamente, desde los niveles ideológicos, factores y experiencias de nuestro tiempo, el paternalismo edificante de Arniches sabe siempre a poco. Pero quedarse ahí, es tanto como practicar otra forma o especie del idealismo crítico. A Arniches hay que verlo en «su» tiempo, en el cuadro de las ideas dominantes, en las opciones históricas de su generación y en las formas casi obligadas del teatro español del primer cuarto de siglo.

Arniches, hoy

La moderna representación de Arniches plantea, en función de todo lo apuntado, innumerables problemas. Nuestro tiempo histórico y nuestro tiempo teatral son hoy muy distintos, y, sin embargo, están ya implicados en la obra de Arniches.

Para mi gusto, sólo *Los caciques*, montada en el María Guerrero hace un par de temporadas, abrían el camino a una reconsideración seria y no puramente museística del autor. José Luis Alonso no se limitaba a hacer la obra «como en la época de Arniches» sino que, fundamentalmente, se planteaba la cuestión de su vigencia. La colaboración de Antonio Mingote era ya bastante significativa.

Los otros montajes —*El señor Adrián el primo*, *Angela María* o *Yo quiero*— creo que han tendido, con mayor o menor fortuna, a subrayar la «evocación» y no la vigencia, a partir ya de la misma elección de la obra.

Por otra parte, un repertorio Arniches que no empiece en una seria y rigurosa representación de *La señorita de Trevélez* traza un panorama substancialmente mutilado.

En esto Arniches ha sufrido de un mal ya cotidiano en

nuestra escena: el temor a la interpretación crítica, a la delineación de las ideas de una obra dramática y al examen de su juego en el marco histórico. Todos nuestros autores, sean clásicos o modernos, sea Lope de Vega, Fernando de Rojas, Ramón del Valle Inclán, Federico García Lorca o este Carlos Arniches, son, salvo excepciones, penosamente aseptizados, destemporalizados, liberados de la carga humanística y problemática que hace de ellos —en diferente medida y escala— autores serios y no simples cultivadores de un oficio.

Ciertamente, de todos los nombrados, Carlos Arniches es el «menor», el más contingente, y, quizá, el más perecedero. Precisamente por ser el más ligado a su época, el más representativo de una sociedad y de un teatro, y, dentro de ese mundo, el protagonista de una crisis que quedó atrás.

De Arniches, por su larga etapa de escritor, y por ser un autor que tipificó teatralmente las contradicciones de la sociedad de la Restauración, existen varias imágenes sucesivas y de diverso valor. Importa no quedarse sólo con alguna de ellas sino buscar al escritor en una larga línea de asonancias y rebeldías, de complacencias y anticipaciones, dentro del pensamiento de la sociedad española de su «auténtico» tiempo.

Es bien significativo que la mejor película de Juan Antonio Bardem y una de las fundamentales del cine español, *Calle Mayor*, fuese una versión de *La señorita de Trevélez*[11]. Y que en el nuevo realismo teatral español que arranca en *Historia de una escalera* de Buero Vallejo, haya muchos elementos de claro origen arnichesco. Siempre, claro, que tomemos en cuenta lo que había en el dramaturgo alicantino de fundamental, más allá de las limitaciones y modos generales del teatro español del primer cuarto de siglo[12].

---

[11] «Calle Mayor», 1956.
[12] Consultar *Vida y teatro de Carlos Arniches*, de Vicente Ramos, Madrid-Barcelona, Alfaguara, 1966.

161

Jacinto Benavente

Benavente, la voz de una clase social

Antes de meterme en el tema, considero imprescindibles una serie de precisiones generales. Benavente escribió tanto y fue tal su peso en la sociedad española que, de no hacerlo, uno se ve empujado a los juicios equívocos, a los términos de significaciones distintas según el punto y razón desde el que sean examinados. Un primer dato se impone: 166 obras y numerosos artículos, además de unas Memorias, a lo largo de más de medio siglo de escritor de éxito, resultan, en su conjunto, un material heterogéneo, contradictorio, y de valor estético y social distinto. Si Benavente hubiese vivido para su obra, ajeno a las presiones inmediatas de su clase, si él mismo hubiese sido un gran protagonista, probablemente la heterogeneidad sería menor y toda la obra nos remitiría al núcleo vivificador de su autor. Así, no. Porque Benavente es un eco de la burguesía española, y a través de él —incluso de los ataques que, a modo de penitencias y exámenes de conciencia, dirige a los suyos— encuentra esta clase su ideario. Seguir los pasos de Benavente es tanto como ir desvelando el pensamiento rector de una larga etapa de la historia de España; es seguir las componendas y contradicciones de una moral y un sistema económico; es, en definitiva, contemplar el drama de un escritor protegido por una clase, rebelde en un momento de su vida, y obligado a volver al redil haciendo de su inconformismo una simple estética de la admonición.

El primer problema está, pues, en no creer en los vicios y virtudes del teatro de Benavente como algo sustantivo. Pérez de Ayala —su más feroz y brillante crítico— decía del escritor, volviendo contra él una frase de *La ciudad alegre y confiada*, que

165

«nada hay tan fácil como ser propagandista de ideas y conductor de muchedumbres. Basta con proclamar lo que se sabe que piensa el público[1].

Esta sería la mayor virtud benaventina. La sociedad española, la verdadera señora ama de su teatro. Decir que Benavente «fue nefasto», o «que acabó por mucho tiempo con el teatro español», carece, sociológicamente, de sentido. El fue, simplemente, el más brillante cronista de una corrupción y un crepúsculo patéticos. Superficial, en la medida que él formaba parte de ese mundo y no podía examinarlo desde perspectivas ajenas al mismo. Dramático, cuando su inteligencia le hacía ver la mezquindad de la sociedad a la que servía, sin atreverse, por otra parte, a afrontarla en los puntos fundamentales.

Es probable —según se desprende de sus primeras obras y de su interesante *Teatro del pueblo* y artículos de *Pan y Letras*[2]— que Benavente, en otro medio, trabajando a una mayor distancia de su público, en una sociedad más libre y menos intransigente, hubiese podido llevar su inconformismo a terrenos más estimables. Ibsen y Shaw, a quienes él admiraba, son un ejemplo. Pero lo cierto es que aquí sucumbió muy pronto. Y es más: que se borró cuanto hubo en él de rebelde para proponernos la imagen más acomodaticia y menos interesante de don Jacinto, la de sus dramas rurales o su última y larga fase de teatro escapista.

Si leemos ahora el teatro de Benavente a partir de sus primeras obras, percibimos inmediatamente la superioridad del escritor-cronista a la del escritor-creador. El mismo afirmaba que su tónica era la reflexión y no la pasión; Marqueríe también señala la superioridad de lo «narrado» sobre lo «vivido» dentro de la obra de don Jacinto[3]. Bergamín, en perfecta armonía con estos juicios, elogiaba las piezas primerizas en un acto de

---

[1] La crítica, a menudo agria, que Ramón Pérez de Ayala hace de Jacinto Benavente en *Las Máscaras*, es fundamental por la agudeza y exactitud de los juicios. *(Las Máscaras*, Madrid, Espasa-Calpe, Colección Austral.)

[2] *Pan y Letras, Obras completas de Benavente*, Madrid, Aguilar, tomo VI, página 611 y ss.

[3] *Veinte años de teatro en España*, de Alfredo Marqueríe, Madrid, Editora Nacional, 1959, pág. 24.

Benavente, como muestras de un género chico de la alta burguesía...

Esta era una de las precisiones iniciales de mi trabajo. El interés sociológico de Benavente, con independencia, muchas veces, de su escaso interés dramático. El distinto valor de sus obras según las afrontemos como documentos o como teatro.

De aquí saltamos a un nuevo punto: las limitaciones de su estética naturalista. Don Jacinto redujo a teatro muchas de las cosas que veía a su alrededor. Innumerables personajes de sus dramas vivieron en la realidad y pasaron por cosas parecidas a las que se representaban en el escenario. Sólo que la ausencia de una perspectiva profundizadora, de una armonización del drama individual con su origen estructural, llevaba al dramaturgo a explicaciones triviales o a penosas violencias poéticas. Los terceros actos —según es propio de todo este teatro que amaña literariamente la realidad— solían ser catastróficos.

Sean éstas las bases de partida: 1) Heterogeneidad de la extensa obra benaventina, en la medida que ha sido dictada por las vacilantes necesidades de una clase a la defensiva; 2) Presencia de un elemento crítico, por lo común puramente sentimental, que nace tanto de las exigencias penitenciales de esa clase —cada vez más consciente de sus contradicciones— como de la propia conciencia de Benavente, personaje y testigo de la mezquindad de la burguesía española; 3) Superoridad del Benavente cronista sobre el Benavente dramaturgo; 4) Línea regresiva de la obra benaventina, según se desprende de una simple lectura cotejada entre su *Teatro del pueblo* y sus *Memorias;* 5) Limitaciones fundamentales de su naturalismo.

Habría que añadir un punto a favor del Benavente joven. Después de tantas estridencias románticas, paralelamente a tanto ladrón de obritas cómicas extranjeras, Benavente aportó una nueva actitud cultural y un indudable buen gusto en el rechazo del melodrama. No importa que elogiara a Echegaray, porque don Jacinto elogió a todo el mundo, desde Valle Inclán a Adolfo Torrado. Ni tampoco el aire retórico que hoy tiene para nosotros *El nido ajeno.* Hay que ponerse en aquella época y valorar las posiciones de Benavente, expresadas, por ejemplo, en *El marido de la Téllez*, obra en un acto estrenada en 1897[4].

---

[4] *Obras completas*, Aguilar, tomo I, págs. 175 y 176.

RICARDO. El público de ahora pide naturalidad; los latiguillos, los desplantes no convencen a nadie. Ahí tiene usted a la Noguera; se desgañita y ni un aplauso.

FELICIA. ¿De modo que Jacinto es el gran actor de la compañía? El de la buena escuela. Nosotros, los de los latiguillos, estamos mandados retirar... ¿No es eso? Nos desgañitamos, y nadie nos aplaude...; y a él, en cambio...

Después, con el curso de los años, el benaventismo ha generado un tipo de actor envarado, muy discutible. Pero, sin duda, en su día, fue un avance. Porque el actor romántico contra quien arremetió el escritor, no era el que poseía unos medios expresivos ricos, sino, simplemente, el engolado industrial de latiguillos.

Perfil biográfico

Don Mariano Benavente, el padre de don Jacinto, fue, al parecer, el primer médico de niños de España. Trabajó mucho, fue médico rural —casándose, según cuenta su hijo en las *Memorias*, con la muchacha del pueblo que, previo análisis, le pareció más conveniente— y consiguió ganar luego unas oposiciones en Madrid[5]. Su clientela aumentó rápidamente y visitó a muchos de los grandes personajes de la época. Se estableció en la calle de León, número 27, que es donde nació el futuro premio Nobel.

El niño fue a una escuela vecina a su domicilio. Entre sus primeros juegos estuvo el de celebrar misas con un amiguito suyo y luego improvisar sermones. La fama de estos sermones le permitió contar, en más de una ocasión, con un auditorio formado por señoras amigas de la casa. El centro de sus correrías fue la plaza de Antón Martín, escenario de muchas de las algaradas que precedieron a la Restauración. La familia se cambió luego al 109 de la calle de Atocha, ocupando un inmueble más tarde derruido. Don Jacinto sentía ya una irresistible vocación de actor, habiendo ido al teatro y al circo desde muy pequeño. También era conocida entre la vecindad su precocidad para el teatro de marionetas. La familia vivía holgadamente y don Jacinto recuerda que en su casa había tres criadas.

---

[5] *Obras completas*, Aguilar, tomo XI, pág. 555.

Aunque había escrito antes alguna obrita, su primer estreno fue, a los veintiocho años, *El nido ajeno*, exactamente en el Teatro de la Comedia, de Madrid, el 6 de octubre de 1894. Obtuvo su primer gran éxito con *La comida de las fieras*, en 1898, escribiendo y estrenando con regularidad hasta su muerte, ocurrida en Madrid el 14 de julio de 1954. Después de su muerte se estrenaron *Por salvar su amor* y *El bufón de Hamlet*. En 1922 había obtenido el Premio Nobel. Sus mayores triunfos habían sido *Los malhechores del bien* (1905), *Los intereses creados* (1907), *La malquerida* (1913) y *La ciudad alegre y confiada* (1916), esta última interrumpida por clamorosas ovaciones que obligaron a saludar al autor al final de muchos parlamentos. Luego, aunque los éxitos no habían faltado, puede decirse que *La Malquerida* y *Los intereses creados* habían quedado como las dos obras «cumbre» del dramaturgo. Pasó gran parte de su tiempo en los teatros. Escribió muchas obras de encargo, para actores determinados, según la costumbre de la época. Estuvo en Latinoamérica en varias ocasiones, pronunciando conferencias y publicando artículos en los grandes periódicos de allí.

Sus tres domicilios madrileños estuvieron cercanos. Pertenecen al Madrid acomodado de finales y comienzos de siglo. Veraneó durante algunas temporadas en Aldeancabo, pequeño villorrio de la provincia de Toledo, cuna de *Señora ama* y de sus dramas rurales. Al final de su vida, pasó varios años en el hermoso Torreón de Galapagar, situado en el centro de una extensa pinada, de donde sólo hacía esporádicas escapadas. Dejó una hija natural, Rosario Benavente Martínez, cuyo nombre aparece en la losa de la tumba de Benavente, situada, por expresa voluntad del escritor, en el cementerio de Galapagar. Es un cementerio pequeño, en lo alto de un monte, donde, además de don Jacinto, están enterrados el olvidado Ricardo León —sin una simple losa con su nombre— y Rafael Gasset, ex ministro de la Monarquía, a quien Benavente dedicara *Los intereses creados*. La honradez fue su única herencia, dice el epitafio del antiguo ministro...

Las clases sociales

Benavente es, sin duda, una expresión del modo como nuestra burguesía entendió la llamada «cuestión social». A lo largo de muchas obras de don Jacinto —especialmente de la

169

etapa inicial— corre una preocupación por la relación entre las clases. Todos los trabajos incluidos en *Pan y Letras*, así como las *Memorias*, escritas muchos años más tarde, son los textos teóricos fundamentales que complementan lo expuesto sobre la escena. Las diferencias existentes entre unos y otros marcan el paso de los años. Lo que era un paternalismo cargado de esperanzas se convierte, a la vista de los acontecimientos históricos, en una desconfianza radical y primaria. El «pueblo», el «buen pueblo», pasa a ser turba, horda y destrucción.

Entiendo que este esquematismo último, esta visión emocional de la relación de clases, y, por consiguiente, este «temor» a la actuación popular, tienen su origen en la deformación que existía en la contemplación inicial del problema. Benavente piensa que hubo un tiempo no lejano sin odio de clases, un tiempo democrático de buenos criados y buenos señores, relacionados entre sí por el vínculo de la simpatía. No exagero. Para don Jacinto, en un tiempo en que apenas acabábamos de liberar legalmente a los últimos esclavos de Cuba, la democracia se expresaba, por ejemplo, en el Paseo de Coches:

> Aunque la alta sociedad daba el tono, el paseo de coches era de lo más democrático, como toda diversión de Madrid. Cuando en París y en Londres no se permitía la entrada en el Bois o en el Hyde Park a los coches que no fueran de lujo, en el Retiro, en la Castellana, tenían los simones y manuelas de alquiler libre acceso, sin que a nadie pareciera mal la mezcolanza. Los domingos, especialmente, cualquier familia artesana podía darse el gusto de alternar con la mejor sociedad de Madrid por unas cuantas pesetillas... [6]

Partiendo de tales supuestos, es inevitable que la historia se haga incomprensible. El problema de *Los malhechores del bien* no está en que las marquesas de la Junta de Beneficencia lleven a los pobres por la calle de la amargura, sino en que tal posibilidad exista.

Para Benavente —como para el Calderón de *El gran teatro del mundo*— las clases sociales son un fenómeno biológico antes que un fenómeno económico. Y está claro que él pertenece a la clase biológicamente superior. La «cuestión social» se reduce a un problema de convivencia y respeto entre clases diferencia-

---

[6] *Obras completas*, tomo XI, pág. 688.

das. Poner esto en cuestión es tanto, según él, como caer en el idealismo demagógico de la igualdad entre los hombres: los tontos y los listos, los trabajadores y los holgazanes, etc.[7]

El problema está, pues, como decía Calderón, en desempeñar bien el papel de señor o de criado. Justamente, el drama de la clase media y aun de un amplio sector de la vieja aristocracia de sangre, está, para Benavente, en la imposibilidad de hacer bien su papel. La sociedad industrial y el nuevo materialismo capitalista habrían puesto en un brete a muchas familias, obligadas a la farsa del «quiero y no puedo», a la de no ser, en definitiva, ni buenos señores ni buenos criados. El dinero —como ya había mostrado Galdós en varios de sus dramas, y, especialmente, en *La loca de la casa*— trastocaba el orden, sin que, paradójicamente, la burguesía se plantease la cuestión social como un fenómeno de cambio. El problema se reducía a aceptar nuevos pactos con nuevos ricos, para que todo siguiese igual. La economía era, por decirlo de otro modo, un problema de la aristocracia arruinada, de los que tenían que hacer el papel de «ricos», pero nunca un problema de los pobres. El pobre era pobre como el que ha nacido en Francia es francés.

En el mundo benaventino se discute, a menudo, la moral de sus personajes. Pero nunca aparece otra moral. Se es mejor o peor, pero nadie duda sobre la norma. Si en un momento de agitación aparecen las famosas bandas de «petroleras», salidas de Dios sabe qué suburbio, todo vuelve a su cauce cuando la fuerza armada las reintegra a su rincón. Nada más que decir. Nada que preguntar. El mundo va bien, cuando va bien para la clase que mejor lo disfruta. Cuando las cosas se ordenan según principios legitimados por una antigua retórica. Todo el increíble desprecio del Esteban de *Señora ama* hacia sus criadas y los campesinos con quienes las casa después de gozarlas, en-

---

[7] Este fatalismo social, aceptado, sin embargo, con dolor, es una característica fundamental en la ideología benaventina. O, al menos, del Benavente anterior a nuestra guerra civil. En sus *Memorias*, recordando una visita a la Inclusa, escribe: «¿Qué haría la vida de aquellos niños cuando fueran hombres? Carne de taller, carne de cuartel, carne de hospital, carne de presidio... Combustible para la máquina social en el mejor caso; más veces perturbación y estorbo en el buen orden de su funcionamiento. De cualquier modo, aquellas cunas serían las últimas camas blancas y blandas en que dormirían, y aquellas hermanas de las blancas tocas, las únicas que les hablarían con palabras de amor en su vida...» (*Obras completas*, tomo XI, pág. 762.)

traña una tal magnificación clasista, que bien puede decirse que preludia el racismo —la última y más descarada remisión a la Naturaleza, como razón de la riqueza de unos y la pobreza de otros— que asomaría a una de las más tristes páginas benaventinas:

> Yo creo que hasta llegar al homo sapiens hay tantas escalas y tantas diversidades de hombres como en cualquier especie animal: caballo, perro o pájaro. Desde una raza basta y sin pulir hasta una raza ya definida a fuerza de cruces y de selección. Yo no puedo creer que todos los hombres sean iguales. Creo que se les debe tratar a todos con humanidad, como a seres humanos. Pero en cuanto trasciende a la gobernación del Estado, creo que dar a la masa y al número preponderancia no está nunca justificado. Por la razón del número, en Australia hace tiempo mandarían los conejos. En muchos Estados de los Estados Unidos, los negros... [8]

Antes, a lo largo de medio siglo de escritor, Benavente había atacado la frivolidad y majadería mundana de la aristocracia, la pobretería y cursilería de la clase media... ¿Dónde estaba, pues, ese «homo sapiens»? Durante un tiempo, el del *Teatro del pueblo*, pensó en la necesidad de conquistar para la vida teatral española —es decir, para la cultura española— a esas masas abandonadas que en las *Memorias* compara con los conejos...

Todas las trampas de la demagogia que Benavente denuncia son ciertas. Héroes de pacotilla que viven de inútiles gestos revolucionarios, torpes o malintencionados, según los casos, los hemos tenido siempre. La leyenda ha cargado las tintas hata hacer difícil la crítica de la historia. Eso es verdad. Pero a eso no se responde con los argumentos de Benavente. Los términos de simpatía o de odio de clases carecen de sentido: son, en última instancia, la consecuencia de un fenómeno estructural. Es preciso plantear la cuestión en el terreno de la relación económica, sin confundir jamás el humanismo —los derechos del hombre— con la beneficencia o la filantropía.

En este plano, los caminos de Benavente fueron bastante

---

[8] Del discurso «Vida y teatro en Suramérica», pronunciado por Benavente en el Ateneo de Madrid, el 28 de mayo de 1946 (*Obras completas*, tomo XI, página 166).

más tortuosos que los de Carlos Arniches. También el escritor alicantino había cultivado la idealización popular; también él había cantado el «alma madrileña» como una esencia inmutable; también él, en *La heroica villa, La señorita de Trevélez* o *Los caciques*, había criticado —como Benavente en *Gente conocida, La farándula* o *Los malhechores del bien*— el despotismo y la mezquindad de los grupos rectores, pero, a fin de cuentas, Arniches acabó entre el evasionismo o las agudas precisiones de varios de los Sainetes Rápidos, donde la miseria económica tiene su parte, mientras que Benavente concluyó la trayectoria de su pensamiento social en una especie de idealismo más racista que clasista. Cierto que el trauma de nuestra guerra civil estaba latente. Pero a tales posiciones sólo puede llegarse cuando el problema ha sido analizado de antiguo con primarios argumentos sentimentales y defensivos, además de profundamente clasistas.

Teatro del pueblo

Teatro del pueblo y los artículos de *Pan y Letras* marcan, a mi modo de ver, el punto álgido de la «generosidad» benaventina. Establece aquí una serie de ideas positivas, lastradas, claro, por la visión puramente emocional de las realidades sociales. Pero, en todo caso, fue aquí donde formuló su más aguda crítica del teatro español de su época, y, por tanto, de su propia obra.

La línea general de su pensamiento viene a ser ésta: el público habitual carece de sensibilidad y aun de curiosidad. Es un público mojigato, sólo atento al teatro «bonito» y enemigo de cuanto pueda hacer pensar. La solución está en conquistar al pueblo, a las masas que no van al teatro, para que sean ellas las que se sienten en las butacas, seguros de que entenderán mejor un teatro verdaderamente grande. Dado que ningún empresario va a sufragar o sostener un teatro así, es el Estado quien debe hacerlo, poniendo por encima de los intereses materiales su responsabilidad educadora. De no suceder esto, de seguir el teatro sometido a la demanda del público tradicional, su miseria está asegurada.

> El teatro grande, y éste es otro de sus inconvenientes, es demasiado caro; ya hemos dicho que en España el dinero es siempre reaccionario, y será inútil empeño el de democratizar el teatro

mientras no se democratice su precio. El teatro no puede ser verdaderamente espectáculo popular, sino por la baratura, y sólo cuando el teatro cuente con las clases populares como público podrá ser de influencia social y educadora; hoy, dadas sus condiciones de vida, no puede ser otra cosa que un espectáculo para las clases acomodadas, poco dispuestas a dejarse dirigir ni educar por los autores dramáticos, ni siquiera a prestarles atención cuando no les divierten con ligeras superficialidades [9].

A lo largo de una serie de trabajos, aparece aquí un Benavente lleno de esperanza, amigo del teatro experimental, consciente de las limitaciones de nuestras «puestas en escena», fustigador de la burguesía. Es un Benavente al que sólo falta lo que a *Los malhechores del bien:* pasar de la apetencia, o el sueño moral, a un análisis de las razones que imposibilitan la puesta en marcha de esa realidad justa y necesaria.

Yo recomiendo la lectura de esos trabajos. Encontramos en ellos las limitaciones sustanciales del simple idealismo y, por otra parte, a un Benavente «posible» y bien pronto reducido por el medio.

En cierta medida, el «Teatro del pueblo» y los artículos que le siguen contradicen muchas de las posiciones sostenidas después por el dramaturgo. Él mismo lo confesó aludiendo, con amargura, a los tiempos en que creyó posible un «teatro del pueblo y para el pueblo». Creo, sin embargo, como decía antes, que en el mejor Benavente había ya una confusión entre pueblo y público; como si hubiese querido hacer teatro para sus criadas, igual que cuando era niño, sin preguntarse por lo que aquel público era fuera de las horas de función.

No sería demasiado difícil alinear estas posiciones iniciales de Benavente dentro de las corrientes que llegan hasta ciertas afirmaciones de García Lorca y el Teatro de las Misiones Pedagógicas.

---

[9] Todas estas ideas las reitera Benavente, no sin contradicciones —se mezclan la justicia y el paternalismo, la crítica de la sociedad con la irremediabilidad de sus arbitrariedades, el idealismo intemporal con la observación, la censura de la burguesía española con el halago, etc.— en *Pan y Letras* (ver nota 2) y *Acotaciones*, (*Obras completas*, tomo VI, pág. 873 y ss).

Los dramas rurales

He ido hasta Aldeancabo, pequeña aldea del partido judicial de Escalona del Alberche. Allí veraneó durante varios años don Jacinto Benavente. Y de allí han salido *Señora ama* y *La Malquerida.*

Antes había que ir en un destartalado tren hasta Almorox. A don Jacinto iban a esperarlo a la estación, lo montaban en un burrito y, por caminos de herradura, tirando un campesino de la bestia, lo llevaban hasta Aldeancabo.

El pueblo está hoy, más o menos, como entonces. Es un pueblo maloliente, con charcos de agua sucia entre el empedrado de sus calles empinadas. El ganado anda suelto por las esquinas y en las épocas de matanza se respira el vaho sanguinolento de los cerdos descuartizados. Actualmente, hay 143 vecinos —lo que supone unos quinientos habitantes—, pero la población tiende a decrecer. Se trabajan apenas la mitad de las fanegas que antes. Los mozos no suelen volver después del servicio militar. Las mozas casaderas condicionan su respuesta a la promesa de que el futuro marido las sacará de allí.

En la parte alta del pueblo está Villa Rosario, así llamada por Benavente en honor de su hija. La puerta de hierro hace años que nadie la pinta. Desde la época en que fue don Jacinto —1905 a 1912, aproximadamente— hasta hoy, Villa Rosario ha vivido una transformación patética. Allí sigue, cerca de la puerta, el gran nogal, decorativamente amarillento. Los dos cuadros, protegidos por una verja, donde se cultivaba el azafrán, son tierra dura pateada por las caballerías. Han desaparecido los rosales, los bancos, el antiguo césped. Sólo queda en pie el tambaleante cenador, con los hierros retorcidos, marcando el espacio donde Benavente debió escribir muchas de las escenas de sus «grandes obras» rurales.

En el centro de la finca hay una casa grande, de dos plantas, seguramente la más hermosa del pueblo. Al fondo, dos pequeños pabellones separados por una bodega: en realidad, las habitaciones que ocupó el escritor, que sólo iba a la casa grande cuando quería comer. En el pabellón dormía y escribía. Luego, jugaba alguna partida con los aldeanos, o hablaba con ellos de mil cosas. Súbitamente, quizá cuando la conversación le había suministrado algún material que consideraba útil, los dejaba a todos plantados y volvía a sus cuartillas. Naturalmente, estaba prohibido molestarle cuando escribía. Y, anacrónicamente, en aquel miserable lugar la servidumbre había de entrar por una puertecita lateral y no por la de hierro.

Que éste sea el «pueblo de Castilla la Nueva» de las acotaciones benaventinas no ofrece duda. Las alusiones geográficas de los alrededores —Sotillo, El Tiemblo, Torrijos, o aun la cita de Madrid, Toledo y Talavera como las ciudades grandes más cercanas—, o los nombres que toma de las tierras de la comarca —la Umbría, los Berrocales—, o la constante alusión al ganado como riqueza fundamental, o la fonética y sintaxis del lenguaje, nos remiten de inmediato a una fotografía, gastada por los años, de esta aldea.

Andábamos por Villa Rosario, mirando aquí y allá, cuando entró un viejo de chaqueta de pana gris y boina. Era Aniceto Martínez Morón, de sesenta y siete años.

> —María Martínez, la madre de Rosario, era tía mía. Su padre, mi abuelo, cedió estas tierras a don Jacinto para que construyera Villa Rosario. Me acuerdo muy bien de aquellos años. Don Jacinto — ¡qué talento tenía aquel hombre!— nos sacó a todos en *Señora ama*, aunque cambiase alguna cosilla, como esa escena última en que aparece Feliciano con el brazo en cabestrillo. La «señora ama» era mi tía María. Y el marido, el fresco, Antonio López Salas, que vino aquí con mi tía y llegó a ser alcalde de Aldeancabo. Era un conquistador y se portó muy mal. Por culpa suya dejó don Jacinto de venir a Aldeancabo. Ya se lo tenía dicho muchas veces al Antonio...

Importa toda esta historia para ver hasta dónde llega la génesis fotográfica en el teatro rural de Benavente. Luego, en Cenicientos, un pueblecito cercano, nos contaban una vieja historia literalmente idéntica a la de *La Malquerida*. Y en Cenicientos están, precisamente, los Berrocales...

Lo impresionante, a la vista de tantos problemas, de tantas privaciones seculares —aunque Cenicientos, por la belleza de su paisaje, empieza a despertar y crecer en estos tiempos de turismo y veraneo—, de tanta vida irrealizada, es que don Jacinto se limitase a magnificar las historias sexuales de alguna pareja, sin interesarse lo más mínimo por aquel gran coro de campesinos y pastores, reducidos en su teatro a dóciles comparsas.

Andando por Aldeancabo, escuchando a sus amables vecinos, uno piensa en sus duras condiciones de vida. ¿Escalas que conducen al «homo sapiens»? ¿Cómo es posible vivir aquí varios años sin sentirse responsable?

Ahora hay en Aldeancabo un maestro y una maestra. Normalmente, cada año se van y vienen otros nuevos. ¿Habría ya escuela en Aldeancabo cuando veraneaba don Jacinto? Quizá esa Dominica, adoradora del machismo de su esposo, o esos campesinos que se casaban con las muchachas embarazadas por el señorito, de ir a la escuela, de saber a qué tenían derecho, habrían sido menos complacientes. Quizá, para pasmo del escritor, hubiesen odiado a don Jacinto.

Realidad y sueño

Sería largo, y no sé si aburrido, sistematizar el pensamiento general de Benavente. Sobre la Primera República, sobre Castelar, sobre Antonio Maura, sobre la Regente, sobre el socialismo, sobre la Patria, sobre Cuba, sobre la Guerra del 98, sobre las minorías, sobre las mayorías, sobre la guerra del 36, sobre la aristocracia, sobre la demagogia, sobre la Iglesia, etc., etc., tiene opiniones concretas y precisas que, en gran medida, resumen lo que pensó la burguesía española de su tiempo.

Sí me parece, en cambio, imprescindible, abordar una idea fundamental, eje de una gran parte de su obra. Me refiero a las compensaciones establecidas, en la vida de sus personajes, entre la realidad y el sueño. El tema es interesante por múltiples causas. Sociohistóricamente es el fruto evidente de una inadaptación, de una contradicción radical entre ciertos principios y la realidad. Mientras la vida responde a nuestros principios, ningún campo de acción y pasión equiparable a la realidad, bien por defenderla tal como es, bien por luchar para transformarla. Sólo cuando nuestros principios se revelan inoperantes, cuando la razón histórica se nos va de la mano, resulta imprescindible la «realización» a través de los sueños. Aparecen, entonces, unos personajes desdoblados, ruines y miserables en la realidad, generosos y espléndidos en sus paréntesis de ensoñación, al modo de un usurero que sentara a un pobre a su mesa la noche de Navidad.

Así sucede ya, por ejemplo, en *La gata de Angora*, la famosa obra que defendiera Valle Inclán con estentóreos «¡Muy bien!»

entre las protestas de una parte del respetable. Silvia, la dama aristocrática, llegará a ser amante del «artista» como si de una cruzada espiritual se tratase; luego, despachados los nobles y cultos diálogos, las parrafadas poéticas, volverá junto a su marido, fiel a su «realidad»[10].

Algo parecido ocurría ya en *El nido ajeno*, cuando Manuel descubría su amor por María y decidía marcharse para siempre. El problema está en que, en sus primeras obras, esta contradicción entre «sueño» y «realidad» tenía un cierto valor dramático. En cambio, en el caso de Silvia, el conflicto no existe. Aunque lo que para ella eran «expresiones poéticas», para Aurelio, el pintor, sea, llanamente, la realidad. De ahí el interés de *La gata de Angora*.

Después, en dosis creciente, realidad y sueño aparecen como elementos compensados y conciliadores. La actitud de Teresa, en *Los malhechores del bien*, es toda una declaración de principios. Los pobres pueden aún, en algún caso, dejarse llevar «por los sueños», pero el orden social exige que en las clases altas sea la «realidad» la que mande. Teresa seguirá al lado de su viejo marido, «soñando» siempre su amor por Enrique. Si, más allá de la última bajada de telón, hubiese alguna complicación entre Teresa y Enrique, es seguro que todo quedaría dentro de las cuatro paredes de la casa y la esposa despediría al amante para seguir «soñándole» como su «único y gran amor»...

Se produce así una confusión de los términos. La «realidad», entendida como actividad cotidiana, como manifestación del orden social, es acotada y, a la vez, colocada por debajo del «sueño» o del deseo irrealizado (que, bien mirado, constituyen la realidad auténtica). Principio éste muy lógico dentro de la moral de clase, para la que resultaría muy peligroso que sus miembros se dejaran llevar de deseos individuales contrarios a las normas establecidas por esa clase en su propio beneficio. Esto tiene, entre otras ventajas, la de poner fuera de disputa lo que preocupaba a la burguesía: la transformación de la realidad. ¿Para qué hablar de ella si es una miseria? Importa el amor, la fantasía, los sueños. Y en eso somos todos iguales. Personajes adinerados se salvan y dignifican gracias a los sueños, a la ternura abstracta, al buen gesto momentáneo. ¡Miserable

---

[10] *La gata de Angora, Obras completas,* tomo I, pág. 455 y ss.

realidad! ¿Quién ha dicho que puede modificarse?: Los embaucadores, resentidos, *snobs*, antiespañoles, etc. «Prohibido pasar al que sepa geometría»[11], diría Alejandro Casona mucho más tarde. El círculo está cerrado. Arriba el sueño. Viva la fantasía. El que hable del jornal no es un poeta, ni debe ser escuchado... La realidad es sólo la «losa de los sueños», la página de sucesos. Importa, en suma, el drama de los que necesitan dinero para soñar, pero no el de los que lo necesitan para comer. Lo que es tanto como decir que toda la problemática está vista de arriba abajo, deteniéndose las preocupaciones del dramaturgo allí donde empiezan las de las clases populares.

Muchos autores posteriores —benaventinistas reconocidos o camuflados— han repetido esta posición. En nuestro humorismo, y en mucho del teatro escapista de no importa qué género, aparece constantemente esta subestimación de la realidad, entendida como un elemento grosero, de escaso valor para los «artistas». La cosa llega al punto de que a este «idealismo de derechas» se ha opuesto a menudo un «idealismo de izquierdas», a un sueño otro sueño, a un pueblo de comparsas un pueblo de hombres lúcidos, desbaratando así la relación entre la realidad social correctamente revelada y el individuo que se mueve con toda su carga interior, dentro del marco económico e histórico que le circunda y condiciona.

La estética de Benavente

Fernando Arrabal dice que ha aprendido a construir comedias leyendo a Benavente. Marqueríe señala, por su parte, que las obras de don Jacinto resultan siempre, en gracia a su teatralidad, mucho más dignas de verse que de leerse[12].

Personalmente, estimo que los reparos que le puso Ramón Pérez de Ayala en *Las Máscaras* —a los que me remito— son de mucho peso. No estoy de acuerdo en que se le nieguen a Benavente dos condiciones fundamentales: su indudable valor de portavoz de una clase social y el interés y superior calidad de su primera etapa. Pero, como se ha demostrado mil veces, la

---

[11] Alejandro Casona es el gran continuador del pensamiento benaventino. Su exilio prestó una equívoca dimensión revolucionaria a su figura; el triunfo rotundo de sus obras ante la pequeña burguesía de los años sesenta, y la apasionada defensa que hizo de ellas la crítica tradicional aclaró la cuestión.

[12] *Veinte años de teatro en España*, de Alfredo Marqueríe (*ob. cit.*).

coherencia entre fondo y forma existe siempre. No puede haber, aunque a primera vista lo parezca, un teatro mediocre «magníficamente» construido y escrito. En tales casos, lo que sucede es que tenemos un sentido «artesanal», preestablecido, de receta, sobre lo que es el teatro «bien hecho», y aplicamos los cánones automáticamente. La típica escena inicial de una criada que cuenta las cosas fundamentales a la visita recién llegada, el diálogo en que unos personajes nos explican cómo son los otros, los fatídicos desenlaces, el verbalismo general de los parlamentos, la ausencia de profundidad sicológica, la gracia para captar el detalle superficial, la ironía, el recurso a las explicaciones poéticas y como sacadas de la manga en los momentos en que se escapa o estanca la acción, son elementos que se integran entre sí. La forma del teatro benaventino y su contenido son una misma cosa. Su superficialidad y su ingenio son los mismos. Su primer teatro resulta, por ello, el de mayor espontaneidad formal, el más vivo y libre a un tiempo...

Pío Baroja

Baroja y el teatro

En las *Memorias* barojianas aparecen muchos párrafos peyorativos hacia el teatro. En un sugerente texto escrito por don Pío con ocasión del estreno de su breve *Adiós a la bohemia*[1] ratifica y sistematiza las razones de ese despego. En una primera instancia, podría decirse —y esa ha sido la posición habitual— que a Baroja no le gustaba el teatro, que no lo entendió y, por lo tanto, que era inútil, al margen del obligado inciso más o menos pintoresco, ocuparse de él en una aproximación al teatro del 98. No creo yo, sin embargo, que sea ésta una posición inteligente. Don Pío escribió poco teatro, fue poco —según él mismo nos dice— a los teatros y casi nada, dentro de la amplitud de su obra, se ocupó de él. Pero, un tanto desordenada y esquemáticamente si se quiere, los juicios barojianos configuran una muy expresiva imagen del teatro de la época; el hecho, en fin, es que tales juicios constituyen un precioso material para explicar las divergencias entre los hombres del 98 y el teatro que dominaba los escenarios españoles, el de Benavente o los hermanos Álvarez Quintero. El primero de los cuales, dicho sea de paso, hemos incluido en este volumen más para mostrar sus radicales diferencias con el de Valle o Unamuno que para seguir —como, por ejemplo, hace Laín en su conocido estudio de la Generación del 98— con los agrupamientos acostumbrados[2].

En cuanto a la «deserción» teatral de Baroja nos parece que es una deserción significativa, el esbozo de un pliego de cargos contra el teatro español. De ahí el valor de su postura.

---

[1] «Con motivo de un estreno», *Obras completas*, de Pío Baroja, Madrid, Biblioteca Nueva, 1948, vol. V, pág. 560.

[2] *La Generación del Noventayocho*, de Pedro Laín Entralgo, Madrid, Espasa, 1945.

Dos niveles

El enfrentamiento de Baroja con el teatro se establece a dos niveles, quizá complementarios desde su perspectiva, pero de naturaleza distinta. En uno de ellos estaría lo que pudiéramos llamar el aparato concreto del teatro español de la época: su público, sus empresarios, sus autores, sus cómicos. En el otro, la contemplación del teatro como expresión artística, el examen de sus posibilidades y de sus grandes textos.

Es importante esta diferenciación, porque si se hace del aparato teatral establecido la medida de las posibilidades del teatro se incurre en una confusión conceptual. Una cosa —y ahí sí que acertaba plenamente Baroja— es ser consciente de los condicionamientos socioeconómicos y culturales del teatro en un determinado lugar y tiempo, para concluir que tales circunstancias debían conducir a la general mediocridad, y, otra distinta, el plantearse la lucha contra tales condicionamientos sin comprender —contrariamente a lo que hizo Valle cuando confesó que escribía «un teatro para el futuro»— que el teatro, como cualquier otra manifestación artística, puede formar parte, bien que modestamente, de esa lucha.

Sucede, en efecto, que los condicionamientos que configuran el teatro en una época dada llegan a aparecer intemporales e inevitables, determinando *la* «idea» del teatro, que es manipulada y contemplada como cerrada y acabada. Ese ha sido, como todos sabemos, uno de los componentes del inmovilismo burgués —y de otros inmovilismos— que ha tendido a presentar como absolutos los que eran conceptos circunstanciales y contingentes, ligados a un determinado *status* socioeconómico y político. Para quien no vea esto claro, el interés que han sentido por el teatro, en tiempos de mediocridad escénica, una serie de gentes inteligentes es incomprensible. Importa, pues, aclarar una cuestión, generalmente instrumentalizada en su beneficio por los sucesivos sectores dominantes. Bajo las calificaciones de «buen» y «mal» teatro, de teatro «bien hecho» y de «camelo» minoritario o «irrepresentable», de «belleza» y «fealdad», existe, por lo común, la aplicación de un sistema de pesas y medidas establecido por los grupos rectores. Y puesto que hablamos del teatro de los hombres del 98, quizá sea oportuno citar un párrafo del libro *Veinte años de teatro en España*, de Alfredo Marqueríe —el más documentado y significativo de los críticos conservadores del último cuarto de siglo— publicado en 1959[3]. Dice así:

> La Generación del 98, casi con la sola excepción de Benavente, emanaba un tufo agónico y pesimista o se encerraba en la torre de marfil de unos preciosismos o barroquismos que la confinaron en los cementerios de las minorías. Sus escritores, admirables y estimables, ciertamente, no llegaron a prender en el gran público y las tiradas de sus libros fueron siempre cortas. Cuando alguno de esos escritores estrenó esporádicamente una obra teatral no llegó a conocer la amplitud del éxito rotundo o en la mayoría de los casos fracasó estrepitosamente. Después vendría la evolución o la revisión de estos valores, evolución y revisión salvadoras, puesto que en estos veinte años últimos no han faltado teatros experimentales y aun comerciales que repusieran alguna de esas piezas de los hombres del 98. Pero lo cierto es que en sus orígenes la Generación parecía despreciar al lector, al público. Ni intentaba elevarle ni descendía o condescendía a dialogar lisa y llanamente con él.

La idea estaba clara. Se podía ser un escritor «admirable y estimable», incluso vendiendo apenas unos pocos ejemplares de las obras. Pero, en teatro, no era perdonable que se «despreciara al público» o no se «descendiera» hasta su nivel. Pero ¿quién formaba ese público? ¿Estaba realmente dispuesto a «ascender» a niveles que contradijesen sus intereses de grupo social? ¿Y no eran los intereses de ese grupo los que habían determinado una teoría teatral que aparecía como objetiva y «estéticamente» incuestionable? ¿No estaban todos los sostenedores de esa teoría, desde los empresarios a los críticos, consciente o inconscientemente, al servicio de esa clase social?

Otra cosa hubiese sido si el público teatral —como pedía, por ejemplo, Unamuno— hubiese estado formado por la comunidad del país. Y elaborado, en función de los intereses generales, su teoría, su poética y su praxis. Pero, ¿no es esto pura utopía en el actual estado de nuestra sociedad? Digamos, simplemente, que no sucede. Lo que nos lleva, justamente, a la paradoja de ver el teatro como la más miserable y, a la vez, la más irrenunciable de las manifestaciones artísticas. Frente

---

[3] *Veinte años de teatro en España*, de Alfredo Marqueríe, Madrid, Editora Nacional, 1959, pág. 54-55.

a cualquier «liberación» o «compensación» del artista individual, el gran teatro intenta alzarse en abierta pugna con los condicionamientos de las clases o burocracias dominantes, tanteando las posibilidades de evolución, aireando hasta donde le es posible las contradicciones escondidas, arriesgándose a quedar en un texto «a la espera», a veces tan larga que equivale al nonacimiento definitivo.

El teatro es un arte donde las manos se ensucian. Y esto es lo que, a mi modo de ver, no comprende claramente Baroja. El agua está sucia, ciertamente, y él opta, una vez lo ha comprobado, por secarse las manos. Yo creo, sin embargo, que el día en que se sustituya la «salvación» personal por una verdadera ética social comprenderemos el sin sentido de despreciar una manifestación que revela el punto en que se halla la comunidad. Radicalizando quizá la cuestión, podría decirse que en una sociedad «donde no es posible» un verdadero teatro, resultan sospechosas, por paternalmente consentidas, las demás manifestaciones artísticas. Si el teatro es un desastre hay que preguntarse por qué. El hecho de que lo sea bajo unos determinados condicionamientos generales, que gravitan sobre no importa qué comunicación social, más bien parece que debe ser una palanca de nuestras reflexiones que una barrera.

En otro caso, se cae en lo anecdótico. En un censo de decepciones personales y dispersas. Esa podría ser nuestra reserva ante la actitud de Baroja una vez comprobó que el agua estaba sucia.

En el citado trabajo, escrito por Baroja con ocasión del estreno de *Adiós a la bohemia* en el Cervantes de Madrid, dice:

> El crear algo nuevo en el teatro me parece imposible. Todo lo que se ha dado como nuevo en estos últimos cincuenta años, desde los poemas de Ibsen hasta las chapucerías espiritistas de Maeterlink, ha quedado como al lado del teatro, sin conseguir entrar dentro ni tener una vida lozana.
>
> El teatro, como arte puro, igual que la pintura, la escultura, la arquitectura, y quizá también la música, es un arte cerrado, amurallado, completo, que ha agotado su materia; un arte que ha pasado del período de la cultura al de la civilización, como dirían Houston Stewart Chamberlain y el moderno autor de la decadencia de los pueblos occidentales. El teatro, desde hace mucho tiempo, ha dejado de inventar para repetirse.

¿Por qué afirmar que Ibsen ha quedado «al lado» del teatro? La trampa terminológica es que todo el teatro importante ha vivido igualmente «al lado» del teatro. Dentro del recinto amurallado no cabe efectivamente más que repetirse o morir. Aunque quizá sería mejor decir repetirse y morir. ¿Pero qué tiene que ver eso con la «muerte del teatro»? La conclusión lógica sería que son determinados conceptos del teatro los que mueren, como mueren los principios socioculturales que engendraron tales conceptos. El problema no es «teatral» sino total. Repetirse o morir, es un lema que corresponde a tiempos inmóviles en los que se da por bueno lo establecido y se quiere, como decía Pemán, un «teatro de lo sabido»; el talento de Baroja fue rechazar ese principio. Pero si la sociedad quiere renovarse —y el rechazo barojiano a la repetición es un dato entre otros innumerables—, si lo establecido se cuestiona, si vivimos un tiempo de investigación en todos los órdenes, es lógico que se creen las bases nuevas y abiertas de un arte teatral también alzado fuera del viejo «recinto» amurallado. Todas las formas de teatro independiente se han levantado ya «al lado» de las murallas — ¿no era también la novela de Baroja una obra escrita, según el citado juicio de Marquerie, «al lado» de las murallas?—, fuera, «off», en las calles, en los parques, en las salas más diversas, vulnerando los cánones estéticos y sociológicos un día considerados inamovibles. O, en algunos casos, las han atravesado como expresión del complejo proceso general[4]. El juicio de Baroja es, pues, muy válido en un punto: detectó la existencia de las murallas y comprendió que en su recinto bien poco podía hacerse; lo que sorprende es que no comprendiera que «al lado del teatro» —y aquí podríamos citar los nombres fundamentales de la historia del teatro contemporáneo— estaba naciendo, como «al lado» de otras murallas, el teatro que apuntaba hacia una sociedad sin torres ni castillos.

---

[4] Mucho teatro alzado por los autores y los grupos «al margen» del público tradicional, va siendo aceptado por sectores cada vez más amplios y es ofrecido de manera regular. Esto, lejos de significar la «integración» o sumisión de ese teatro, me parece que expresa la evolución social. Se trata de propuestas de «vanguardia» —formal e ideológicamente— que, aparte del fenómeno del esnobismo, van siendo alcanzadas por públicos que también exigen un teatro no rutinario.

187

En sus *Memorias*, habla Baroja a menudo de las gentes de teatro, casi siempre burlándose un poco de su fragilidad. Transcribiremos algunos de sus juicios más significativos.

Los Empresarios. Personas de poco fiar, acostumbrados a contentar a unos y a otros y a guardar la ropa y el negocio. Baroja cuenta:

> En Marañón terminé yo el libro *La casa de Aizgorri*.
>
> De este libro pensé primero hacer un drama, y no sé quién me dio el consejo de que fuera a ver a Ceferino Palencia, que era entonces empresario del Teatro de la Princesa y marido de la cómica María Tubau. Como nunca creí que fueran a representar nada mío, hice la prueba de pegar ligeramente en el manuscrito dos o tres páginas del comienzo y otras dos o tres del final.
>
> Palencia me dijo todas esas vulgaridades que se dicen a los principiantes. Que era yo hombre de talento, que no tenía experiencia del teatro...; palabrería pura.
>
> A los cuatro o cinco meses vi que el empresario no hacía nada; le pedí el manuscrito, me lo devolvieron, y, al llegar a casa, noté que las dos o tres páginas pegadas al principio y al final seguían pegadas; no las habían abierto[5].

Lo de menos es la anécdota; es significativo el tono con que Baroja la cuenta y esa desconfianza previa que la realidad no hizo más que confirmar.

El empresario sólo es, en última instancia, el defensor de los gustos de ese público contra el que tan explícitamente se manifestó don Pío.

Los Cómicos. A los actores les llama siempre cómicos. Creo que utiliza la palabra con ese aire despectivo que ya tenía, por ejemplo, en los artículos teatrales de Larra, un escritor bien conocido y admirado por toda la generación del 98.

> No he tenido nunca amistad ni con cómicos ni con cómicas. Es una clase de gente que no me ha interesado nada, casi tan poco como los toreros.
>
> No me dejan de interesar los cómicos por su oficio en sí, sino por su dependencia obligada con el público, que, en general, es una gran bestia fiera y mal intencionada, cuya influencia perturba a cualquiera (...). Uno de los cómicos del

---

[5] *Memorias de Pío Baroja*, Madrid, Minotauro, 1955, pág. 412.

género chico que me parecía muy bien cuando yo era joven era Manuel Rodríguez; Manolo Rodríguez, le llamaba la gente. Se veía en él un cómico que se divertía trabajando, y por eso mucha parte del público le tenía antipatía.

—Es un payaso—, decían de él.

Yo fui una tarde con un amigo al escenario del Teatro de Apolo, en donde estaban ensayando no sé qué; le vi a Rodríguez con un sombrero de copa grande, que tiraba al aire y luego se lo metía en la cabeza sin ayuda de la mano.

A mí este detalle de prestidigitación, el ver que se divertía solo, me hizo encontrarle muy simpático.

Un tipo de cómico contrario a éste era Carreras, que en su tiempo tuvo también mucha fama. Carreras era un caricato fúnebre, pero parecía muy bien a la gente[6].

Es siempre un poco sorprendente ver cómo Baroja, de pasada, sin ningún planteamiento previo, emite aislados y valiosos juicios teatrales. Decir que el actor debe divertirse —en su sentido más total— en su trabajo, y que lo malo no es el oficio del actor en sí, sino su «dependencia obligada con el público», es bosquejar todo un análisis de la miseria del cómico dentro del teatro pequeño burgués. Numerosos hombres de teatro se plantearán ampliamente —antes y después de Baroja— la necesidad de un actor que no se prostituya con su trabajo. Las respuestas serán muchas, e irán desde el compromiso político del espectáculo, asumido libremente por el actor, hasta el proceso de despojamiento de que habla un Grotowski. En ambos, como en otros ejemplos que podrían citarse, el actor deja de ser un servil instrumento del público para entrar en relación dialéctica con él, ya sea —por seguir con los dos ejemplos— para proponerle una nueva interpretación de la historia, ya sea para hacerle testigo de un desenmascaramiento que ayudará al espectador a liberarse de sus enajenaciones.

Por otra parte, quizá venga a cuento recordar que el propio Pío Baroja intervino como actor en una representación de su *Adiós a la bohemia*, hecha en «El mirlo blanco» —el teatro de cámara que tenían los Baroja en su propio domicilio—, es decir allí donde el gusto por la actuación y el respeto entre los intérpretes y el reducido público estaban asegurados. La respuesta, desde luego, se quedó en el comedor donde se hacían las representaciones de «El mirlo blanco». Pero es una reafir-

---

[6] *Memorias de Pío Baroja, ob. cit.*, pág. 300.

mación práctica de todo lo que había escrito Baroja sobre su interés hacia «el actor en sí» y su rechazo de la «dependencia obligada» de éste con el público.

El Público. En el estudio de cualquier época o de cualquier movimiento teatral es imprescindible plantearse el tema del público. ¿Para quiénes se hace el teatro? ¿Cuál es el nivel y los intereses del público dentro de la relación social?

La cuestión es, por supuesto, política y socioeconómica. El público es uno y no otro, con una mentalidad y no otra, por razones previas a la representación, tanto si el teatro resulta de una simple aplicación de la oferta y la demanda —el teatro que quieren ver quienes mejor pueden pagarlo—, como de un programa político. Aunque en realidad deba decirse que el mecanismo liberal nunca se da en su plenitud, pues la censura —donde la hay— y otra serie de factores determinan que el encuentro entre la oferta y la demanda se produzca sólo en unas zonas preestablecidas, entorpeciendo el nacimiento de cualquier teatro que pueda perjudicar el orden social vigente.

Es imposible abordar aquí un tema tan rico y tan complejo como éste del público teatral. Había, sin embargo, que hacer este preámbulo para valorar exactamente la posición de Baroja en este terreno. Para Baroja, el público teatral es «*una gran bestia fiera y mal intencionada*». Una entidad «*perturbadora*» que exige nuestra sumisión. Objetivamente, era cierto. Sólo que, como hemos dicho antes, ese público no podía ser equiparado al concepto de sociedad. El antagonismo entre una serie de gentes de teatro y el público —que ha llevado, por ejemplo, a hacer del «éxito» un resultado sospechoso—, no debe ser planteado en los viejos términos del choque del individuo contra la sociedad. Quizá podría decirse que el choque se produce entre los intereses del pueblo, asumidos por el hombre ético, y los intereses de un grupo social privilegiado, representado por el público. Es en este punto donde, como decíamos antes, la visión de Baroja se queda a mitad camino. Está en contra del público, pero no acaba de ver que ello deba llevarle a un arte en favor de la transformación social[7].

---

[7] En este sentido, Unamuno fue mucho más agudo. El público teatral es una manifestación del orden social; rechazar el primero implica una puesta en cuestión del segundo. Baroja, en cambio, tiende a hablar del público como de una entidad abstracta e inmóvil.

El mundillo teatral. Son varias las referencias de Baroja a la vanidad de los cómicos y los autores, a la vaciedad de los empresarios, a las envidias que degeneran en pateos preparados de antemano. Ni los mismos Valle, Inclán y Pérez Galdós se escapan de estas acusaciones. Valle, preparando el pateo de la obra de un enemigo, o Galdós y Maeztu, distribuyendo a los adictos poco antes de iniciarse el estreno de *Electra*, son recuerdos probablemente banales, pero que tienen su peso dentro de la desastrada imagen que nos da Baroja del teatro de su tiempo[8].

Lenguaje teatral

Dadas sus bases socioeconómicas y políticas, el teatro que se estrenaba en los escenarios españoles debía tener un lenguaje y no otro. Sabida es la identidad de fondo y forma. Si Baroja —como Valle o Unamuno— rechazaba aquellas bases, es lógico que rechazara el lenguaje teatral que era su consecuencia. La diferencia entre un Baroja y un Valle estaría en que el primero llegó a identificar esta «consecuencia» con la idea del teatro, mientras el segundo tuvo clara conciencia de que a una sociedad distinta correspondería un teatro, y, por tanto, un lenguaje teatral, también distintos.

En el ya citado artículo escrito por Baroja con motivo del estreno de *Adiós a la bohemia*, resume así su crítica estética del teatro:

> A mí, como a la mayoría de los escritores de libros, se me ha venido a la imaginación muchas veces la idea de escribir para el teatro, naturalmente atraído por la posibilidad del dinero y del éxito.
>
> No lo he hecho por varias razones. Primeramente, las tres unidades clásicas me estorbaban para imaginar algo con fuerza; luego, me estorba también el tono de la retórica actual en el teatro. Yo, cuando he intentado escribir para la escena, lo he hecho en un tono gris o en un tono conceptuoso y altisonante. Los dos extremos de la expresión los siento, mejor o peor; el término medio, no.
>
> La retórica, un poco casera, vulgar y al mismo tiempo falsamente natural, la que la gente de teatro considera el lenguaje

_____

[8] Del caluroso estreno de *Electra*, de Galdós, en el Español, da Baroja un testimonio no exento de reticencia. (*Ob. cit.*, pág. 444 y ss.)

típico de las pasiones, la que se encuentra en la fraseología de Galdós, de Dicenta, de Benavente y de Martínez Sierra, yo no la puedo soportar.

Además de las seducciones del dinero y el éxito, podía existir, al pensar en hacer algo para el teatro, la ilusión de crear una cosa nueva, por pequeña que fuera, o también la ilusión de ser moralista y pedagogo al estilo de Dumas hijo.

Para moralizar en el teatro hay que sentir un entusiasmo proselitista, y al mismo tiempo tener el conocimiento de las sacaliñas de los bastidores, cosas ambas que yo no poseo. A pesar de esto, no es la idea de las tres unidades férreas, ni la represión por la retórica vulgar y falsamente natural, ni la seguridad sentida de antemano de no poder inventar algo nuevo, ni la falta de entusiasmo proselitista, lo que me ha impedido a mí escribir para la escena.

En principio, lo que me ha estorbado más para hacer una obra de teatro ha sido la idea del público.

Por lo demás, no es solo la zafiedad del público lo que asusta a Baroja. Le asusta su propia naturaleza:

> Imponen tal número de condiciones y exigencias, observan lo que hago, lo miden, lo pesan, lo comparan con esto y con lo otro, y me producen, a la larga, la inhibición y la perplejidad que me hace abandonar mis proyectos.

De estos juicios de Baroja, uno fundamental: su repugnancia al falso naturalismo, a esa especie de verdad convencional y decorativa, a esa apariencia que ha usurpado sobre nuestros escenarios el lugar de la realidad. Lo que hace don Pío en este sentido es una muy precisa requisitoria —que le sobrevive— contra el teatro español de nuestra época. Aquí no ha habido dramaturgia de la agonía ni de la vida. Aquí no hemos tenido las esperanzas políticas de un Brecht o un Piscator, ni las profundizaciones psíquicas de un Stanislavski, ni la locura de Artaud, ni los gritos del Living. Todo lo que no fuese conversación de tresillo o poesía de juego floral ha sido proscrito o mal entendido. Ha dominado una dramaturgia ingeniosa y domesticada, una crítica sesuda y notarial, una rutina reconfortante. Tenía razón don Pío, aunque se equivocara, por ejemplo, no dándose cuenta de que su amigo, no siempre fácil, Valle Inclán, pensaba lo mismo y había decidido, en lugar de resignarse, salir por los cerros del esperpento. ¿O es que *Luces de bohemia* no está escrita a partir de un destemplado y rabioso desacuerdo con los grupos rectores de la sociedad española? O lo que es lo mismo, con el público teatral que representaba a esos grupos.

Baroja crítico

Lo explica Azorín:

> En octubre de 1902 se encargó de redactar *El Globo* un grupo de escritores jóvenes e independientes. Había sido *El Globo* el más literario de los periódicos madrileños diarios. En la nueva Redacción reinaba un gran entusiasmo. Los compañeros de Baroja —que formábamos parte de la Redacción— quisimos que el escritor vasco se encargase de la crítica de teatros. Conocíamos la independencia inflexible de Baroja y deseábamos que en la crítica de teatros —tan sumisa frecuentemente a diversas influencias— se ejercitase el libre criterio de nuestro compañero. Cedió Baroja a nuestras instancias; pero fue muy breve la duración de su gestión crítica en *El Globo*. El primer artículo lo publicó Baroja el 29 de octubre, con motivo del estreno de una refundición clásica: *Reinar después de morir*, de Vélez de Guevara; la última crítica apareció el 3 de diciembre, al día siguiente de la primera representación de una comedia de Benavente: *Alma triunfante* [9].

El primer párrafo de la primera crítica no puede ser más insólito. Supongo que nadie empezó así, en toda la historia universal de no importa qué manifestación, su trabajo público:

> Indudablemente, soy un hombre que no sirve para crítico de teatros. He salido del Español, y maldito si se me ocurre decir nada que valga cuatro cuartos [10].

Sin embargo, y pese a la construcción un tanto pintoresca del texto, Baroja inserta un par de juicios muy serios y claramente opuestos a los criterios reinantes. Uno, se refiere al decorado. Baroja se rebela contra el arqueologismo escenográfico y el decorativismo en estos términos:

---

[9] «Crítica Arbitraria. Palabras de Azorín», *Obras completas*, vol V, pág. 545.
[10] «Crítica de *Reinar después de morir*», *Obras completas*, vol. V, pág. 546.

He oído decir a uno a mi lado que los muebles, trajes y armas
están copiados de tallas y relieves del siglo XIV. A mí, con perdón
de los que saben más que yo de cosas tales, me parece esto una
puerilidad... Si el drama en sí es bueno, yo creo que no necesita
de nada, ni aun siquiera de decoraciones. Una compañía de
actores excelentes, representando *Hamlet* en camiseta, creo que
haría estremecer al público.

El otro juicio recae sobre las versiones o refundiciones.
Baroja se burla de los que creen que es una profanación no
conservar todas las palabras del original; incluso piensa que
«es una martingala de los que no les gusta el teatro clásico».
Si el original íntegro no interesa al público actual y tocar ese
original es una profanación está claro que a ese teatro no hay
quien lo resucite. Por eso, la palabra «profanación» la usan los
sepultureros de los clásicos.

Las escasas críticas de Baroja están en gran parte dedicadas
a una temporada de La Bartet y Le Bargy en el Teatro de la
Zarzuela. Es una lástima, porque los juicios sobre una compañía
francesa, con un repertorio francés, forzosamente han de ser
menos interesantes que los suscitados por un teatro específica-
mente español. Ahí está, como ejemplo de cuanto digo, lo que
Baroja escribió a cuenta de cuatro obras españolas: *Aurora*,
de Joaquín Dicenta; *La dicha ajena*, de los hermanos Álvarez
Quintero; *Malas herencias*, de José Echegaray y *Alma triunfante*,
de Jacinto Benavente. Se trata de «cuatro firmas» muy cele-
bradas en nuestro teatro. De ahí la significación de las opiniones
de Baroja, por cuanto rechazarlos era tanto como rechazar la
vida escénica española. De Benavente escribió:

> Muchas veces, al ver otras obras de Benavente, ligeras,
> de gracia, me han producido la misma impresión fúnebre,
> de desmayo, de aniquilamiento, que me ha hecho hoy *Alma
> triunfante*. Hay mucha diferencia entre la tristeza activa, que
> protesta y se irrita contra las cosas y los hombres, y la tristeza
> pasiva, que se resigna y acepta todo. La de Benavente es esta
> tristeza pasiva; sus hombres y sus mujeres son figuritas resig-
> nadas, que sufren en un infierno de hielo bajo un horizonte
> de plomo. A veces, estas figuritas quieren ser hombres y mu-
> jeres; gritan y se quejan, y sus gritos y sus quejidos tiene un
> tono falso[11].

---

[11] «Crítica de *Alma triunfante*». *Obras completas*, vol. V, pág. 557.

Respecto a los hermanos Álvarez Quintero, otro de los pilares de las dudosas glorias teatrales españolas contemporáneas, la opinión de Baroja es igualmente tajante:

> No tengo, la verdad, gran simpatía por la obra, ya extensa, de los señores Álvarez Quintero. Esta falta de simpatía procede, más que nada, del pensamiento que integra en general las obras de estos apludidos autores. Hay siempre en sus comedias y sainetes un fondo de moralidad burguesa, un vuelo de la fantasía tan corto, que molesta [12].

En el análisis de *Aurora*, de Joaquín Dicenta, formula Baroja una breve disquisición sobre la poética del drama español. En realidad, se trata de una acusación general, aunque sea Dicenta quien la catalice:

> Hay dramaturgos en cuyas obras nace el conflicto de la intensa comprensión de la vida de los personajes, como Shakespeare e Ibsen; hay otros que forjan su trama y después acoplan los personajes a la trama forjada. De esta última clase son casi todos los autores españoles, antiguos y modernos, y entre ellos don Joaquín Dicenta. Y no sólo en esto es español el autor de «Juan José», sino que se ven en él las mismas preocupaciones calderonianas acerca del honor y la honra... y otras entidades metafísicas, de las cuales no se cuidan los hombres nuevos, o, si se cuidan, no es de la misma forma arcaica que lo hacen los personajes de *Aurora* [13].

Respecto de Echegaray, y a propósito de *La escalinata de un trono* el crítico Pío Baroja dice:

> En este drama, los personajes son más acartonados que lo son en los demás dramas de Echegaray; tienen todavía menos humanidad. En el diálogo en verso hay frases enérgicas, pero hay también una barbaridad de ripios y de cosas de mal gusto [14].

Esta opinión sobre Echegaray la reafirmó Baroja en las *Memorias* —exactamente en el capítulo IX de *Final del Siglo XIX*

---

[12] «Crítica de *La dicha ajena*», *Obras completas*, vol. V, págs. 547 y 548.
[13] «Crítica de *Aurora*». *Obras completas*, vol. V., págs. 547 y 548.
[14] «Crítica de *La escalinata de un trono*», *Obras completas*, vol. V, pág. 559.

y principios del XX— al lado de una serie de juicios teatrales irreprochables. De Echegaray, afirma:

> Como yo no soy terco, y no sólo no me molesta, sino que me gusta cambiar, he leído este verano en una casa de campo de Guipúzcoa, algunos dramas famosos de Echegaray, entre ellos *El gran galeoto* y *O locura o santidad*. Yo no comprendo cómo un hombre de talento pudo escribir estas obras, que me han parecido detestables. ¿Es que el público cambia? ¿Es que lo que le gustaba ayer no le gusta hoy? No lo sé. Yo no me explico cómo ha apasionado al público una retórica tan enfática y tan vulgar, y cómo un hombre inteligente como el autor pudo vivir sin conocer el medio donde se movía. En esos dramas famosos todo son muñecos sin alma que hablan con una retórica aparatosa; todas son pasiones que no son pasiones, y problemas que no existen[15].

A Baroja le interesó, en todo caso, la figura de Echegaray, defendido un día por los liberales y atacado luego, a raíz del Nobel, por todos los sectores avanzados de nuestra vida literaria.

De Arniches, a raíz de proponerle éste escribir en colaboración, cuando don Pío andaba ya cerca de los sesenta años, escribió:

> Le dije a Arniches rápidamente mis objeciones, que no creía que podía añadir nada a lo suyo, pues sus sainetes estaban muy bien, que no veía qué podía aportar yo a la colaboración. Después añadí que en alguna de sus obras lo que encontraba mediano era la música. Yo creo que Arniches era el mejor sainetero madrileño del tiempo, y es posible que pensara más o menos conscientemente que sus obras no necesitaban una música demasiado expresiva[16].

Los intentos

Es fácil imaginar al viejo Baroja camino de la Biblioteca Nacional, tal como él lo cuenta en sus *Memorias*, meditando la

---

[15] *Memorias de Pío Baroja, ob. cit.*, pág. 299.
[16] *Memorias de Pío Baroja, ob. cit.* pág. 647.

propuesta de Arniches. No debieron hacer falta muchos minutos. «Aun teniendo afición salen las cosas mal, no teniéndola tienen que salir peor.»

Y, sin embargo, pese a sus ascos constantes, la verdad es que Baroja anduvo rondando el teatro durante muchas etapas de su vida.

Ya hemos transcrito antes su intento de que Ceferino Palencia leyera *La casa de Aizgorri*. En las mismas *Memorias*, justamente cuando cuenta su encuentro con Arniches, vuelve a recordar el acontecimiento, aunque refiriéndolo ahora a una adaptación de su novela *El Mayorazgo de Labraz*. Antes hemos citado su *Adiós a la bohemia*, estampa un tanto melancólica y bastante menos desabrida —aunque no menos cruel— que los comentarios que otras veces suscitaron en él los mismos personajes.

En cuanto a la calificación de teatro de algunos de sus textos es difícil. Ya sabemos que se trata de un concepto convencional y mudable, que, por ejemplo, y en nombre del modelo benaventino, le fue negado a los esperpentos de Valle Inclán.

Baroja habla de su «novela» *El nocturno del hermano Beltrán*, que, sin embargo, por su división en escenas y la presencia constante del diálogo, aparece en la edición de *Obras completas* de la Biblioteca Nueva bajo el epígrafe de Teatro. Algo análogo habría que decir de *La leyenda de Jaun de Alzate*, o de esas dos obritas a la manera de la comedia del arte, críticas y divertidas, que se llaman *Arlequín, mancebo de botica o Los pretendientes de Colombina* y *Chinchín comediante o Las ninfas del Bidasoa*. Son textos, en todo caso, que, hoy por hoy, aún no pertenecen al teatro.

Distinto es el caso, pese a no haberse representado, de *Todo acaba bien... a veces* y *El horroroso crimen de Peñaranda del Campo* [17]. La primera es una insólita tragicomedia. De un lado, juega Baroja con los recursos del folletín y hasta de la novela rosa. Del otro, es casi una crónica aubiana sobre los problemas de los que llegaron a la Francia del Frente Popular empujados

---

[17] *El horroroso crimen...* se ha pretendido montar en varias ocasiones, impidiéndolo siempre la censura. Recuerdo concretamente, y por referirme a los últimos tiempos, que quiso montarla la Cooperativa que, bajo la dirección de Taco Larreta, acabó estrenando un «collage» del teatro de Arniches con el título de *Arniches superestar*. Posteriormente, y sin obtener tampoco el permiso, llegó a ensayarla el TEI de Madrid.

por la guerra civil española. El «folletín» es algo así como el elemento distanciador, la deliberada ironía de que se vale el autor para mostrar críticamente una historia sólo aparentemente trivial. Los juicios sobre la guerra civil española son de enorme interés (la obra está fechada en el 37, en París) y han de ayudarnos a comprender a Baroja en un punto fundamental. La otra obra, *El horroroso crimen de Peñaranda del Campo*, inteligente folletín «frustrado» es una historia que, por ejemplo, se anticipa en muchos extremos a *El verdugo*, de Berlanga[18], uno de los mejores guiones del cine español de todas las épocas. También en la obra de Baroja hay un condenado a muerte, una ejecución a garrote en perspectiva y un verdugo que espera ganarse unos duros y no sabe cómo salir de la trampa. Sólo que aquí, en el último instante, cuando el condenado ya ha conocido las mieles de la capilla, del puro y la última y suculenta comida, se descubre que la presunta asesinada vive y que el mozo lo ha hecho todo para salir en los papeles, recibir cartas de las mujeres, merecer, en fin, la atención que jamás se le había dispensado. Todo acaba con una patada en las posaderas del condenado, privado de ese garrote glorioso y legendario que él había imaginado.

Es un texto que algún día alguien montará. Y que, como ya ha sucedido con otros estimados «poco teatrales», interesará en la medida en que prescinde de esa retórica «casera y vulgar» a que aludía Baroja, para proponer un lenguaje imaginativo, vital, agresivo, cargado de significaciones.

El Mirlo Blanco

Sería un error, puestos a hablar de las relaciones entre Baroja y el teatro, no hacer una alusión, siquiera breve, a «El Mirlo Blanco», el «teatro de cámara» que, el 8 de febrero de 1926, en la calle Mendizábal, número 34, exactamente en el comedor de la casa de los Baroja, inició sus actividades. La primera sesión constó de tres «partes»: el prólogo y el epílogo

---

[18] *El verdugo*, 1963, película hispanoitaliana. Dirección: Luis G. Berlanga; Argumento, guión y diálogos: Rafael Azcona, Luis G. Berlanga y Ennio Flaiano; Fotografía: Tonino Delli Colli. Principales intérpretes: Nino Manfredi, Emma Penella, José Isbert, José Luis López Vázquez.

de *Los cuernos de Don Friolera*, de Valle Inclán; *Marinos vascos*, de Ricardo Baroja y la ya citada *Adiós a la bohemia*, con su autor, Pío Baroja, en uno de los papeles. Allí, en «El Mirlo Blanco», estrenó también don Pío *Arlequín, mancebo de botica o Los Pretendientes de Colombina*, y, Valle Inclán, su *Ligazón*. Edgar Neville, Claudio de la Torre y algún que otro joven autor conocieron también la hospitalidad de este teatro, subtitulado, en atención a la señora de la casa, la esposa de Ricardo, «Teatro de Cámara de Carmen Monné de Baroja»[19].

La empresa era modesta y destinada a vivir en un círculo de carácter prácticamente familiar. Los nombres que intervinieron en ella han asegurado su supervivencia en la memoria del teatro español. Allí, don Pío, rodeado de los suyos, lejos de la «bestia feroz», debió pensar más de una vez en lo hermoso que sería escribir y hacer teatro para un público curioso, abierto y con buena uva[20].

---

[19] Ver el número 143 de *Primer Acto* (abril, 1972), donde, entre otros trabajos dedicados a Baroja —además de su *Crítica Arbitraria* y del texto de *El horroroso crimen de Peñaranda del Campo*—, se publica una encuesta titulada «Sobre la actitud barojiana ante el teatro», a la que contestan José Luis Alonso, Blanco Aguinaga, Antonio Buero, Caro Baroja, Juan Antonio Castro, Juan Antonio Hormigón, Luis Iturri, José Martín Recuerda, Pérez Ferrero y Alfonso Sastre.

[20] Parte de este trabajo se refleja en un ensayo de Andrés Franco, cuya lectura recomendamos, titulado «El teatro de Baroja», *Cuadernos Hispanoamericanos*, febrero del 75.

Azorín

Azorín, curiosidad intelectual e ideología

En mis casi veinte años de crítico madrileño no he tenido ocasión de asistir a ninguna representación del teatro de Azorín. Sé que *Lo invisible* ha interesado a algún grupo de cámara y que se ha hecho en televisión; pero la verdad es que del teatro de Azorín, como del de Baroja —aunque en el caso de don Pío ha sido la censura la que ha impedido reiteradamente el estreno de *El horroroso crimen de Peñaranda del Campo*— sólo podemos emitir juicios en función de su lectura. El propio Azorín, en un comentario dedicado al teatro de Pirandello[1], señala que para hablar de él

> se necesita, naturalmente, haberlo visto representar o haberlo leído, y leído no en versiones en lengua distinta de la nativa del autor;

además de

> conocer algunos importantes trabajos que sobre su propia técnica ha publicado el autor.

Nosotros estamos en el segundo término de la alternativa. Hemos leído el teatro de Azorín, conocemos la mayor parte de sus comentarios teatrales y tenemos a la mano las críticas de Díez Canedo, que sí asistió a los escasos estrenos azorinianos y nos ha dejado de ellos un valioso testimonio.

Importa, desde la óptica de este libro, dejar bien claro que Azorín ha sido un autor poco respetado por buena parte de la juventud española en el último trecho de su existencia. Su azaroso discurso social y político —y, por lo tanto, según afirmó

---

[1] «El Teatro de Pirandello», *ABC*, 25 de noviembre de 1925.

el mejor Azorín[2], la estética correspondiente a ese discurso—
se resolvió, lejanos ya sus tiempos de anarquista y reformador
social, liquidado su republicanismo, vuelto de la prudente
espectativa parisina en los años de guerra civil, agobiado sin
duda por la vejez, en una cansada lejanía salpicada de periódicos y serviles elogios a los gobernantes. Porque, aun sin llegar
nunca a la virulencia de ciertos trabajos periodísticos de Benavente —los dos «tenían algo que hacerse perdonar» de
los vencedores—, lo cierto es que también Azorín escribió
una serie de artículos claramente oportunistas y encaminados a
congraciarse con el nuevo régimen[3].

En todo caso, y más allá de sus periódicos gestos de sumisión,
la imagen que el anciano escritor proyectó fue la de un super-
viviente a su tiempo y a su obra, la de un escritor condenado a
seguir escribiendo después de su muerte. Situación de la que
tuvo conciencia Azorín durante muchos años[4] y a la que dedicó
diversas reflexiones; situación que le llevó a declarar que no
escribiría más, como quien se suicida para no contradecir la
defunción anotada en el Registro, o a confiarle a su amigo
Gómez de la Serna[5]:

> Muy querido Ramón: mi vivir actual puede recogerse en
> una carilla. Vivo en absoluto retraimiento. No ciertamente
> por misantropía, sino por propensión natural. Y un poco porque
> los años y los achaques me compelen a la limitación.

---

[2] Discurso pronunciado por Azorín, el 23 de noviembre de 1913, con ocasión
de un homenaje, presidido por Ortega y Juan Ramón Jiménez. El homenajeado
contestó a las diversas intervenciones con un discurso en el que dijo: «...No
es principalmente una orientación literaria lo que, a mi parecer, nos congrega
aquí. La estética no es más que una parte del gran problema social. Para los
que vivimos en España; para los que sentimos sus dolores; para los que nos
sumamos —¡con cuánta fe!— a sus esperanzas, existe un interés supremo,
angustioso, trágico, por encima de la estética. (Ver *Obras completas*, Aguilar,
volumen IX, pág. 1181.)

[3] Ejemplo: *ABC*, 29-10-42, «José Antonio y la poesía»; 20-11-42, «José
Antonio en concreto»; 1-4-43, «¿Qué es un Caudillo?»; 27-7-43, «Leyendo
a Franco», etc.

[4] Ejemplo: «Las redes verdes», publicado en *La Libertad*, el 13-10-33.
«Hemos dado ya nuestro rendimiento y tenemos que seguir dándolo para
poder vivir. Pero, ¿contamos con facultades cerebrales para no desmerecer
y no dar a los coetáneos y darnos a nosotros mismos el espectáculo de nuestra
propia ruina?»

[5] Citada en el libro *Azorín*, de José M.ª Valverde, Barcelona, ed. Planeta,
página 405.

El otro punto a considerar sería el de la desproporción entre el Azorín escritor, el Azorín de *La Voluntad* o *Los Pueblos*, y el Azorín dramaturgo. Y no sólo ateniéndonos, claro está, a los distintos valores estéticos de las obras, sino al abismo que separa un trabajo de más de medio siglo, incansable, tenaz, ligado a las evoluciones ideológicas del escritor ante las sucesivas circunstancias nacionales, y la esporádica incursión, en un período relativamente breve —salvo una obra primeriza, ni siquiera recogida en la última edición de las *Obras completas*, y otra tardía— en el mundo de la creación dramática.

Basta leer, por ejemplo, el excelente *Azorín*, de José María Valverde[6], para ver el puesto que los estudiosos de su obra le reservan a sus dramas. Modestísimo y liquidado en unas pocas páginas. Y, en definitiva, bastante secundario dentro de la lucha que subyace en el trabajo de todo creador literario, en este caso de Azorín.

Sería, en efecto, imposible —y de ahí la escasa atención que se le presta en un libro como el de Valverde, muy atento a seguir las contradicciones y pasos conflictivos del pensamiento azoriniano— encontrar en el teatro de Martínez Ruiz ninguna revelación fundamental. Cuanto aparece en sus dramas ha sido dicho, y de forma infinitamente más rica, por Azorín en sus artículos y en sus libros. Al teatro se acerca, durante muchos años, como crítico o como comentarista sagaz. Sin embargo, su producción dramática es decididamente corta, tardía, de escasa proyección, y asentada, sobre todo, en el deseo de llevar al escenario el viejo conflicto de los héroes azorinianos: el choque entre la acción y la meditación, entre el mundo heredado del pasado y el mundo del futuro, entendido el devenir histórico como algo fatal, socialmente deseable por lo que encierra de progreso, y, a la vez, en tanto que destructor del presente, doloroso y melancólico.

Pero de eso hablaremos después. Lo que interesa dejar ahora sentado es que un trabajo que atienda al Azorín dramaturgo debe prescindir de una serie de dimensiones del escritor que, siendo ajenas a su obra teatral, podrían, de conectarlas con ella, darnos una falsa idea del verdadero valor de esa obra.

Vale la pena copiar íntegra la crítica que Díez Canedo dedicó a *¡Brandy, mucho Brandy!*, bajo el título general de «De-

---

[6] *Ob. cit.*

fensa de Azorín»[7], en la que intenta salir del apuro (la dico-
tomía entre el mediocre dramaturgo y el gran escritor) con un
significativo diálogo. El hecho de que Díez Canedo fuera uno
de nuestros críticos más atentos a la renovación teatral española
presta un singular valor a su comentario. Se ve claro que Díez
Canedo «quiere respetar» la voluntad renovadora de Azorín
—frente a la mediocridad rutinaria de lo que nuestro crítico
califica de «tradición inmediata» de la escena española—, y
que, al mismo tiempo, su obra teatral concreta le parece mediocre y mal resuelta.

Transcribo:

> Vuelvo a casa, después del teatro, pensando el artículo que
> he de hacer. Un amigo me toca en el hombro.
>
> —¡Ea! Ya estás vengado...
>
> Mi dios no es el de la venganza, y de pronto, no sé lo que
> quiere decir mi amigo.
>
> —Eso de esta tarde —continúa— ha sido lo que era de esperar.
>
> —De esperar, no —le replico—. Azorín es un gran escritor.
> De un gran escritor sólo cabe esperar grandes obras.
>
> —Pero de algún tiempo a esta parte no han sido grandes
> obras todas las que ha escrito.
>
> —De algún tiempo a esta parte anda malhumorado, él sabrá
> por qué. Pero también ha habido siempre grandes escritores
> malhumorados.
>
> —Vaya, se ve que no hablas en serio, o que no sabes cómo
> arreglártelas para dar un bombo a Azorín, a ver si os deja en
> paz a los críticos. Lo que te dijo el otro día...
>
> —El otro día no me dijo nada. Me defendió, y yo se lo agra-
> dezco.
>
> —Precisamente, y eso es lo malo. Pero tú habías afirmado
> de manera rotunda que él, en un periódico de Buenos Aires,
> por denigrar a los críticos de Madrid, hacía afirmaciones inexac-
> tas, y a eso no contestaba.
>
> —Pero ya contestará. Azorín es un gran escritor y lo que dijo
> no se puede achacar a torpeza de pluma. Estará persuadido
> de que era cierto y contestará cualquier día. Lo ha prometido.
>
> —Allá veremos... Lo que no tiene atadero es ¡*Brandy, mucho
> brandy!*
>
> —Hombre, te lo parecerá a tí.
>
> —A mí y a cuantos lo han visto, sin estar ciegos. Azorín no
> es hombre de teatro.

---

[7] Publicada en *El Sol*, el 18-3-27. Recopilada en *Obras de Enrique Díez Canedo.
Artículos de crítica teatral*, vol. IV, págs. 52-56. Ed. Joaquín Mortiz, México, 1968.

—Ya salió el «hombre de teatro». ¡Cómo si los hombres de teatro no fracasaran!

—Razón de más. Pero no vas a dejarte convencer, y te abandono. Con tu pan te lo comas.

Se va mi amigo. Cuando llego a la Redacción, un compañero se me acerca:

—Estará usted aterrado.

—Aterrado, ¿por qué?

—Por eso de Azorín. ¿Quién le habrá mandado, al cabo de los años mil, meterse en estos trotes?

—Más años tenía Pirandello cuando decidió escribir para el teatro.

—Pero Azorín no es Pirandello ni conseguirá nunca sus triunfos...

—¿Triunfos? ¿No sabe usted que al principio cada estreno de Pirandello fue una batalla?

—Concedido. Y ojalá hubiera sido una batalla *¡Brandy, mucho brandy!*

—Pues, ¿qué ha sido si no?

—Una grita.

—El público es siempre excesivo. A Azorín no le importa el público. Yo, por esta vez, me permito no tener en cuenta su opinión. Creo que él me lo aconsejaría.

—¡Y tanto! Pero el público, esta vez, tenía razón.

—No lo creo. Azorín es un gran escritor. Acuérdese usted de *Los pueblos*, de *Castilla*, de *Al margen de los clásicos*, de *Un pueblecito*, de *Don Juan*.

—Sí, todo eso será cierto. Lo malo es *¡Brandy, mucho brandy!* Peor que *Old Spain!*

—A mí *Old Spain!* no me parece mal. Los dos actos primeros...

—Ya va usted a salir con que la obra no está lograda. Con lo que a Azorín le molesta que digan eso...

—Yo no digo que no esté lograda.

—Pues podría usted decirlo. Y, si no, conteste: ¿lo estaba cuando se estrenó en San Sebastián?, entonces, ¿por qué la modificó para estrenarla en Oviedo?

—Porque creyó que en sentimental estaría mejor.

—Y no lo estuvo... ¿No sería porque el arreglo fuera desafortunado? Sin duda, pues luego, en Madrid, se modificó de nuevo. No era lo de Oviedo; tampoco lo de San Sebastián. ¿Cuándo estuvo lograda la obra?

—Hombre, los críticos...

—Los críticos no existen. Hoy, acaso, empiezan a existir, porque Azorín les llama a ustedes «queridos compañeros». Por lo menos, él...

¡Él es buen crítico y lo tiene probado hace tiempo! Su explicación de *¡Brandy, mucho brandy!* es de un crítico, aunque benévolo, como a él le gusta que sean los críticos: que prolonguen, con delicadeza y fantasía de artistas, la obra comentada...

—No, por Dios: que no prolonguen *¡Brandy, mucho brandy!*

—Creo que es usted demasiado severo. ¿No le parece que hay, por lo menos, una idea? Eso de la herencia condicionada, y de la obsesión de los herederos, al tener que contemplar a todas horas, en su comedor, el retrato del causante, bien desarrollado, puede ser una gran comedia, modernísima de concepto.

—Ya no está Azorín para modernismos.

—Usted se engaña: recuerde aquel admirable capítulo de la tolvanera en *Doña Inés*.

—Volvamos a nuestro «Brandy». Lo que Azorín llama «irrealidad patética», ¿se da o no se da en la nueva comedia? Si con lo de «patético» se pudiera hacer un chiste...

—No lo haga usted.

—Es que ese chiste sería la realidad misma.

—Peor que peor. Los chistes, o buenos, o no hacerlos. Mejor lo segundo.

—Pues Azorín hizo aquel de calcula y Calcuta, y otros por el estilo. No los defenderá usted...

—Si a Muñoz Seca se le permiten...

—¿También defenderá usted a Muñoz Seca? Para mí, lo malo de Azorín es que carga de razón a los que se contentan con ese teatro de retruécano.

—Las obras muy modernas nunca se han admitido sin dificultad.

—No irá usted a confundir *¡Brandy, mucho brandy!* con una obra muy moderna. No basta decir: quiero ser moderno. Ni tener de lo moderno un concepto como éste: lo moderno es malo; voy a ser moderno para que me aplaudan.

—Nada de eso es aplicable a Azorín.

—¿Cómo que no? Vea usted otro aspecto de la cuestión. Cuando vinieron los Pitoëff, a todos nos chocaron los juegos de luces que empleaban. ¿Cree usted que con suprimir la batería y poner focos laterales que cambien de color, a veces tarde y mal, se hace algo parecido a lo que hacían los Pitoëff?

—Los Pitoëff tampoco encajaban siempre bien las luces.

—Pero no estaban en su casa, y casi siempre las encajaban bien. Recuerde las obras de Andreief, de Romains... Como no basta suprimir la concha para dar la obra por sabida.

—A mí la supresión de la concha me parece bien. Esta compañía de Manuel París suele suprimirla.

—Pero si no se sabe las obras... En el caso más favorable se oye demasiado al transpunte, se ve el ejemplar que tiene en la mano. Eso pasaba ayer.

—De todas maneras, la obra de Azorín se sale de lo corriente. Él dice, por boca de uno de sus personajes, que «el círculo de lo mediocre sólo puede ser roto por un explosivo». *¡Brandy, mucho brandy!* es un explosivo.

—Tal vez; pero el explosivo lo primero que rompe es su propia envoltura... Tengo ganas de ver cómo se las arregla usted para decir algo bueno de la obra...

—Ya, de ningún modo. Es muy tarde. No tengo tiempo para escribir un artículo. ¡Me ha dado usted tanta conversación...!

Lectores amigos, la comedia de Azorín tiene algo muy bueno: el autor. Azorín es uno de nuestros más grandes escritores. Leed sus libros, aunque no veáis *¡Brandy, mucho brandy!*

Valía la pena, creo, la larga cita. En ella vemos a Díez Canedo repitiendo, una y otra vez, que «Azorín es un gran escritor» como argumento que oponer a la mediocridad de la obra estrenada. Pero tanto Díez Canedo como Azorín saben muy bien que teatro y literatura son manifestaciones distintas y, por tanto, que una mala obra dramática puede estar muy bien escrita. Que Díez Canedo lo sabe, es obvio, tanto si nos atenemos al conjunto de sus críticas como si nos limitamos a la simple lectura de la transcrita. Precisamente por tenerlo muy claro anda dividido su juicio entre el respeto que le merece el escritor Azorín y el desdén que siente por su comedia. El epiloguillo a la crítica —«leed sus libros, aunque no veais su obra»— es tan sincero que parece irónico.

En cuanto a que Azorín no era uno de esos escritores que se acercan al teatro sin saber que se trata de una expresión específica, me parece que está fuera de discusión. Al hablar en concreto de su teatro lo enfrentaremos con algunas de sus más claras ideas formuladas a cuenta de obras ajenas, para que se vea hasta qué punto Azorín fue, como teórico teatral, un hombre más lúcido que como dramaturgo. Quede aquí aclarado que Azorín, en tanto que observador teatral, jamás confundió la escena con la literatura; comentando *La máscara y el incensario*, de Gastón Baty, escribió[8]:

[8] «Contra el teatro literario», *ABC*, 21-4-1967, *Obras completas*, vol. IX, pág. 163.

Resumamos en dos palabras la doctrina de Baty. ¿Qué debe ser el teatro? Un conjunto armónico de diversos elementos. ¿Cómo se rompe o no se logra ese concierto? No se logra o se rompe siempre que uno de los elementos componentes del teatro, de la coherencia armónica teatral, predomina sobre los otros. ¿Y cuáles son los elementos del teatro? Son, entre otros, no aspiramos a citarlos todos, el texto de la obra, el gesto del actor, el decorado, la luz, la música —si hubiese—. ¿Ha citado usted el texto de la obra entre los elementos del teatro? Poco a poco. ¿Cómo puede ser éso? Pues el texto, ¿no es toda la obra? No, no, señor; el texto es sólo uno de los elementos.

Aunque Azorín, prosiguiendo su comentario, diga muy bien que muchos no han pensado igual y que el teatro, en diveros períodos de la historia, no ha sido propiamente teatro, espectáculo teatral, sino un género literario escenificado rutinariamente. Lo que nos sitúa no ya delante de un Azorín que no confunde el teatro con la literatura sino ante un crítico de esa confusión.

Así las cosas, ¿cómo entender el diálogo de Díez Canedo? Justamente, como una reafirmación de la radical diferencia expresiva. La idea de «un teatro de los escritores» se elude por completo en la crítica. No se recomienda que se vea una obra mediocre «porque es de un gran escritor»; se dice, mucho más ajustadamente, que se lean sus libros y que no se vean sus obras teatrales.

Otro tema de interés, muy ligado a lo que venimos abordando, se enhebra al diálogo solitario de Díez Canedo. Me refiero a las características del «espectáculo teatral», que, lejos de ser accesorias —según cuadraría a una concepción meramente «literaria» del teatro—, adquieren, en el concepto de Gaston Baty, asumido por Azorín, valor constitutivo. Por Díez Canedo sabemos que la obra se hizo mal, que se oía al transpunte y hasta se veía el ejemplar que llevaba en la mano; que las luces no se ajustaron a las previsiones del autor. Punto éste de la mediocridad escénica española —y el recuerdo de la gira de los Pitoëff ilustra nuestro eterno y justificado sentimiento de inferioridad— que gravitó profundamente sobre algunos del 98, empeñados, unos con mayor y otros con menor talento dramático, en proponer un tipo de teatro que le venía aparatosamente grande a un instrumento expresivo derivado de menesteres mucho más modestos y superficiales. No hay que darle demasiadas vueltas al tema. Desde el artículo de Larra dedicado a los cómicos, pasando por la tradición de nuestros conservatorios de declamación, hasta llegar al formulismo del meritoriaje, discurre una especie de barranco en el que sólo unos pocos no se precipitan. ¿Y cómo podría ser, por lo demás, de otra manera, visto el tono medio de las carteleras teatrales españolas de, pongamos, todo lo que va de siglo?

El teatro debe ser siempre contemplado como un todo. La estructura social, el tipo de público, la dinámica política, los temas que se proponen, la manera de tratarlos, las puestas en escena, el nivel de la actuación, la escenografía, los días de ensayo, el número de funciones a la semana, la censura... y hasta ese libreto del transpunte que pudieron ver los espectadores de *¡Brandy, mucho brandy!*, son datos profundamente relacionados entre sí. Y en un teatro donde, durante un cuarto de siglo, y a juicio del propio Azorín, los mejores autores nacionales son Jacinto Benavente y los hermanos Álvarez Quintero, es difícil que ese libreto no se vea.

En todo caso, y esto es lo que quería señalar, los hombres del 98 al querer «renovar» el teatro español se encontraron con una maquinaria expresiva reacia a esa renovación. Que, lógicamente, se convirtió en un serio obstáculo a sus propósitos. Algo de lo que Unamuno y Valle Inclán padecieron al respecto se ha dicho en otro lugar de este libro. Conviene aquí especificar que la posición de Azorín fue, en principio, más «escénica» que la de Valle Inclán o don Miguel. Azorín no «se refugió» en la literatura dramática; cuando se dirigió al lector, lo hizo a su manera; cuando quiso dirigirse a los espectadores, se esforzó en «entrar en el juego» teatral, buscando respuestas que le aclarasen sus reglas. Leyendo los artículos teatrales de Azorín se encuentran, en efecto, reiterados intentos de enumerar y ordenar las «leyes» de la obra dramática. A veces, incluso, como en el discurso pronunciado en la Real Academia, el 19 de abril de 1925, con ocasión del ingreso de Joaquín Álvarez Quintero, Azorín, tomando por modelo las comedias de los hermanos andaluces, elabora su «pequeño organon» de la técnica teatral, cuya síntesis es la siguiente:

> Los Quintero han ido desde sus primeras obras dominando la estructura de la comedia. Hay, aun en las obras de los más expertos autores, negligencias e incorrecciones de composición.

Unas veces quedan para el segundo acto restos de la exposición que se ha hecho en el primero; otras, se dan en la primera jornada noticias y datos que luego, en el curso de la obra, no tienen resultancia; y otras, la acción se detiene y encalma; el autor no sabe lo que hacer; desea ganar tiempo y ansía llegar al final del acto. Podríamos llamar al primero de estos vacíos «remanentes de la exposición»; al segundo, «falsas pistas», y al tercero, «remansos de la acción». Los novelistas que escriben obras dramáticas suelen ser quienes más se detienen en estos enfadosos remansos. Los remansos son tolerables en el primer acto, pesados en el segundo e insufribles en el tercero. En cuanto a las falsas pistas, el espectador, engañado por vagas indicaciones, atento a palabras incidentales pronunciadas por los personajes, imagina que va a ocurrir tal o cual cosa que luego no acontece. Un autor dramático —como un novelista— debe dominar su técnica.

Ciertamente, en otras muchas ocasiones, Azorín afronta el problema de las formas dramáticas en términos más ricos y vigentes. Ya hemos hablado del entusiasmo con que saluda el concepto de «espectáculo teatral» defendido por Gastón Baty. Igualmente cabría citar sus atinados juicios sobre la necesidad de que el estilo de cada escenografía se ajuste y pliegue a la unidad última de la representación[9]. O la importancia que concede al actor, acerca del cual escribe[10]:

> El actor, la iniciativa del actor —una vez terminada la obra por el autor— debe serlo todo. El actor es tan creador como el autor. El actor inventa tanto —con la presencia, con el traje, con la palabra, con el gesto, con la cara, con las manos, etc.— como el autor (...).
> No son precisas las acotaciones. En el diálogo debe estar contenido todo. Con el libro en la mano, el director de escena debe ir deduciéndolo todo: decorado, trajes, caracterización, etc. Y luego, el actor, estudiando bien el papel, debe también percatarse de todo.

O su exigencia sobre la actualización de los clásicos, sin temor a los anacronismos, siempre mejores que la quimérica

---

[9] «Decoraciones», *ABC*, 6-10-1927, *Obras completas*, vol. IX, pág. 124.
[10] «Las acotaciones teatrales», *ABC*, 12-1-1926, *Obras completas*, vol. IX, página 34 y ss.

repetición arqueológica[11]. O el valor decisivo que concede a la presencia del público para que pueda hablarse de hecho teatral[12]. O la apasionada defensa que hace de Tamayo y Baus y de sus afanes por crear un teatro que, «pulverizando la tradición», responda a las exigencias de su tiempo[13]:

> ¿Cómo no han de ser acogidas con entusiasmo por los que ansiamos la renovación del teatro las palabras de Tamayo? Tamayo decía, en resumen: «El ferrocarril, la navegación a vapor, la inquietud de la vida actual, lo colosal que ahora predomina, los descubrimientos que todos los días surgen, todo hace que la vida sea otra que anteriormente era. Y si la vida es otra, la tragedia debe ser otra.» Los partidarios de la renovación decimos y no nos cansamos de repetir: «El cinematógrafo, la radiodifusión, las exploraciones de lo subconsciente, la inquietud que ha producido la guerra, han cambiado las condiciones de la vida. Y si la sensibilidad es otra, el teatro debe también ser otro.»

O las certeras consideraciones sobre la rutina teatral española, caída la escena en una especie de naturalismo —ésto dicho por Azorín después de señalar muy certeramente el interés que, como corrector de extravagancias, tuvo tal ismo en su momento—, que coartaba por igual la imaginación de los escenógrafos, de los dramaturgos y de los espectadores[14]. O, muy sugestivamente, las comparaciones que establece entre el cine y el teatro, indicando que mientras en el primero se tiende a tomar en cuenta las realidades subjetivas y las objetivas —el subconsciente y la lógica—, en el teatro no se pasa por lo general del segundo de estos órdenes, es decir de la anécdota[15].

---

[11] «La Comedia clásica», *ABC.*, 12-1-26, *Obras completas*, vol. IX, página 34 y ss.

[12] Sobre las relaciones sala-escenario son curiosos los trabajos «De las candilejas» y «Sassone y las candilejas», publicados en *ABC*, respectivamente, el 15-9-27 y el 6-10-27, *Obras completas*, vol. IX, pág. 116 y ss. O el artículo de 1907, «El Teatro» (Ver *La Farándula*, ed. Librería General de Zaragoza, 1945, págs. 87-90).

[13] «Siguiendo a Tamayo: lógica», *ABC*, 31 de octubre de 1929, *Obras completas*, vol. IX, pág. 63.

[14] «El superrealismo es un hecho evidente», *ABC*, 7-4-1927, *Obras completas*, vol. IX, pág. 101.

[15] «El cine y el teatro», *ABC*, 26-5-1927, *Obras completas*, vol. IX, pág. 105 y siguientes.

Muchas y agudas observaciones son las que ha hecho Azorín acerca del teatro. Y pienso —a la vista de su entusiasmo por Baty o como celebra la solución dada por Pitoëff al montaje de *Los fracasados*, de Lenormand, resolviendo la multiplicidad de escenarios a través de un recurso que recuerda al que debió de emplearse en su día para representar a nuestros clásicos[16]— que si la «cultura teatral», es decir la no limitada al conocimiento de la literatura dramática, hubiera tenido en nuestro país el razonable nivel, hombres como Azorín se habrían proyectado de manera más intensa sobre la escena. Pero el hecho está ahí. Azorín, como Unamuno, tan al día a la hora de opinar sobre los movimientos literarios —incluida la literatura dramática—, son casi unos analfabetos respecto de los movimientos teatrales. Pensemos que en las tres últimas décadas —el estreno de *La gaviota*, por el Teatro de Arte de Moscú, bajo la dirección de Stanislawsky, es de 1898— son muchas las cosas que han sucedido en los escenarios europeos. De eso, sin embargo —privados de las ventajas del libro, y en un mundo bastante menos viajero que el actual—, no se habla nunca entre nosotros. Unamuno llegó a confundir el mostrenco medio teatral español de su tiempo con las posibilidades creadoras de la escena. Azorín, que vio mucho más teatro que don Miguel y era un espíritu más moderno, no cayó en ese error. Se le advierte en muchos artículos, oteando, olfateando un nuevo «espectáculo teatral», en el que la nueva época se exprese. Su defensa del superrealismo —que no es exactamente el surrealismo, aunque cite el manifiesto de Breton— responde a esa necesidad[17]:

> Una aspiración vaga —vaga al principio— se ha ido formando; se experimenta el cansancio de lo ya visto, sabido y gustado; se siente necesidad de otra cosa. Poco a poco la aspiración se va concretando; ya surgen obras contradictorias, informes, caóticas; la idea va marchando; a unas obras de carácter tímido suceden otras más audaces, intrépidas. Ya el ambiente ha acabado por condensarse. La nueva estética está formada. ¿Quién ha contribuido a formarla? ¿Los teorizantes, los eruditos? Todos, la sociedad en masa.

---

[16] «La renovación teatral», *ABC*, 6-8-1926, *Obras completas*, vol. IX, pág. 87 y siguientes.

[17] «El superrealismo es un hecho evidente», *ABC*, 7-4-27, *Obras completas*, vol. IX, pág. 101 y ss.

Sin embargo, pese a la gran curiosidad de Azorín, los nombres de los directores de escena fundamentales no aparecen en sus artículos. Ya hemos dicho que a Gastón Baty le dedica dos artículos. Pero a Pitoëff lo cita, sin nombrarlo, como «un cómico ruso que en París representa en francés»[18], circunloquio que, sin duda, nunca hubiera aplicado a propósito de un escritor. Y de los Stanislawsky, Meyerhold, Vatchangov, no hay el menor rastro, aunque no falten las alusiones al interés del teatro ruso de la tercera década; tampoco, naturalmente, aparecen nombres como los de Piscator o Gordon Craig...

¿Y no eran esos, entre otros, los hombres que, cada uno a su manera, y desde su circunstancia concreta, estaban intentando hacer, en colaboración con los autores, un teatro para su época? ¿No nacían sus planteamientos de esa «sociedad en masa» a que aludía Azorín, con la consiguiente remodelación de los distintos elementos que conforman el hecho teatral?

Para los que se asustan creyendo que el estudio de lo que sucede en el teatro de otros países puede «despersonalizar» nuestra escena, la lectura de los artículos teatrales de Azorín debiera servir de correctivo inapelable. Llega incluso a emocionar el ver a nuestro escritor, lector infatigable, buscando, tanteando, con genio autodidacta, las formas de un teatro de su tiempo. Hablar de otra literatura dramática no era suficiente; era otro concepto del «espectáculo teatral» lo que se imponía...

¿Cómo no entender desde esta perspectiva, frente al modo español de hacer comedias, su entusiasmo por el cine, su descubrimiento de ese nuevo y evolutivo lenguaje?

Lo paradójico es que en Azorín, como teórico teatral, anda siempre por medio una curiosa dualidad. Quizá sea la misma que le llevó del anarquismo a diputado de La Cierva; del conservadurismo a la defensa de la República; de su «socialismo cordial» a las apologías derechistas. La misma dualidad reflejada en los versos que le dedicó Antonio Machado, en las descripciones que de él hizo Baroja, en las referencias de tantos escritores de su tiempo, que lo presentan como una mezcla de frialdad y de fiebre, de ensoñación y de cálculo.

La dualidad se refleja, por lo que a sus artículos teatrales se refiere, entre quien defiende el superrealismo, condena la

<hr>

[18] «La renovación teatral», artículo citado, pág. 89 de las *Obras completas*.

rutina del teatro anecdótico, canta la evolución y, casi a la vez, en tono cortés, decididamente trivial, piropea la carpintería teatral de los Quintero. ¿No eran acaso los dos hermanos sevillanos los mejores representantes del teatro «que se hacía en España» y Azorín quería arrumbar con el superrealismo?

* * *

Todavía otro tema en el diálogo que Díez Canedo dedicó a ¡Brandy, mucho brandy!: el choque entre Azorín y los críticos de su tiempo. No vale la pena extenderse demasiado en este punto, sobre el que existen una serie de artículos de circunstancias. Al margen de estos artículos directos, Azorín reprendió indirectamente en varias ocasiones a quienes habían rechazado sus comedias. A veces, contaba que alguien se había escandalizado en París viendo una obra zafia que luego, por el argumento, descubríamos que era de Molière. Otras, citaba a Plauto o a Aristófanes como gentes vituperadas por el «buen gusto» de muchos siglos. Pedía a sus críticos no tanto benevolencia como humildad, no fuera a resultar que el crítico, creyendo defender el arte, defendiese los gustos «establecidos» —y, por tanto, los valores tradicionales—, atacando a quien llegaba con el buen propósito de «desorientar» al público. ¿Por qué no es ésta, la de señalar un nuevo oriente, la de orientar el teatro según la «nueva sensibilidad», la misión de los verdaderos artistas?[19]

En el diálogo de Díez Canedo hay una amplia referencia a esta polémica entre Azorín y sus críticos. Su más importante, y para Azorín nada airosa, manifestación se produjo con ocasión del estreno de El clamor, firmada por nuestro autor en colaboración con Muñoz Seca. Se había anticipado que, en la comedia, los periodistas, y en especial los críticos teatrales, eran puestos a los pies de los caballos. Se armó el consiguiente escándalo. Y la obra se estrenó con el resultado que refleja la crítica de Díez Canedo, y que copiamos íntegra, tanto para documentar el incidente como para despachar la referencia a una obra en la que, probablemente, Azorín tendría una participación muy escasa. La crítica se publicó en El Sol, el 3 de mayo de 1928, y dice así:

---

[19] «Desorientación», ABC, 27-10-1927, Obras completas, vol. IX, pág. 127 y siguientes.

He de conservar entre mis papeles el programa del estreno de anoche. Día llegará en que parezca inverosímil este acontecimiento, presenciado por muchas personas, llenas de curiosidad.

Azorín es siempre el mismo. Los pronósticos, ecos y rumores tejidos en torno a *El clamor* anunciaban una comedia que podía ser réplica modernizada de aquel *Charivari*[20] de los comienzos, cuyos raros ejemplares fue recogiendo más tarde el autor con gesto pudoroso. No era eso, no. Los lectores de Azorín recuerdan, sin duda, entre las admirables páginas del maestro, los artículos de *El Romeral*[21]. Azorín, periodista, fingió que se había entrevistado con un político de los de punta, y lanzó, una tras otra, opiniones eutrapélicas (así las denominaba él; uno de los personajes de *El clamor* hubiera traducido inmediatamente: en broma) que todo el mundo consideró, al pronto, auténticas y genuinas.

Una broma de este género ha gastado ahora Azorín al público —a un público que no es el suyo, ¡y bien lo ha probado!— haciéndole creer que había escrito, en colaboración con el señor Muñoz Seca, la farsa titulada *El clamor*. Descorramos ya el velo y resplandezca al fin la verdad, sospechada por bastantes espectadores a medida que iban oyendo los chistes —el primero que se aplaudió no era muy decoroso— y avanzando en el desarrollo de los tres mortales actos. El verdadero colaborador del señor Muñoz Seca, aunque el maestro Azorín llevó la broma hasta el extremo de salir al proscenio con el autor de *La raya negra* en los dos primeros actos, un par de veces en cada uno, no era, como se anunciaba, el señor Martínez Ruiz: era el señor Pérez Fernández.

Yo me acojo con entusiasmo a esta versión, sin acatar la de los admiradores del señor Muñoz Seca, que, tomando al pie de la letra el cartel, mostraban enfado porque su escritor favorito había echado a perder una obra admitiendo la colaboración de Azorín.

Por lo que va dicho se puede colegir que hay diferentes versiones tocantes a la confección de la farsa. Pues todavía hay quien sostiene que, de la farsa misma, hay también diferentes versiones; que la representada anoche es lo que ha quedado de una sátira del periodismo, trazada con mucha vivacidad, y reducida después poco más que a sus ruinas. Tampoco esto

---

[20] Libro formado por una serie de artículos de fuerte carga crítica y polémica, publicado en 1897.

[21] Artículos de *La Andalucía trágica*, incorporados luego a *Los pueblos*. El político «de los de punta» a que alude Díez Canedo es Romero Robledo. Ver pág. 267 y ss. del citado *Azorín*, de José M.ª Valverde.

lo he de creer. Los señores Muñoz Seca y Pérez Fernández, y por supuesto el maestro Azorín, saben ver claro lo que se proponen; luego, si no lo hacen, es que no lo quisieron hacer. Lo contrario podría calificarse de torpeza o de cobardía; y ambas cosas, tratándose de quien se trata, son totalmente inadmisibles.

No queda otra solución que la de tomar la farsa tal como es y lamentar la pobreza de recursos, lo manido de los personajes y de los trances en que se hallan, la pesadez del desarrollo y ciertas vivezas de frase; fijándose en algunas se advierte que Azorín no puede ser su autor, no puede haberlas consentido siquiera. Una alusión a los intelectuales, así, en general —aplaudida por unos cuantos irresponsables—, no puede haberla escrito Azorín, intelectual si los hay.

Por lo demás, la sátira contra el periodismo es harto benigna. Uno de los periodistas es tan bueno, que, aun despedido del periódico, habla bien del patrón, y al cabo hiere gravemente al espadachín asalariado y se casa con la elegida de su corazón, hija del dueño de *El clamor*, diario moribundo, que revive y prospera gracias a la ficción de un secuestro a que se presta el propietario en persona.

Hay, por lo tanto, en la farsa un periodista bueno, algunos regulares y otros malos, venales inclusive. Ninguna profesión está libre de gente maleante; pero no se puede confundir a esa gente con la honrada, que tampoco falta en ninguna profesión. A un pillo no se le llama más que pillo. Y tan vituperable es el que por un puñado de calderilla vende un elogio como el que prostituye su ingenio y su habilidad para aumentar sus pingües ganancias.

La sátira ha sido, desde muy antiguo, género literario. La del periodismo nadie puede hacerla mejor que los periodistas, y los autores de *El clamor* no lo han sido nunca. Basta ver como pintan una redacción en el acto primero antes de que su farsa se convierta en el ordinario juguete cómico, para reconocerlo así.

Los actores de la comedia tienen escaso lucimiento en los tres actos de *El clamor*. Un actor como Zorrilla, agazapado casi un acto entero debajo de unas tablas, tras unas percalinas, da lástima. Bien caracterizados los dos tipos de Azaña, poco más se puede aplaudir. Y poco se aplaudió para los deseos que algunos tenían. El acto tercero fue un fracaso absoluto. Parecía que el público se esforzaba por confirmar uno de los chistes de la obra, el que dice «Al final, todos eran protestantes».

No está muy claro hasta donde Díez Canedo habla con sinceridad o con ironía al excluir a Azorín de la comedia. El crítico asegura que los autores de *El clamor* no han sido nunca periodistas —Azorín lo era, con breves interrupciones, desde su época de estudiante de derecho en la Universidad de Valencia— y que la obra contiene frases e ideas que no corresponden a la personalidad del «maestro».

Una conclusión general podemos sacar del incidente. Ante todo, aceptar el hecho de que la crítica teatral, como parte del aparato ideológico de «lo establecido», ataque consecuentemente las propuestas renovadoras de cierta profundidad. Eso es justamente lo que define a lo reaccionario y no hay razón alguna para pensar que los críticos teatrales están disociados de los mecanismos que los seleccionan para ese puesto. Frente a esta consideración global, habría que formular hasta tres precisiones: una, que también las fuerzas sociales progresivas, dentro de sus vías de expresión, intentan potenciar una crítica teatral acorde con sus ideas; otra, que si hay autores «renovadores» que se rebelan ante las exigencias del público, en su gran mayoría conservador, también entre los críticos teóricamente comprometidos con los intereses de ese sector existe, por el caracter intelectual de su trabajo, un margen de irrefrenable independencia; y tercera y última, que no basta «atacar lo establecido» para ser renovador. ¿Qué importa lo que se dijera de la prensa en aquel juguete cómico de Muñoz Seca y Azorín, o de Muñoz Seca y Pérez Fernández, o de Muñoz Seca sólo? A veces, el poder y la oposición se necesitan y se complementan.

Un análisis de los juicios de Azorín sobre obras y autores dramáticos sería extenso y complicado. Tendríamos, por ejemplo, que abordar sus incontables comentarios de nuestros clásicos, entre los que Tirso, por más inmediato a lo real, le parece en una época superior a Lope y Calderón[22]. Y, también, que considerar los cambios de opinión, los nuevos matices que emplea para hablar de quienes ya había juzgado, ligados no tanto a lo que pudiéramos calificar de madurez y serenidad del escritor, como a la distinta posición adoptada frente a la vida nacional.

No obstante, y para contrastarlos luego con su obra de dramaturgo, conviene, teniendo en cuenta la fecha en que

---

[22] Su vieja preferencia por Tirso aparece aún en noviembre del 41, en una entrevista de *Santo y Seña:* «Tirso de Molina me habla de cosas reales, cotidianas, humanas. Lope de Vega no ve sino las formas, y esta abstracción culmina en Calderón. Resbala la vida sobre Lope como agua sobre hule; recoge Tirso todas las palpitaciones entrañables que la vida tiene.»

fueron emitidos, oponer algunos juicios de Azorín sobre los autores españoles de su tiempo. Ello nos ayudará, además, a mejor entender las características y el proceso de nuestro personaje:

A)   *Sobre «Teresa», de Clarín*

La tesis de la obra es conservadora. Teresa, la esposa de un obrero borracho, a pesar de ser amada por un «señorito», a quien ella también quiere, permanecerá fiel a su marido. Sobre su comportamiento, Azorín dirá[23]:

> No es señal de estos tiempos la resignación cristiana, ni es el Cristianismo de hoy el mismo de hace mil años.

Sin embargo, años más tarde[24], escribe:

> La mujer, buena, generosa, arriba a la conformidad por su alto y exquisito sentido del deber.

B)   *Sobre Echegaray*

Sabida es la activa posición de Azorín contra la concesión del Premio Nobel a Echegaray. La cosa, aunque suene a inoportuna virulencia y falta de elegancia, resulta completamente lógica si nos atenemos a la posición terminante que, con anterioridad a 1904, había adoptado Azorín frente al dramaturgo.

De 1895, publicada en *El Pueblo*, periódico valenciano que dirigía Vicente Blasco Ibáñez, es una crítica en la que se lee:

> El teatro de Echegaray es un teatro ilógico, deforme. Sus personajes parecen figuras de cartón que se mueven con movimientos extraños y gesticulan violentamente. Falta en ellos naturalidad, hablan sin reflexionar, obran como niños. Si meditaran un poco, todos sus conflictos desaparecerían.

Pese a lo cual, en abril del 17, ahora en *ABC*, dirá[25]:

---

[23] y [24] De la citada obra *Azorín*, de José María Valverde, págs. 42 y 43.
[25] Ver *Anarquistas literarios*, *Obras completas*, I, 186.

No necesitamos recordar lo que ha sido el teatro de Echegaray. Comenzó siendo un teatro realista; se protestó contra él, andando el tiempo, por supuesta carencia de realismo y de verdad. Hoy vemos las cosas más serenamente. El teatro de Echegaray —hecho por Calvo y Vico— era un teatro vigoroso, inspirado, adusto. A semejanza de lo que ocurría en obras maestras del siglo XVII *(La vida es sueño,* por ejemplo), se planteaban en la dramaturgia problemas espirituales de altísimo interés, que hacían pensar y sentir a los espectadores. Aludimos a *O locura y santidad* y a otras obras que, representadas maravillosamente por Vico, daban una impresión suprema de arte.

C) *De la* Electra *de Galdós al teatro de Benavente*

El joven Martínez Ruiz había sido, desde que empezó a escribir en los periódicos, un entusiasta de Galdós. Le impresionaba la capacidad crítica, el caracter revulsivo de la dramaturgia de don Benito. Este entusiasmo encontró en el sonado estreno de *Electra* —por muchos años, casi una bandera del liberalismo español—, exactamente el 30 de enero de 1901, ocasión inigualable de manifestarse. En un breve trabajo titulado «Impresiones recogidas durante la representación» —en el que participaban otros nombres, además del de Martínez Ruiz [26]—, nuestro escritor afirmará:

> Yo contemplo en esta divina *Electra* el símbolo de la España rediviva y moderna. Ved cómo poco a poco la vieja patria retorna de su ensueño místico y va abriéndose a las grandes iniciativas del trabajo y la ciencia, y ved cómo poco a poco va del convento a la fábrica y del altar al yunque. Saludemos a la nueva religión, Galdós es su profeta; el estruendo de los talleres, sus himnos; las llamaradas de sus forjas, sus luminarias.

Pasemos por alto el estilo retórico del texto. Se trata de unas impresiones «en caliente» y el mismo Azorín se encargó, a los pocos días, de suavizar los términos del elogio. En todo caso, la posición del aún Martínez Ruiz es inequívoca, como lo son los elementos ideológicos que intervienen en su crítica.

Del 26, y publicado en *ABC,* es un juicio sobre Benavente. Para esas fechas ya Lope está por encima de Tirso en la esti-

---

[26] *El País,* 31-1-1901.

mación de Azorín. Y Benavente, por las razones que se dirán, es el más grande dramaturgo español después de Lope. El párrafo arranca con una alusión a Musset[27]:

> El sistema alado, sutil, rápido, disperso de Musset es el sistema de Lope. De Lope y de otro autor que es en España, el dramaturgo más grande, después de Lope; aludo a Benavente. Y si Lope ha ejercido en su tiempo, y después, una misteriosa influencia, la influencia de Benavente en autores, en actores y en público no ha sido menor. Todavía está demasiado cerca de nosotros el teatro de Benavente para que podamos ver su inmensa trascendencia. Pero ya la comparación con Lope se impone. Y la nueva tendencia del teatro actual, en Francia, viene a dar a Benavente una vislumbre de renovación, un impulso de fuerza nueva, en que no se pensaba.

D) *De la justicia social a la bondad*

En noviembre del 97, en el periódico *El progreso*, publica un comentario dedicado a *Juan José*, de Dicenta. Tras declararla la mejor obra teatral estrenada en la temporada anterior, Azorín reproduce algunos juicios que formaron parte de una de sus crónicas para un periódico francés[28]:

> Difícilmente se encontrará en castellano drama que supere a *Juan José* en pasión, en vitalidad, en humanismo (...) El protagonista es el símbolo, la encarnación de las aspiraciones justísimas de todo un pueblo; más, de toda una clase que sufre la esclavitud del patrono; que produce y muere de miseria; que trabaja para que otros no trabajen (...) Juan José no pide limosna; roba.
>
> Ahí está todo el derecho del proletariado. No se predique la caridad; predíquese la justicia. Caridad es concesión que hace el rico de algo que es del pobre; la caridad da por bueno el régimen económico existente, legitima la propiedad.

Para Azorín, la «función social» del teatro es algo evidente. Pasaron los tiempos en que el teatro era la diversión de minorías incomunicadas entre sí. Las nuevas circunstancias sociales han

---

[27] «La renovación teatral», *ABC*, 6-8-26, *Obras completas*, vol. IX, pág. 90.
[28] *El progreso*, 10-11-97.

creado el nacimiento de la «opinión pública» y el teatro, a la vez, incide y forma parte de ella. Por eso, escribir sin otra preocupación que la estética se revela poco menos que estúpido[29]:

> ¡Los estetas! Ni siquiera saben esos pobres locos lo que piden (...) ¿Qué concepto tienen formado de la humanidad? ¿Qué remedio oponen al «dolor universal»?
> La literatura, el arte fecundo y hermoso, no es el conceptismo de los Góngora y Marini del día; no es el refinamiento obsceno de un D'Annunzio o de un Baudelaire; el arte es claridad, transparencia, sencillez, lógica.

Un cuarto de siglo después, en la ya citada intervención de Azorín con motivo del ingreso en la Academia de Joaquín Álvarez Quintero, nuestro escritor dirá:

> Los hermanos Álvarez Quintero han traído al arte dramático —y ésta es su originalidad— un perfecto equilibrio entre el sentimiento individual y el sentimiento colectivo, entre la persona y la sociedad.

¿Y cómo se alcanza ese equilibrio que tanto preocupaba a Azorín cuando tuvo que juzgar *Electra* o *Juan José*? ¿En qué ha quedado su condena de la «caridad» como solución falsa, entre invocaciones de las doctrinas de los Padres de la Iglesia? Sigamos con el discurso académico de Azorín y leeremos:

> Continuamente, a lo largo del teatro de los dos hermanos, los autores parecen preguntarse: ¿Es el individuo quien tiene razón? ¿Es la sociedad? Y los dramaturgos se aplican a la observación de la realidad ambiente; la estudian de cerca; menudean, escrupulosos y precisos, sus pinceladas; describen con minuciosidad tipos de hombres y de mujeres. Y en definitiva, en esa duda perpetua, en su vacilación entre la sociedad y el individuo, acaban por ser un poco escépticos, dulcemente escépticos, escépticos con emoción y con bondad.

El escepticismo ha dejado de ser obsceno, puede, incluso, ser bondadoso. El anarquismo pequeño burgués ha cubierto su ciclo.

---

[29] *El progreso*, febrero del 97.

Más, muchas más citas de este tipo podríamos traer aquí para reflejar la evolución de Azorín. Su misma posición ante los clásicos, según apuntábamos, es reveladora. Defiende primero a Tirso porque habla de lo inmediato, dentro de sus general repulsa de nuestro teatro del Siglo de Oro, que considera ajeno a la verdad histórica[30]

> Una literatura en que no se ve el reflejo de los intereses materiales —es decir, de la materia; es decir, de la realidad; es decir, de la vida cotidiana y corriente— es una literatura sin apoyo ninguno en el mundo, sin base sólida de verdad y observación; una literatura fantaseadora, artificiosa, deleznable.

Para acabar, en el año 24, y también en *ABC*[31], exaltando la ideología de *El Gran Teatro del Mundo*, de Calderón, expresión máxima, según ha vuelto a explicar recientemente el profesor Domingo Ynduráin[32], de aquello que antaño atacó Azorín tan duramente.

Como es lógico, paralelamente a estos juicios teatrales, existen otros de carácter social o político en perfecta consonancia. Podríamos —siguiendo el itinerario establecido por Valverde— haber transcrito algunos de ellos para que se viera la evolución de Azorín. Pero nos ha parecido que siendo el nuestro un comentario de su obra dramática, era mejor acogernos a un pequeño muestrario de sus juicios teatrales. Con ello no sólo reflejábamos la evolución del escritor en este terreno específico, sino, cosa muy importante, dejábamos clara la conexión existente entre sus ideas estéticas y el curso de su pensamiento político.

Habría aún que añadir otra cosa para que la breve confrontación de algunas ideas teatrales de Azorín —es obvio que podrían establecerse muchas más, con resultados afines a los propuestos— no fuera mal interpretada. Y es que en ningún momento se ha hecho para censurar sistemáticamente al escritor, como si el cambio de opinión fuera una cosa recusable. Importaba, como único objetivo, precisar el sentido de ese

---

[30] *Obras completas*, vol. II, pág. 1102.

[31] «Los seis personajes y el autor», *ABC*, 23 de mayo de 1924, *Obras completas*, vol. IX, pág. 38 y ss.

[32] *El Gran Teatro del Mundo*, edición y estudio de Domingo Ynduráin, Madrid, ed. Istmo, 1974.

cambio, para poder situar las obras dramáticas de Azorín dentro de un período específico del autor y entender mejor algunas de sus fundamentales limitaciones.

***

Conviene, antes de entrar en la contemplación concreta del teatro azoriniano, dejar constancia de un punto que no debe soslayarse en este trabajo. Me refiero al talante un tanto reformista que Azorín adopta ante el curso del teatro español. El rasgo ya sabemos que corresponde a buena parte de los intelectuales de la época y a un nuevo modo de encarar la realidad española. El mismo Unamuno, tan poco amigo de andar entre cómicos, escribió *La regeneración del teatro español*. Azorín, sin haber dejado ningún trabajo tan sistemático, se planteó a menudo los males de la escena española, formulando observaciones que, en bastantes casos, aún conservan su vigencia. Se opuso, por ejemplo, a la función de tarde y noche[33], tuvo algún que otro incidente con actores cuyo comportamiento profesional le pareció poco serio, subrayó que si bien el teatro español estaba sometido a una serie de gravámenes inoportunos, la crisis no desaparecería por el simple hecho de eliminarlos. En el artículo titulado «De la crisis teatral» escribe:

> Y así estamos y así persistiremos indefinidamente. Las compañías pasan de un teatro aristocrático a uno popular. Todos los actores desean ser directores de compañía; la forman todos en cuanto al público los distingue un poco. En todos los teatros se estrena el mismo género de obras. Las funciones son por la tarde y por la noche. Ya la función de tarde es diaria e inevitable. A la uniformidad aterradora —de un tedio abrumador— a que han llegado todos los teatros, todos los actores y todos los autores se une este exceso terrible de trabajo que pesa sobre los comediantes, y que hace que éstos, inevitablemente, realicen una labor floja, desvaída y sin relieve y sin entusiasmo.
>
> ¿Le place el cuadro al lector? ¿Podrá remediarse esta situación con el aligeramiento de los tributos que pesan sobre el teatro y con otras medidas análogas?

Punto acaso clave en las relaciones entre Azorín y la organización de la vida teatral española sea su oposición, como diputado, en las sesiones de finales del 8 y comienzos del 9,

---

[33] «De la crisis teatral», *ABC*, 23-6-25, *Obras completas*, vol. IX, pág. 80.

a la creación de un Teatro Nacional. Con el paso de los años, de aquellos debates quedó la memoria de la resistencia de Azorín a una iniciativa que cuantos defienden la «función social» del teatro consideraron positiva. Quizá fuera eso lo que movió al escritor, en 1927, a rememorar el viejo incidente[34].

Recordando sus intervenciones parlamentarias, Azorín insiste en tres extremos claves de su postura: 1) Que si el teatro cumple una función social, más la cumple la enseñanza primaria, cuyo estado debía considerarse lastimoso por la penuria de su presupuesto. 2) Que si se quiere proteger el teatro, debe hacerse con una política general en lugar de sostener el Estado una sola sala. 3) Que tal Teatro Nacional correría el peligro de verse sometido a un control burocrático, del todo contrario a su buena marcha.

> No es precisamente un Teatro Nacional lo que hay que hacer, con miras a la influencia espiritual en la propia España, con propósito de influir también notablemente en América; no se debe tratar de la fundación de un teatro del Estado, sino del mejoramiento de todo el teatro español, de la protección del teatro español en general, de hacer, por parte del Estado, que el teatro se desenvuelva en tales condiciones —libre de ciertos tributos agobiadores, por ejemplo— que pueda alcanzar, en España y fuera de España, una inmensa y benefactora área de influencia.

Las experiencias posteriores a nuestra última guerra civil, cuando, aparte del inestable Nacional de Cámara y Ensayo, tenemos varios teatros nacionales (cuatro en Madrid, uno en Barcelona, otro en Valencia...), y no han desaparecido los «tributos agobiadores», ni tampoco existe una política teatral coherente, continuada y estimulante, prueba que las dudas de Azorín no eran tan descabelladas. El Teatro Nacional, de no encuadrarse dentro de una política general ante la cultura, puede convertirse en la coartada o en la ostentación de un régimen político.

En todo caso, en Azorín el «espíritu reformista» va más allá de sus peticiones concretas. Antes citábamos algunas de sus demandas en torno a la estética del espectáculo. Y, ¿cómo crear el

---

[34] «El Teatro Nacional», *ABC*, 11-6-27, *Obras completas*, vol. IX, pág. 109 y siguientes.

espectáculo teatral? ¿Cómo acabar con la simple literatura representada para hacer un verdadero teatro? Los atisbos de Azorín son, a veces, sorprendentes. Pero se quedan en eso, en atisbos. Primero, porque, como decíamos antes, carece de una cultura escénica en que apoyarse; segundo, porque el teatro español sigue siendo eminentemente literario, y, tercero, porque Azorín es un hombre incapaz del pensamiento rectilíneo, y, puede, para su desgracia, admirar por igual a Lenormand y a los Quintero.

Cuanto conquista con su curiosidad lo pierde con su escepticismo. ¿No estará ahí la clave de la mediocridad del teatro azoriniano?

***

Dada la fluctuante personalidad de Azorín, conviene tener en cuenta en qué época escribió su teatro. Salvando una tragicomedia juvenil, *La fuerza del amor*, nunca representada y sólo citada al paso por los estudiosos, puede decirse que la primera obra teatral de Azorín es *Old Spain!*, estrenada en 1926, con «mediano éxito», según Díez Canedo [35]. De 1927 es *¡Brandy, mucho Brandy!*, estrenada según el mismo Díez Canedo,

> en medio de una polémica con los críticos, a su modo de ver (el de Azorín) contrarios a toda novedad, y caída ruidosamente en la tarde de su estreno.

Del 27 son también su trilogía *Lo invisible* y *Comedia del Arte*, que, a mi juicio, cierran el breve, pero intenso «período autoral» del dramaturgo Azorín. En el 30 y 31 escribe, respectivamente, *Angelita*, representada en Monóvar, su pueblo, por un grupo de aficionados, y *Cervantes o La casa encantada*, nunca montada hasta la fecha. Del 36 es *La guerrilla*, que estrena en el Benavente, exactamente el 11 de enero, la compañía de Milagros Leal y Salvador Soler Mari, sin que —y ahora recojo el testimonio de José María Valverde [36]—, «a pesar de la buena acogida de público y crítica, la obra (publicada en el número 442, del 7 de marzo del 36, de *La Farsa*) estuviera más de dos días en cartel». Del 42 es su último intento teatral, *Farsa docente*, es-

---

[35] «Elementos de renovación teatral», *ob. cit.*, vol. I, pág. 53.
[36] *Azorín*, de José María Valverde, *ob. cit.* pág. 388.

trenada en Burgos, en abril, sobre la que Valverde resume el siguiente juicio[37]:

> Fábula simbólica, a ratos levemente cómica, muy bien construida, sobre unos muertos que vuelven a la vida para ejercer otros trabajos de los que tuvieron.

Obra, pues, sepultada en aquel año 42, cuando ni la vida ni la escena españolas —en el marco de la Guerra Mundial— permitían al teatro la menor profundidad, la menor discrepancia.

Escribe, por tanto, Azorín *Old Spain!* a los 53 años, en plena Dictadura de Primo de Rivera, que continúa el año siguiente, el 27, en el que Azorín concluye sus tres títulos fundamentales: *¡Brandy, mucho Brandy!*, *Lo invisible* y *Comedia del Arte*.

¿Y cuál es la posición de Azorín ante la Dictadura? Según se ha caracterizado durante los últimos tiempos, zigzagueante. Artículos hay a favor del Dictador, directa o indirectamente; y artículos hay en contra, generalmente publicados, por razones de censura y de cautela, en *La Prensa*, de Buenos Aires. No olvidemos que, en los años 26 y 27, en que ahora nos encontramos, Azorín ha sido ya varias veces diputado conservador y ha correspondido al apoyo de La Cierva —Azorín incluso ha sido elegido por pueblos que no lo conocen en absoluto ni él ha visitado jamás— con disciplinados artículos. Pero también lleva tras de sí cierta imagen de intelectual independiente —«¡Admirable Azorín, el reaccionario/por el asco de la greña jacobina!», había escrito, con cierta desesperación, su amigo Antonio Machado— que, por ejemplo, le obliga a solidarizarse con el exiliado Miguel de Unamuno y a condenar la política cultural de la Dictadura. Elijamos algunas de las opiniones formuladas por Azorín en ese período; en un artículo aparecido en *La Prensa* el 23 de marzo[38] y titulado *El destierro de Unamuno*, decía:

> Un gobierno fuerte, un gobierno dictatorial, puede hacerlo todo (...): la *Gaceta* estará a su disposición para emitir órdenes y decretos; la fuerza pública se hallará a sus órdenes para eje-

---

[37] *Azorín*, de José María Valverde, *ob. cit.* pág. 399.

[38] Los cuatro textos sobre la Dictadura, citados en *Azorín*, de José María Valverde, págs. 342 a 345.

228

cutar complaciente y silenciosamente sus menores deseos. (...)
Sin embargo, el cuadro de bienandanzas no será completo. En
alguna parte habrá una llamita fosfórica, un titileo luminoso,
una lumbrecita perenne que no obedece a la voluntad omnímoda.
Esa llamita fosfórica, eterna, titubeante, pero siempre vivaz,
es la inteligencia. Y el Dictador luchará, forcejeará, se esforzará
por aprisionar esa llamita; sus esfuerzos serán inútiles.

Parece claro ¿no? Pues, no. Porque después, en la misma
publicación, afirmará:

> Un puñado de militares patriotas hicieron bien el 13 de
> septiembre de 1923 derribando un régimen político detestado
> y corrupto. No volverán ya a gobernar en España las personas
> exoneradas...

Entonces, ¿está a favor de la Dictadura? Tampoco, porque,

> ...La selección al revés, la selección de lo mediocre, se ha
> efectuado en los senadores vitalicios como en las listas ministe-
> riales. Y ello ha hecho —y ésta es la consecuencia más triste
> y fatal— que todo lo que más vale y representa en la vida de
> España, que todo lo vital y fecundo de España, esté a la hora
> presente desviado del Estado.

Aunque, a fin de cuentas, la Dictadura tenga a su favor
el haber liquidado los viejos partidos políticos:

> España no podrá caminar ahora, si no son destruidos, perse-
> verante e implacablemente, los actuales partidos que se oponen
> al engrandecimiento de la Patria.

Creo que estas vacilaciones de Azorín, en el umbral mismo
de su creación dramática, merecen tomarse como un signo revelador. Precisamente, en noviembre del 27, se celebra un
homenaje a Azorín, al que se adhiere Francisco Grandmontagne
con una carta en la que se dice:

> Según Azorín —y ello no puede ser más cierto—, lo que haya
> de incoherencia, de desorden, de falta de precisión, de medida
> y de método en la literatura de un país, es una consecuencia
> (quizá sea también origen) de esas mismas fallas, quiebras y
> cojeras en la totalidad de las actividades nacionales...

Perdóneseme el obligado esquematismo de estas observaciones. Pero cabría sospechar, a la simple vista de lo transcrito, que la posición de Azorín ante la Dictadura —en un país que la toleraba— no era la más coherente para construir ese teatro superrealista de la nueva época. Acaso, quien lo hacía era Valle con sus esperpentos, que sí respondían positivamente a la situación del país. Azorín estaba en otra cosa. En un sí es no es que bien poco tenía que ver con las andanzas del surrealismo (que, en última instancia, sería una de las manifestaciones posibles del no definido superrealismo).

No es cosa de traer aquí los avatares políticos que dividieron al grupo surrealista ni la militancia o disidencia de algunos de sus miembros más ilustres en relación con el Partido Comunista. Las opciones, desde la anarquía radical de un Artaud, al marxismo militante de un Aragón, fueron, según los tiempos, diversas. Cuando un Artaud hablaba de acabar con esas máscaras de la lógica, tras las que viven los hombres apestados y enmudecidos, proponía una explosión de verdad que mostrara hasta qué extremos es todavía cruel el hombre. Había que ensanchar el concepto de realidad y de razón, dando entrada a un orden subjetivo que, a menudo, remodela el dato objetivo, le da un sentido diverso, o, en todo caso, lo ensancha y vivifica. Y ese afán comportaba una crítica radical del sistema social —si gentes como Artaud no quisieron aceptar ningún compromiso de Partido, no fue porque se «sintieran a la derecha» de tal Partido, sino todo lo contrario, porque veían en él una nueva forma de sumisión al sistema dominante de valores—, un radicalismo ideológico del que emanaba una actitud ante la vida y, por lo tanto, una estética y un teatro nuevos.

Si pensamos en Maeterlinck, de quien Azorín tradujo *La intrusa* en su juventud, nos encontramos, aun en términos menos extremados, con el mismo problema. Demos un salto y contemplemos brevemente el papel de Maeterlinck en el trabajo de Stanislawsky y de Meyerhold. El Teatro de Arte había hecho ya de Chejov y de Gorki sus dramaturgos principales, y Stanislawsky, dispuesto a cuestionar los resultados de su investigación, quiso dar una oportunidad a quienes consideraban su Método demasiado realista. A tal fin, creó una especie de Laboratorio y confió a Meyerhold, ex-actor del grupo y el más genial de cuantos se oponían al Método incipiente, la dirección de una obra..., de Maeterlinck. Sin detenernos en cuanto hay de ejemplar en este episodio de la moderna historia del teatro, copiaremos unas líneas de *Mi vida en el arte*, de Stanislawsky, en principio claramente emparentadas con las ideas azorinianas en torno a la necesidad de un nuevo teatro[39]:

> El credo del nuevo Estudio, en pocas palabras, se reducía a que el realismo y el costumbrismo se daban como fenecidos, caducados, y que había llegado el tiempo de lo irreal en el escenario. No había que presentar la vida tal cual transcurría, sino como la presentimos confusamente en nuestras ensoñaciones, visiones, y en otros momentos de elevación suprema (...) Bellamente y con mucho tino hablaba Meyerhold de sus planes y pensamientos, hallando para su expresión palabras sumamente acertadas. Por las actas y cartas me enteré de que, en el fondo, no divergíamos con él y que, por el contrario, andábamos a la búsqueda de esa misma verdad que ya había sido encontrada por los cultivadores de otras ramas del arte, pero que aún no había sido alcanzada por la nuestra.

La obra elegida para tantear el nuevo camino era *La muerte de Tintagiles* y los ensayos, que comenzaron el uno de junio de 1905, duraron todo el verano. Stanislawsky llegó a la conclusión de que la tentativa no podía alcanzar un resultado favorable:

> porque el teatro estaba creado, en primer lugar para el actor, sin el cual no puede existir, y para el arte nuevo se necesitan actores nuevos, con una técnica completamente renovada.

No se dio Meyerhold por vencido. Y el 22 de noviembre del año siguiente, la gran actriz Vera Komissarzevskaya estrenaba, bajo su dirección, un montaje de *Sor Beatriz*, también de Maeterlinck[40], verdadero y primerizo ejemplo de lo que se llamó un «teatro estático», riguroso e hipersensible en la selección del color, la línea, el ritmo, la composición de la imagen, el tono y el sonido.

Por su parte, Stanislawsky, con ocasión de montar *El pá-*

---

[39] *Mi vida en el Arte*, de Stanislawsky, México, Editora Latino Americana, página 187. Ver todo el capítulo «El Estudio en la calle Povarskaia».
[40] *Il trucco e l'anima*, de Angelo María Ripellino, Einaudi editor, pág. 122 y ss.

jaro azul, pasó varios días en la casa del escritor belga. La evocación de aquellos días, con los diálogos entre el director y el dramaturgo; el tema de la formación de un nuevo actor para ese nuevo teatro; el recuerdo de los ensayos de la obra y de los hallazgos que la fueron conformando escénicamente, consume varias páginas de *Mi vida en el Arte.*

Pensemos también en lo que fueron Stanislawsky y Meyerhold en la historia del teatro moderno, en su activa participación en la primera y brillante década de la nueva U.R.S.S., en su resistencia —más pasiva la de Stanislawsky, que le condujo a ocupar un puesto un tanto honorífico en la vida teatral de su país; más activa la de Meyerhold, que le condujo a la muerte— a la burocratización stalinista del arte. En ambos casos existe una verdadera conciencia histórica de vivir una nueva época, en la que se quiere, para lo bueno y para lo malo, ser protagonista. Y en cuyo camino aparece la obra de Maeterlinck sin contradicción ninguna.

¡Qué diferencia entre esta posición, entre este duro y hermoso compromiso histórico, y la actitud contemplativa, agazapada, del español Martínez Ruiz! ¡Qué distancia abismal entre la *Sor Beatriz*, de Meyerhold, o *El pájaro azul*, de Stanislawsky, y ese *¡Brandy, mucho brandy!*, con el transpunte dando voces entre cajas y las luces entrando a destiempo! ¡Y eso que habían pasado veinte años!

Vale la pena recordar que Azorín, pese a ser Maeterlinck su más importante inspirador teatral, no vaciló en atacarle cuando el escritor belga se atrevió a firmar una carta contra el proceso y ejecución de Ferrer. Azorín se creyó en el patriótico deber —*ABC*, 27 de agosto de 1909— de presentar como escritorzuelos a los firmantes de la protesta, liquidando la presencia de Maeterlinck con estas líneas[41]:

> Respecto al señor Maeterlinck, misterioso y vanidoso, es preferible leer directamente a Carlyle, a Emerson y, sobre todo, a Ernest Hello.

¿Qué podía haber en común entre este Azorín y los que buscaban, desde una u otra perspectiva —no olvidemos que Meyerhold montó a Maeterlinck, pero, también, con el mismo

---

[41] «Colección de farsantes», *ABC*, 13-9-1909.

entusiasmo, con el mismo genio, y dentro del mismo discurso, a Chejov y a Mayakowsky, por citar a dos grandes representantes del realismo psicológico y de la sátira política—, un teatro para nuestra época? ¿Cómo no entender la distancia entre las preocupaciones de Stanislawsky sobre el «nuevo actor» y las formulaciones casi infantiles, triviales, de Azorín, sobre, pongamos por caso, la manera de escribir un diálogo que «parezca espontáneo»?

> La coherencia perfecta de que usan nuestros autores, el «todo seguido», «todo recto», de sus diálogos, queriendo ser verdadero es profundamente falso. La corrección verdadera pocas veces, poquísimas veces, es «toda seguida». Hay interpolaciones, retrocesos, falsas rutas, etc. Y la cuestión estriba, como hemos dicho ya y repetimos, en utilizar todos esos recursos de la sicología para dar viveza, animación, autenticidad, al diálogo, y, al mismo tiempo, tener instinto artístico bastante para que la charla no dé en lo chabacano y trivial[42].

Como corrección del «teatro literario», de los «diálogos retóricos», está bien. Pero, ¡qué por debajo queda del concepto de improvisación desarrollado por Stanislawsky desde comienzos de siglo!, ¡qué clara resulta la artificiosidad para no parecer artificioso!

En el fondo, el teatro de Azorín nos desconcierta por el desnivel que, a primera vista, existe entre él y algunos de sus artículos teóricos. Si, con un mayor rigor, nos atenemos a la ideología expresada en sus comentarios de carácter político, descubriremos el valor concreto de muchas de sus abstractas peticiones. Comprenderemos entonces la regresión que el cotejo de algunos de sus juicios sobre un mismo tema expresa. Nos daremos cuenta, en fin, y esa sería quizá la clave para entender la mediocridad teatral de Azorín, que sus obras se asientan en un profundo equívoco: la de creer que su idea de renovación, de crisis histórica, guarda alguna relación con la de la verdadera vanguardia. Azorín se nos presenta, en los años 26 y 27, como un «renovador» teatral y como un reaccionario político. Y· eso es imposible. Grandmontagne se lo recordaba, utilizando conceptos del propio Azorín. Pero eran conceptos del Azorín de

---

[42] «Las acotaciones teatrales», *ABC*, 12-8-1926, *Obras completas*, vol. IX, página 93.

otros tiempos, del Azorín combativo, aunque, siempre, un poco perdido.

Para hablar de «renovación escénica» había que hablar de renovación social. Y el Azorín del año 26 era ya un hombre profundamente desengañado.

En el 30 y en el 31 escribe dos dramas —a uno lo llama «auto sacramental»—, en los que juega con el tiempo. A eso se ha ido reduciendo su idea del subconsciente, su búsqueda de una realidad más rica que la anécdota y la lógica. En el 36, con nuestra guerra civil en puertas, trama una comedia de amor situada en tiempos de la invasión napoleónica. Ninguna relación, por supuesto, entre aquella lucha y la que se avecina. Azorín ha abdicado del «socialismo cordial», de su primer apoyo a las fuerzas progresivas de la República y es ya un escritor de derechas, que defiende desde las páginas de *Ahora* la personalidad del millonario Juan March. El 16 de julio del 36 aparece su última colaboración de la preguerra; se titula *Causa perdida: Parmentier*[43] y es «una fantasía sobre el introductor de la patata».

En cuanto a la *Farsa docente*, estrenada en el 42, es contemporánea de manifestaciones como éstas[44]:

> ...En las librerías se venden libros españoles. Ya era hora. Alguna vez había de ser. Antes, en todas las librerías de Madrid, de cuatro partes de libros había tres de extranjeros. Los extranjeros no faltan ahora. Se hallan, sin embargo, reducidos a su justo límite.

O[45]:

> La vida literaria actualmente en España se desenvuelve con intensidad: lo demuestra esta floración profusa de semanarios y revistas. Se escribe mucho y se tiene el noble afán de escribir con primor.

Es todo ese contexto y ese servilismo ideológico —tras su prudente exilio en París durante los años de guerra— el que explica la pobreza del teatro de Azorín. Si hubiera intentado

---

[43] *Azorín*, de José María Valverde, *ob. cit.*, pág. 389.
[44] «La consabida puerta», 1941, *Obras completas*, vol. IX, pág. 1360 y ss.
[45] «La vida de un español», 1941, *Obras completas*, vol. IX, pág. 1441 y ss.

la creación dramática en los años en que le indignaba la pobreza y le entusiasmaba la *Electra*, de Galdós, no es nada seguro que hubiera escrito buen teatro. Pero ahí están los libros de Azorín para mostrar que, durante muchos años, fue un hombre vivo, lleno de contradicciones, pero agudo, capaz de ver lo que otros no veían y de ordenarlo en palabras exactas.

Por desgracia, el teatro de Azorín no está en ese caso. Constituye uno de los capítulos más desoladores de su obra. Y, para su mal, da la razón a sus viejas ideas en las que presentaba la estética·como una consecuencia. En el fondo, Azorín interesa más como un personaje, que como un creador. Sus oscilaciones, sus vueltas sobre sí mismo, sus regresiones, acaban paralizando estéticamente su obra y haciendo de él una víctima más de nuestra historia.

***

Es curioso que en los intentos azorinianos por «definir» la forma teatral se hable poco de situación dramática. En realidad, sus apreciaciones se quedan al nivel de la técnica, de la observación externa. ¿Y cómo entender el sentido y razón de esa técnica sin entrar en el mundo de las ideas y de los sentimientos que la generan?

A Azorín le preocupa, por ejemplo, evitar el diálogo «todo recto», ese diálogo bien escrito, cuyo verbalismo nos hace pensar en la pluma del escritor antes que en el personaje. La actitud de Azorín es, en este aspecto, positiva, pero, ¿cómo resolver el problema a base de «utilizar» las características del diálogo cotidiano?, ¿no será una contradicción querer crear la sicología de un personaje a partir de esas características? Chejov, muchos años atrás, había propuesto una dramaturgia donde el diálogo, entrecortado, nada retórico, era el elemento que revelaba —a menudo, implícitamente; y aquí entra el valor del «subtexto»— la situación de los personajes. En ella encontraba su sentido un tipo de diálogo que sería imposible recomponer con otra visión de la realidad. ¿Y cuál es la visión chejoviana de la realidad? No es cosa de interpolar aquí un trabajo sobre Chejov, pero es obvio que el choque entre la sociedad zarista —agónica, viviendo del pasado— y la presencia de una nueva mentalidad constituye un factor decisivo en la conformación del drama chejoviano. Es decir, que era la situación de los personajes, su íntima frustración, la que generaba un lenguaje entrecortado, propio de un comportamiento inseguro. Cuando se trataba de personajes brutales, ansiosos de ocupar los puestos de los antiguos amos, el lenguaje, violento o hipócrita según los casos, era otro. Y otro era también el lenguaje de los que deseaban y anunciaban la revolución. ¿Cómo hablar de la «composición» de una obra sin entrar en sus causas?

Nuestro Azorín se mete en el teatro cuando la historia le interesa ya muy poco, cuando se acomoda a ella sin resistencia. Y, naturalmente, la historia se venga con la misma moneda.

En uno de sus más lúcidos trabajos[46], había dicho que la única ley del teatro es el interés:

> Todo lo que tenga interés, sea como sea, sea lo que sea, es teatral. Y puede revestir la obra de teatro tales o cuales formas; se pueden sostener respecto a comedias y dramas éstas o las otras doctrinas. En el fondo, todo eso es superficial y no representa nada. Lo principal, lo único en el teatro, es el «interés» de la obra y la curiosidad del espectador.

¿Y cómo va a conseguir interesarnos un dramaturgo a quien no le interesa lo que nos sucede a nosotros?

Old Spain! se estrenó el 13 de septiembre de 1926, en el Príncipe de San Sebastián, que por entonces era, dadas las costumbres veraniegas de la alta burguesía madrileña, una especie de sucursal de la Comedia. El 3 de noviembre del mismo año, Josefina Díaz y Santiago Artigas, tras los arreglos aconsejados por la gira norteña, presentaron la obra en el Reina Victoria, de Madrid. Díez Canedo resumía así su crítica[47]:

> No es, pues, *Old Spain!*, como se ha dicho, la primera obra dramática de Azorín (autor, asimismo, en sus comienzos ,de una traducción de *La intrusa*, de Maeterlinck apenas conocida), ni ha de ser la última. La estrenada anoche en Madrid tiene escenas magistrales. Un poco de picardía escénica quizá animara las partes que el gusto urgente de hoy considera débiles.

---

[46] «El sentido de lo cómico», *ABC*, 22-7-26, *Obras completas*, vol. IX, pág. 84 y siguientes.

[47] *Artículos de crítica teatral*, de Enrique Díez Canedo, México, ed. Joaquín Mortiz, vol. IV, pág. 47 y ss. La crítica se publicó en *El Sol*, el 4-1-1926.

Pero ante las exigencias de mayor vivacidad podría el autor cantarnos las alabanzas del tono pausado, de las perspectivas claras, del candor frente al artificio. Su concepto del teatro tiene mucho de la actitud ante la vida que ensalza su personaje femenino.

¿Y cuál es esa actitud ante la vida? Resulta de la confrontación con otro personaje, don Joaquín, millonario americano, que cree en la acción y en el cambio, y se enamora del personaje azoriniano. En la última escena, la pareja resume así su visión de la vida[48]:

CONDESITA. ¿Resplandecen tanto como aquí en América las estrellas?

DON JOAQUÍN. Sí, y hay ojos que las contemplan con los mismos anhelos.

CONDESITA. ¿Y dicen las mismas cosas que aquí?

DON JOAQUÍN. Dicen..., dicen cosas del corazón.

CONDESITA. Las estrellitas hablan a todos.

DON JOAQUÍN. Y a unos dicen alegrías, y a otros dicen penas.

CONDESITA. Y a usted, ¿qué le dicen?

DON JOAQUÍN. A mí me dicen temor.

CONDESITA. Temor, ¿de qué?

DON JOAQUÍN. Temor de no lograr la felicidad que deseo.

CONDESITA. El cielo nos liga más a la tierra.

DON JOAQUÍN. ¿Por qué?

CONDESITA. Porque la contemplación del cielo, de la inmensa bóveda azul, nos hace meditar... Y esa meditación nos hace evocar a nuestros antepasados, los seres a quienes hemos querido, y que vemos, con el pensamiento, unidos a la casa, a la ciudad, a la patria en que vivieron y en que vivimos ahora nosotros.

DON JOAQUÍN. Es verdad, Pepita. Y cuando el azar de la vida nos lleva a conocer, a estimar, a amar a una persona de distinta patria que la nuestra, parece que en nuestro espíritu se abre como una ventanita iluminada.

CONDESITA. Iluminada con otra luz que nuestros ojos no han visto nunca.

DON JOAQUÍN. ¿No quiere usted contemplar esa luz nueva, Pepita?

CONDESITA. Me atrae esa lucecita de la ventana iluminada, y tengo al mismo tiempo miedo.

DON JOAQUÍN. Miedo, ¿de qué?

---

[48] *Old Spain!*, acto III, cuadro II, *Obras completas*, vol. IV, pág. 913.

CONDESITA. De perder mi serenidad espiritual; de perder lo que amo más que todo: ese dulce lazo que me liga al pasado.

El drama, como es lógico, no da ninguna solución, pero deja en pie esa melancolía de la impotencia, que, en definitiva, Azorín propone como un estado superior.

En todo caso, es una pena que Azorín no haya conseguido crear un drama que responda a ese conflicto; se deja llevar por los modelos inmediatos del teatro español, mezclándose de forma inoportuna los diálogos de una comedia de costumbres y el «superrealismo» de esa última escena. Pero, ¿cómo hubiera podido ahondar en el conflicto sin encararse con la realidad española?

Azorín situaba el problema en un plano abstracto, como propio de los hombres de cualquier edad y cualquier época. El tema, sin embargo, se hallaba íntimamente ligado a la realidad histórica española; Valle, en sus *Comedias Bárbaras* y en sus Esperpentos, mostraba, en actitud bastante menos contemplativa, la agonía de nuestra sociedad. ¡Cuánto hubiera ganado el teatro de Azorín de haber siquiera vislumbrado las «razones materiales» de sus conflictos! Aquéllas que, por ausentes, le llevaron en su plenitud a juzgar duramente el teatro de nuestro Siglo de Oro... ¿No había dicho él mismo que con el nacimiento de la «opinión pública» ya no era posible desligarse de esa dimensión social del teatro?

De *¡Brandy, mucho brandy!*, «sainete sentimental» estrenado por la compañía de Manuel París, en el Teatro Centro, de Madrid, el 17 de marzo de 1927, ya hemos transcrito los apuros de Díez Canedo para «respetar» a Azorín y decirnos que la obra era mala. En verdad sería absurdo pensar en el «superrealismo» —tomado el ismo, simplemente, como una categoría superior a la realidad fotográfica—, en Maeterlinck, ni en ninguno de los nombres ilustres que siempre rondan a los textos azorinianos. Esta vez —y la calificación de «sainete sentimental» que Azorín hace de su obra es exacta— tenemos que pensar en una comedia menor de Arniches, o incluso en los recursos más banales del «juguete cómico», con el pariente lejano que deja una herencia subordinada al cumplimiento de ciertas condiciones peregrinas. Lo cual, naturalmente, no excluye la escena surreal —el diálogo, en sueños, de la protagonista, con el pariente fallecido— y la inevitable referencia a la resignación.

Estamos ya en el desenlace. Laura se prepara para marcharse definitivamente de casa y conocer el mundo. A su lado está Rafael, que la quiere y representa, en la disyuntiva, la continuidad de lo inmediato...[49]:

> RAFAEL. ¿Oyes? ¿Crees que no lo sé todo? Esa es la señal, la señal de tu marcha. Anda; te esperan.
> LAURA. ¡Y me voy!
> RAFAEL. Márchate. ¡Sé fuerte!
> LAURA. (Con abatimiento.) Esta ilusión mía, tú la has destruido ahora. ¿Qué importa que realicemos o no el deseo? Lo importante es el momento en que creemos que vamos a poder realizarlo. ¡Momento delicioso, supremo! Este momento de ahora, tú has tratado de destruirlo.

Naturalmente, Laura no se va. O, mejor dicho, quizá para darle emoción al desenlace, se marcha y luego regresa. Rafael la abraza. Pero el final de la comedia no es feliz, suspendido una vez más el personaje —el doble de Azorín— entre esa acción renunciada y la paz melancólica de la sumisión. La acotación última dice:

> Rafael se vuelve y la ve. Con lentitud se dirige hacia ella y la coge delicadamente entre sus brazos; Laura, inerte, anonadada, gemebunda, apoya su cabeza en el hombro de Rafael. Telón.

¡Pobre Laura! ¡Pobre Azorín! ¿Y no es significativo, sobre todo en una sociedad como era la española en aquella época, que, tanto en *Old Spain!* como en *¡Brandy, mucho brandy!* fueran mujeres las que asumieran las posiciones resignadas del escritor?

Leyendo el texto, no sorprende nada que su estreno fuera un fracaso. Aquí el conflicto estilístico es aún mayor que en *Old Sapin!*; a veces saltamos de Muñoz Seca a Lenormand. Y eso —y no porque lo declare ninguna preceptiva— no es posible; son mundos y sensibilidades heterogéneos, que Azorín liga a través de la «composición externa», pero que se rechazan profundamente en su raíz. En realidad —y por ello la falsedad de este sainete— estamos ante «ecos» manejados por el autor como si fueran realidades, ante piezas que el autor ordena

---

[49] *¡Brandy, mucho brandy!*, acto III, *Obras completas*, vol. IV, págs. 973 y 974.

a su capricho, pero que han perdido su sentido al desligarse de su verdadero engranaje.

Comedia del Arte la estrenó la compañía de Francisco Fuente y Társila Criado en el teatro Fuencarral de Madrid, el 25 de noviembre de 1927. Díez Canedo se hallaba por entonces fuera de la capital española y no hizo crítica, pero en un artículo titulado «Azorín reformador», publicado en *El Universal*, de México, escribía[50]:

> Las reseñas de *Comedia del Arte* me hacen sospechar que la anima un espíritu semejante al de *La comedia de la felicidad*, de Evreinof, que, traducida por el propio Azorín, tuvo después buena acogida en Madrid. Un avance con respecto a *¡Brandy, mucho brandy!*, en el resultado. Casi una rectificación en el procedimiento.

Dejando a un lado la personalidad de Evreinof —sobre cuyos deseos de trabajar en España escribió Azorín un artículo[51] muy revelador de la autárquica indiferencia con que aquí acogemos esos ofrecimientos—, también a mí me parece, a través de la lectura, que *Comedia del Arte* es un drama más auténtico y claramente superior a los dos anteriores. Ciertamente es una obra de fuerte carga intelectual, minoritaria, con problemas y personajes bastante más arraigados en las lecturas del autor que en su observación de la realidad circundante. Aun así, *Comedia del Arte* y *Lo invisible* serán, con amplia ventaja, los más considerables textos dramáticos de Azorín, justamente porque desaparece esa atención superficial a la presencia del público, ese culto a las formas imperantes que se percibe —quizá para incrementar las posibilidades de éxito— en *Old Spain!* y *¡Brandy, mucho brandy!* Aquí el autor se siente más libre y los conflictos de los personajes son ahondados con mayor sinceridad. El tema de la muerte reduce además, en estas dos obras, el carácter artificioso de la anterior y posterior dramaturgia azoriniana.

Los personajes de *Comedia del Arte* son actores y el drama se esfuerza en confundir los límites entre la realidad y la ficción,

---

[50] *Artículos de crítica teatral*, de Enrique Díez Canedo, *ob. cit.*, vol. IV, pág. 57.

[51] «La comedia clásica», *ABC*, 12-1-1926. *Obras completas*, vol. IX, pág. 34 y siguientes.

entre la representación y la vida. La muerte del actor mientras recita los versos de una comedia es el punto de máxima incidencia en esta visión «superreal» del hombre.

Más interés tiene aún *Lo invisible*, trilogía compuesta de un prólogo escénico y de tres piezas breves: *La arañita en el espejo*, *El segador* y *Doctor Death, de 3 a 5*. ¿Y por qué tiene mayor interés? La respuesta no es difícil. Azorín ha hecho de la muerte el sentimiento fundamental del drama; y ése, en definitiva, no es un producto libresco, sino una emoción real, por más que influya en su matización la lectura de *Los cuadernos de Malte Laurids Brigge*, del poeta Rainer María Rilke.

Unamuno, respondiendo a preguntas del joven Azorín, le había dicho, muchos años antes[52], que sólo los tontos podían dar a la revolución social el valor de una respuesta definitiva. En el hombre había una problemática de orden metafísico a la que nunca podría contestarse enteramente con la «justicia social»; aunque Unamuno —y en eso su posición era bastante más progresiva que la mantenida por Ionesco en su reciente viaje a Madrid[53]— no dejaba de estimular esa reforma social precisamente para que el hombre, liberado de cargas enojosas, pudiera interrogarse sobre su condición existencial.

Azorín, el ya viejo y desengañado Azorín, ha perdido la voluntad de desear e interpretar el cambio. Por ello, se refugia en esos personajes abstractos y eternamente dubitativos. Lo ha hecho en algunas de sus más famosas novelas, en las que, a través de la presencia discontinua de personajes marginales, hemos sabido de la vida inmóvil de España. Pero en el teatro no ha conseguido mostrar el conflicto histórico, colocarnos ante él, hacernos parte, trivializado como está a través de personajes gélidos, abstractos, cuya anécdota nos parece pueril...

Mas he aquí que el sentimiento de la muerte consigue lo que, lógicamente, no puede alcanzar el maltrecho pensamiento de Azorín. En la realidad de la muerte encuentran los personajes la identidad que su autor no sabe darles a través de la vida social. En el debate concreto de Azorín con su propia muerte, las emociones que no pueden encontrar en el ya inexistente debate entre Azorín y su tiempo.

---

[52] «En casa de Unamuno», publicado en el periódico *La Campaña*, de París, el 26 de febrero de 1898.

[53] Ver mi entrevista con Ionesco, publicada en *Triunfo*, 19-10-74.

Valía la pena insistir en esto. Porque *Lo invisible* —aparte de lo ya dicho sobre *Comedia del Arte*— es la única obra de Azorín que contiene «situaciones», es decir, que se explica de «dentro a fuera», que contiene una realidad.

Ya los avatares escénicos de *Lo invisible* poseen un interés que no se da en los otros montajes. Me refiero al hecho de que la obra sirviera, el 24 de noviembre de 1928, para inaugurar las actividades de «El Caracol», iniciativa de Cipriano Rivas Cherif —tan ligado a Margarita Xirgu y uno de los directores de escena más inteligentes con que ha contado el moderno teatro español— que se sumaba al movimiento de los nuevos «teatros de arte», entre los cuales, «El Mirlo blanco», de los Baroja, ocupó un lugar señero.

Azorín tomó la palabra para explicar, en aquel sábado de noviembre, los propósitos de «El Caracol», al tiempo que, según la referencia de Díez Canedo, resumía la evolución del teatro

> desde las representaciones religiosas de la Edad Media hasta los momentos de ahora, que él mira como representativos de un retorno al concepto antiguo, motivado por las nuevas aspiraciones idealistas que nacieron del horror de una guerra que llevó a morir a millones de seres humanos[54].

Dentro del mismo espíritu, Díez Canedo añade que «la guerra enseñó no tanto a mirar a otra vida como a desdeñar ésta», afirmación harto discutible si se acepta su generalidad, pues es bien sabido que a otros la guerra les llevó a preguntarse por sus verdaderas causas y a cuestionar un sistema social que necesitaba de este tipo de confrontaciones. No es cosa de resumir aquí las andanzas de Piscator, pero es obvio que lejos de retornar a lo antiguo muchos querían que el teatro contribuyera a clarificar y enderezar lo moderno.

Pero no insistamos más sobre este punto. Limitémonos a señalar, una vez más, que Azorín arrima el ascua a su sardina, y no percibe la puesta en marcha del proceso que lleva a Brecht, al teatro documento, y a toda una serie de manifestaciones críticas que él debió creer privativas de los tiempos de *Electra* o *Juan José*.

---

[54] *Artículos de crítica teatral*, de Enrique Díez Canedo, *ob. cit.*, vol. IV, pág. 159 y siguientes.

El prólogo escénico de *Lo invisible*, en el que se presentaba a un personaje misterioso, la Muerte, lo interpretaron Natividad Zaro, Magda Donato, Rivas Cherif y el propio Azorín, en el personaje —tiempos pirandellianos— de «El autor».

Luego se representó *La arañita en el espejo*, que, contrariamente a lo que sostiene Díez Canedo, había sido estrenada con anterioridad, exactamente en Eldorado de Barcelona, por la compañía de Rosario Iglesias, el 25 de octubre de 1927[55] y *Doctor Death, de 3 a 5*, estrenada por Rosario Pino en el Pereda, de Santander, el 28 de abril del 27. La otra pieza de la trilogía, *El segador*, no figuró en el programa de «El Caracol», aun cuando deba señalarse que también la había presentado la compañía de Rosario Pino en Santander, dos días más tarde de dar a conocer *Doctor Death, de 3 a 5*. Una obra breve de Chejov, *El oso*, por razones que ignoramos, vino a cubrir en la sesión de «El Caracol», el tiempo que, en buena lógica, correspondía a *El segador*.

En las tres obras, el gran antagonista de los personajes es la Muerte. La muerte entendida como una amenaza latente, como una fuerza aniquiladora que puede llegar en cualquier momento. El talento de Azorín está en hacer de esa fuerza una gravitación constante, un elemento indisociable de la realidad. Sería inútil resumir las distintas historias. Buen síntoma. Y es que en las tres obras hay algo más que una anécdota. Esa conciencia de la muerte que, tantas veces, le aniquila, le impide amar lo inmediato y le empuja a angustiarse por el cambio —como si él mismo muriera en ese cambio—, es aquí una emoción viva que conduce su pluma...

De *Cervantes o La casa encantada*, *Angelita* y *Farsa docente*, poco más cabría añadir. En definitiva, son soliloquios, artículos puestos en diálogo, ensoñaciones de «un pequeño filósofo». Acaso *La guerrilla* deba examinarse aparte, porque es la obra en que Azorín, olvidando sus teóricas ambiciones, parece desenmascararse y buscar el éxito por los caminos más fáciles. Sospechamos en seguida que la moza española va a enamorarse del oficial francés; por lo mismo, suponemos que, siendo este el protagonista, debe ser más que el sargento que se finge; esperamos las escenas de amor y de perdón que se suceden; no

---

[55] Las fechas y repartos figuran al comienzo de los dramas en *Obras completas*, vol. IV.

nos sorprende lo más mínimo el autor cuando se inventa los viejos amores del cabecilla guerrillero con la muchacha que quiere al oficial francés... Tampoco el diálogo se anda por las ramas; responde a los cánones de ese naturalismo trivial, que unas veces defendió y otras atacó nuestro Azorín.

Sólo al final se le escapan las riendas. En un momento dado, el oficial y la lugareña repiten el consabido diálogo sobre la «eterna» España, sobre la placidez resignada de su nirvana, frente a la acción, el cambio y la aventura. Más aún: cuando todo está dispuesto para el final feliz, al galán lo matan. Y Azorín imagina un epílogo que nunca se llegó a representar. En el volumen de *La Farsa* se nos dice:

> Pintada la decoración y puesta en la escena se desistió de representar el epílogo tras varios ensayos. La angostura del escenario no permitía lograr el efecto buscado.

Y luego incluye el Epílogo, «para que pueda juzgar el lector».

El epílogo en cuestión es el siguiente:

> La escena, completamente desnuda, blanca. Ni edificios ni árboles. Al fondo, la inmensidad del mar. Tenue luz rojiza. Ambiente de irrealidad. Un momento, la escena desierta. Aparecen Pepa María y Marcel (la lugareña y el oficial francés) caminando lentamente. Pepa María se cubre con ancho manto. Marcel va envuelto en un abrigo que no deje ver ningún signo militar. A causa de estos ropajes, simplicidad de líneas en las dos figuras. Las dos figuras, en este ambiente de abstracción, no pertenecen a ninguna clase social y se evaden del tiempo. Aspecto en Marcel de profunda fatiga. Un dolor que no conocemos le postra. Le va ayudando a caminar Pepa María. Se detienen un instante. Parece, por su respiración fatigosa, que Marcel no puede avanzar más. Eleva el rostro y mira estático a Pepa María en tanto que coge efusivamente sus manos. Pepa María, desasida al fin, aprisiona con suavidad la cabeza de Marcel con las dos manos y le da un largo beso en la frente. Suena, lejana, la sirena de un barco.

La relación de este epílogo con el estilo de la obra es muy discutible. Azorín es, de nuevo, un escritor perplejo. Quizá Azorín estaba leyendo la última comedia de Benavente, en su opinión «el más grande dramaturgo español después de Lope».

Quizá se ha dormido mientras leía; o quizá, sencillamente, ha cerrado las páginas del libro, aburrido por la cháchara de sus personajes. Ha mandado el teatro a paseo y se ha puesto a imaginar el epílogo de *La Guerrilla*.

* * *

Exactamente el 5 de noviembre de 1926, Azorín escribía en *ABC*[56]:

> En el momento actual esa clase es la que domina y da el tono en la sociedad española. Y como el teatro es la expresión más directa y rápida —dentro del arte— de la sociedad de un país, el teatro actual en España responde con exactitud a los gustos, los sentimientos, las ideas, de esa nueva clase social. El hecho es profundo e irremediable; cuanto se haga por remediar el estado actual de la literatura dramática española será completamente inútil; sería preciso, para que el teatro cambiase, que cambiase la estructura íntima de la sociedad española.

¿Qué hubiera dicho el Azorín que defendió *Electra* y atacó a Echegaray de esas líneas? A buen seguro, hubiera aceptado la relación entre el teatro y la escructura social; pero es seguro que habría rechazado el fatalismo, la implícita condena que se hace en el texto del trabajo literario. ¿No forma parte este trabajo de la lucha por el cambio?

---

[56] «El teatro futuro», *Obras completas*, pág. 97 y ss.

Manuel y Antonio
Machado

Manuel y Antonio Machado, los conflictos de una colaboración equívoca

Quizá no sea ocioso comenzar diciendo que el teatro de los Machado no se representa en España desde hace mucho tiempo. Es decir, que ha dejado de ser realidad escénica para conververtirse en literatura dramática, analizada periódicamente por críticos y estudiosos.

La lectura de tales análisis nos conduce de inmediato a una conclusión global: si el nombre de Antonio Machado, nuestro más grande poeta contemporáneo, no respaldase esta dramaturgia, buena parte de los comentaristas pasarían de largo por puntos que, por estar él, han de considerar con detalle y respeto. Seguro estoy, por ejemplo, que si las siete obras firmadas por los hermanos llevaran sólo el nombre de Manuel, desde la misma noche del estreno habrían recibido un trato distinto, desembarazados los críticos serios de la necesidad de justificar la presencia de Antonio; libres de decir llanamente lo que pensaban acerca de las obras, sin esa solapada pero evidente tensión provocada por las disonancias entre el teatro de los Machado y la entrañable figura humana y literaria del autor de «Soledades».

El debate posee, por lo dicho, un tono inevitablemente equívoco. A menudo, se habla de los méritos y de los límites de esta dramaturgia sin atreverse a plantear la cuestión subyacente: cuál es la aportación de Antonio, en qué medida participó en su concreción literaria y hasta dónde pudiera estar limitado por su hermano Manuel.

No es difícil encontrar comentarios en los que se ensalza la colaboración de los Machado, como si en ellos se repitiera el caso de los hermanos Álvarez Quintero. Miguel Pérez Ferrero, en su *Vida de Antonio Machado y Manuel*[1], afirma:

[1] *Vida de Antonio Machado y Manuel*, de Miguel Pérez Ferrero, Madrid, ed. Rialp, 1947, págs. 247 y 248.

Al escribir conjuntamente para el teatro, sus estros se funden y forman una unidad armónica que no acusa discrepancias de forma ni de concepto.

No sólo la mutua comprensión, sino el punto idéntico de partida para el ejercicio de la poesía, la formación igual, y la convivencia muy estrecha durante tantos años, realizan el prodigio del perfecto acoplamiento.

Las mismas esencias que constituyen las características fundamentales de cada uno se contrapesan de tal modo, que el equilibrio es su resultado. Y las esencias y los elementos tan diversos logran, combinándose, la ondulante línea dramática y melódica que ofrecen sus producciones teatrales.

Ningún problema, pues, para «combinar lo diverso». El mismo biógrafo nos explica el procedimiento seguido en el trabajo[2]:

> Las cortas estancias de fin de semana de Antonio las utilizan para planear, para discutir, para rectificar en compañía lo que cada cual escribió por su lado, el uno en Madrid, y en Segovia el otro. De esta manera, los dos van fabricando escenas que se han repartido previamente. Después se las leen, se hacen las objeciones que estiman oportunas, introducen las correcciones que acuerdan, y dejan los borradores en disposición de ser puestos en limpio.

Naturalmente, para muchos críticos esta explicación resulta demasiado sencilla. Las personalidades de Manuel y Antonio, si, lógicamente, como hijos de un mismo hogar, tuvieron comunes puntos de partida, fueron luego cada vez más antagónicas, según vino a probar el opuesto papel elegido por cada uno en nuestra Guerra Civil. Volveremos sobre este punto, pero queremos recoger aquí la explicación que de ello da Pérez Ferrero[3]:

> Verano. Mediados de julio de 1936. Manuel Machado y Eulalia Cáceres deciden ir a Burgos para visitar a una monja, hermana de ésta y prima del poeta, en un convento de la ciudad. Antonio se queda en Madrid.
> ....
> A los dos hermanos, el que sale de viaje y el que se queda, les ha separado definitivamente el destino. Sus estrellas de pa-

---

[2] *Ob. cit.*, págs. 248 y 249.
[3] *Ob. cit.*, págs. 309 y 310.

rejo rumbo hasta el momento, se apartan y distancian infinitamente para trazar el final derrotero.

Manuel y Eulalia marchan para pasar solamente unos días, pero el tren de regreso no arranca porque en España ha prendido, y crece con vértigo, la llamarada, que forma hoguera, de la guerra civil.

. . . .

Los historiadores escribirán las páginas de esos años de sangre y fuego. Lo que importa a nuestra Historia, a nuestra crónica, es que a los hermanos los separa una hecatombe que ha abierto una profunda, insondable sima, en el suelo de su patria. Y cada cual ha de seguir su suerte dispar ordenada por el capricho geográfico.

No, no es eso. La vida y la palabra de Antonio y de Manuel, desde aquel mes de julio del 36 hasta el día de su muerte, no pudo estar regida por un capricho geográfico. Contó en la vida de cada uno el destino de Burgos y de Madrid en la guerra civil española, pero ni la literatura de Antonio ni la de Manuel podrían atribuirse, sin insultarles gravemente, a esa circunstancia. Porque los dos, a fin de cuentas, se negaron a ser simples comparsas. Y mientras uno escribía poemas al asesinato de García Lorca[4] o artículos antifascistas para *La Vanguardia*, de Barcelona[5], y salía con el exilio camino de la muerte[6], el otro ingresaba en la Academia[7] y dedicaba poemas al Ge-

---

[4] «El crimen fue en Granada. A Federico García Lorca», en *Ayuda*, de Madrid, el 17 de octubre de 1936; en *El Liberal*, de Murcia, el 23 de octubre de 1936.

[5] A estos trabajos publicados en *La Vanguardia*, de Barcelona, bajo el título general de «Desde el mirador de la guerra», desde marzo del 38 a enero del 39, cabría agregar los artículos de *Hora de España* y otras muchas manifestaciones en el mismo sentido, como, por ejemplo, el texto que apareció en la revista *Ejército del Ebro*, titulado «Antonio Machado, insigne poeta, manifiesta a nuestros soldados su inquebrantable fe en la victoria» (citado en el número de *La Torre*, revista de la Universidad de Puerto Rico, dedicado a Antonio Machado, enero-junio de 1964).

[6] Antonio Machado murió en Colliure (Francia) el 22 de febrero de 1939, en un hotel donde se había refugiado con su madre. Ésta murió en el mismo hotel tres días después.

[7] La elección tuvo lugar en una sesión celebrada en Salamanca el 5 de enero de 1938. El acto de ingreso se celebró en San Sebastián, el 19 de febrero del mismo año. Al discurso del nuevo académico respondió José María Pemán con otro titulado «La poesía de Manuel Machado como documento humano».

neral Mola, a la Pilarica y a José Antonio Primo de Rivera[8].

> José Antonio, ¡Maestro!... ¿En qué lucero,
> en qué sol, en qué estrella peregrina
> montas la guardia? Cuando a la divina
> bóveda miro, tu respuesta espero.

Sería tonto pensar que este antagonismo nació en los avatares de la guerra. Tales avatares lo único que hicieron fue potenciar, generar el estallido, de cuanto ya era una realidad. Cotejemos los versos de Antonio con los de Manuel. Asumamos de nuevo la mirada y el sentimiento crítico de Antonio frente a la sociedad castellana. Comparemos, por ejemplo, la reflexión de Antonio sobre Baeza con todos los versos andalucistas de Manuel: frente a la sentimentalización colorista, frente a la Andalucía mítica y pasional, la Andalucía enajenada por el sistema, la Andalucía emigrante y hambrienta, donde el cante es amargura mucho antes que madrigal.

Dice Manuel[9]:

> La noche sultana,
> la noche andaluza,
> que estremece la tierra y la carne
> de aroma y lujuria.

Comenta Antonio en una carta dirigida a Miguel de Unamuno[10]:

> Esta Baeza, que llaman Salamanca andaluza, tiene un Instituto, un Seminario, una Escuela de Artes, varios colegios de segunda enseñanza, y apenas sabe leer un 30 por 100 de la población. No hay más que una librería donde se venden tarjetas postales, devocionarios y periódicos clericales y pornográficos. Es la comarca más rica de Jaén y la ciudad está poblada de mendigos y de señoritos arruinados en la ruleta. La profesión de jugador de monte se considera muy honrosa. Es infinitamente más levítica y no hay un átomo de religiosidad. Se habla de política —todo el mundo es conservador— y se discute con

---

[8] *Poesía. Opera Omnia Lyrica*, de Manuel Machado, Editora Nacional, MCMXLII, pág. 391 y ss.

[9] *Ob. cit.*, pág. 179.

[10] *Los complementarios y otras obras póstumas*, de Antonio Machado, Buenos Aires, Losada, 1968, págs. 164 y 165.

pasión cuando la Audiencia de Jaén viene a celebrar algún juicio por jurados. Una población rural, encanallada por la Iglesia y completamente huera. Por lo demás, el hombre de campo trabaja y sufre resignado o emigra en condiciones tan lamentables que equivalen al suicidio.

La distancia es tal, que no basta decir que una cosa son versos y la otra el fragmento de una carta. Estamos, obviamente, ante dos modos de sentir y de ver Andalucía, ante dos discursos ideológicos que la guerra civil no hará —inevitablemente— sino radicalizar.

Los términos del problema deben, pues, replantearse. Si el teatro de «los» Machado acusa una serie de contradicciones de las que en seguida hablaremos, es porque la personalidad de los hermanos era contradictoria y porque nosotros mismos, como lectores, estamos sometidos a esa incompatible referencia.

La irrealidad de esa idílica colaboración de que hablaba Pérez Ferrero nos parece patente, tanto en función de los autores como de las características de sus obras. Es, en todo caso, interesante citar un párrafo de la carta que Joaquín Machado, testigo de excepción, dirigió al hispanista Manuel H. Guerra, contestándole a una pregunta sobre este punto[11]:

> Tanto Pérez Ferrero como otros andan bastante descaminados en cuanto a la forma de colaborar los poetas. Los que lo sabemos con exactitud no consideramos discreto revelarlo. Quede la discriminación para los que estudien a fondo la obra individual de cada uno, su psicología, su estilo, etc.

No sí si valdría la pena llevar hasta sus últimas consecuencias la investigación que Joaquín Machado nos propone, ni por qué, puestos a realizarla, no contamos con su apoyo. Comprendemos que sus revelaciones puedan ser indiscretas por atentar contra lo generalmente aceptado; pero, al mismo tiempo, no entendemos una discreción que se opone a la verdad. En todo caso, y más allá del malestar que produce ese amago de indiscreción aclaradora, lo que tiene interés es ratificar que el teatro de «los Machado», en el sentido unitario que tiene el de «los

---

[11] *El teatro de Manuel y Antonio Machado*, de Manuel H. Guerra, Madrid, Editora Mediterráneo, 1966, pág. 188.

Quintero» —y podríamos volver a citar las líneas de Pérez Ferrero— no existe. Por el contrario, se trata de una propuesta con
abundantes e indisolubles tensiones que explicarían buena parte
de la diversidad de juicios que ha suscitado. Estamos ante una
especie de teatro dual, ante una suma de complejos enfrenta-
mientos que intentan resolverse a lo largo de los siete dramas.
El verso «poético» y el verso «prosaico» disputan a menudo
entre sí; disputa el interés introspectivo con la estampa colorista; el testimonio histórico con la anécdota arbitraria; algunos
puntos de la teoría dramática de los autores[12] con los dramas
mismos; el espíritu del 98 con la Andalucía de los Quintero;
todo anda un poco revuelto y enfrentado, como «si fueran dos
los autores y no se entendieran bien entre sí». Es decir, dicho
de un modo perogrullesco, como si las comedias fueran realmente lo que son y de quien son en lugar de ser de un solo autor
o de dos autores afines entre sí.

Afrontar estas contradicciones interiores en el teatro «machadiano» va a ser el objeto fundamental de esta reflexión,
escrita al filo de la relectura de sus siete dramas antes que con-
templando lo mucho y desconcertado que ya se ha dicho sobre
esta dramaturgia.

Intuiciones y límites de una teoría

Los Machado había participado, sumando a veces su nombre al de otros esporádicos colaboradores[13], en la adaptación
de una serie de obras románticas y de nuestro Siglo de Oro.
Antonio incluso había tenido una breve experiencia como me-

---

[12] ¿Podían tener una misma teoría dramática dos hombres tan distintos?
Digamos, pues, por haber suscrito ambos un mismo texto teórico, en el 33,
que hay una teoría de «los» Machado, pero con la misma reserva con que nos
referimos al teatro de «los» hermanos.

[13] Manuel Machado había escrito, con Enrique Parada, *Tristes y alegres*
(1894), y, con José Montoto, *Amor al vuelo* (1904). Adaptaciones y traduccio-
nes: *Hernani*, de Víctor Hugo, por Manuel, Antonio Machado y Francisco
Villaespesa (1924); *El aguilucho*, de Edmond Rostand, por Manuel Machado
y Luis Oteiza (1920); *El Príncipe Constante*, de Calderón, por Manuel, Antonio
Machado y José López; *Hay verdades que en amor...*, de Lope, por Manuel, An-
tonio Machado y José López (1925); *El condenado por desconfiado*, por Manuel,
Antonio Machado y José López (1924); *La niña de plata*, de Lope, por Manuel,
Antonio Machado y José López (1926); *El perro del hortelano*, de Lope, por
Manuel, Antonio Machado y José López (1931).

ritorio en la Compañía de María Guerrero, en 1897[14]. Y el
teatro era un tema cotidiano —los Machado, por ejemplo,
habían firmado el famoso manifiesto de 1905 contra la obra de
Echegaray[15]— en la vida de los dos hermanos. Manuel había
ejercido la crítica en *El Liberal*, publicando en 1917 un volumen
con los juicios que le habían merecido las obras estrenadas aquel
año...[16]

Este es un extremo sobre el que ponen mucho énfasis los
defensores del teatro de los Machado[17], viendo en ello la prueba
irrefutable de que la obra no surgió de un modo accidental
sino como la maduración de un proceso gestado a lo largo de
muchos años. Manuel Machado teorizó sobre el «Teatro Poético»; Antonio escribió *El gran climatérico*, una disertación
de su apócrifo Juan de Mairena sobre «una futura renovación
del teatro»; los dos firmaron en el 33, respondiendo a la encuesta de un periódico madrileño, lo que Pérez Ferrero no vacila
en calificar de manifiesto teatral[18].

De todos estos textos, es, sin duda, el de Juan de Mairena,
el más conocido y el que se esgrime como síntesis del pensamiento de Antonio Machado frente al teatro español de su época.
Miguel de Unamuno —tan admirado siempre por Antonio
Machado— había hecho otro tanto en un polémico y famoso
trabajo[19]; y, en general, puede decirse que todos los escritores
del 98 se pronunciaron, con mayor o menor vigor, echándose

---

[14] «Antonio ingresó, allá hacia fines de 1897, en la Compañía de María
Guerrero, pero fue sólo una brevísima temporada. El mundillo de entre bastidores le repugnó lo suficiente para no pensar más en ser actor.» (De la carta
de Joaquín Machado a Manuel H. Guerra, *ob. cit.*, págs. 188 y 189.)
[15] En la campaña contra el teatro de Echegaray se distinguieron, entre
otros, Azorín, Unamuno, Rubén Darío, Maeztu, Valle, Baroja, además de los
hermanos Machado.
[16] Manuel Machado hizo crítica en *El Liberal* (1915-1919) y *La Libertad*
(1920-1926). Las críticas del 17 aparecieron en un volumen bajo el título de
Un año de teatro (*ob. cit.*, de Manuel H. Guerra, págs. 42 y 57).
[17] Refiriéndose especialmente a Manuel Machado («Manuel Machado y
el lirismo polifónico», por Nicolás González Ruiz, en *Cuadernos de Literatura
Contemporánea*, Madrid, 1942). A cuenta de los dos hermanos, se señala este
antecedente teatral en casi todos los trabajos que están a favor de su obra dramática. Ver libros citados de Miguel Pérez Ferrero y Manuel H. Guerra.
[18] «El gran climatérico» (*Diario de Madrid*, 5 de marzo de 1935), recogido
en *Juan de Mairena*, Espasa-Calpe, 1936, pág. 121 y ss. El «Manifiesto» del 33
aparece en el citado libro de Pérez Ferrero, págs. 260 a 266.
[19] Ver capítulo dedicado a Unamuno, «La regeneración del teatro español».

el peso a la espada, como en el caso de Unamuno, o saliéndose por la tangente, vista la mala salud del enfermo, como en el caso de Baroja, ante la realidad escénica española. No hay, pues, que ver en las preocupaciones teatrales de Antonio Machado nada excepcional, asentada como estaba su obra en una relación crítica con nuestra sociedad, fatalmente obligada a considerar el fenómeno del teatro.

Esto aclarado, reproduciremos aquí algunos de los puntos fundamentales de *El gran climatérico,* título de la hipotética obra que permite a Machado exponer sus ideas teatrales:

1) Restablecimiento de los monólogos y los apartes. Y esto, porque así:

— Nada tenemos ya que adivinar en los personajes, salvo lo que ellos ignoran de sus propias almas, porque todo lo demás ellos lo declaran, cuando no en la conversación, en el soliloquio y en el aparte o reserva mental, que puede ser el reverso de toda plática o «interloquio».

— Desaparecen del teatro el drama y la comedia embotellados, de barato psicologismo, cuyo interés «folletinesco» proviene de la ocultación arbitraria de los propósitos conscientes más triviales, que hemos de adivinar a través de conversaciones sin sustancia o de reticencias y frases incompletas, pausas, gestos, etc., de difícil interpretación escénica.

— Se destierra del teatro al confidente, ese personaje pasivo y superfluo, cuando no perturbador de la acción dramática, cuya misión es escuchar —para que el público se entere— cuanto los personajes activos y esenciales no pueden decirse unos a otros, pero que necesariamente, cada cual se dice a sí mismo, y nos declaran todos en sus monólogos y apartes.

Piensa Antonio Machado que antes de intentar la comedia «*no euclidiana de n dimensiones*», es decir, antes de investigar sobre las posibilidades de un nuevo teatro, se impone desarrollar el que ya se tiene. La «comedia cúbica», cuya tercera dimensión debe restablecerse y perfeccionarse.

Y reparad, amigos, en que el teatro moderno, que vosotros llamáis realista, y que yo llamaría también docente y psicologista, es el que más ha aspirado a la profundidad, no obstante su continua y progresiva planificación.

Habría, pues, según Mairena, tres elementos esenciales del teatro «cúbico»:

1.º   Lo que los personajes se dicen unos a otros cuando están de visita, el diálogo en su acepción más directa, de que tanto usa y abusa el teatro moderno. Es la costra superficial de las comedias, donde nunca se intenta un diálogo a la manera socrática, sino, por el contrario, un coloquio en el cual todos rivalizan en insignificancia ideológica.

2.º   Los monólogos y apartes, que nos revelan propósitos y sentimientos recónditos. La expresión de todo esto necesita actores capaces de sentir, de comprender y, sobre todo, de imaginar personas dramáticas en trances y situaciones que no pueden copiarse de la vida corriente.

3.º   Agotado ya, por el diálogo, el monólogo y el aparte, cuanto el personaje dramático sabe de sí mismo, el total contenido de su conciencia clara, comienza lo que pudiéramos llamar «táctica oblicua» del comediógrafo, para sugerir cuanto carece de expresión directa, algo realmente profundo y original, el fondo inconsciente o subconsciente de donde surgen los impulsos creadores de la conciencia y de la acción, la fuerza cósmica que, en última instancia, es el motor dramático.

En la imaginaria obra *El gran climatérico* debía haber música. Sobre ella se hace Mairena-Machado las siguientes consideraciones:

No estaba puesta la música sin intención estética y psicológica. Porque algún elemento expresivo ha de llevar en el teatro la voz de lo subconsciente, donde residen, a mi juicio, los más íntimos y potentes resortes de la acción.

Unas páginas más adelante[20] retomaba Mairena el tema del teatro para hacer estas inequívocas afirmaciones:

— Nuestro deseo de renovar el teatro no es un afán novelero, sino que es, en parte y por de pronto, el propósito de restaurar, *mutatis mutandi*, mucho de lo olvidado o injustamente preterido.

Es la dramática un arte literario. Su medio de expresión es la palabra. De ningún modo debemos mermar en él los oficios de la palabra. Con palabras se charla y se diserta; con palabras se piensa y se siente y se desea, con palabras hablamos a nuestro vecino, y cada cual se habla a sí mismo, y al Dios que a todos nos oye, y al propio Satanás que nos salga al paso. Los

---

[20] *Juan de Mairena*, ed. cit., págs. 132 a 135, «Sobre teatro».

grandes poetas de la escena supieron esto mejor que nosotros; ellos no limitaron nunca la palabra a la expresión de cuantas naderías cambiamos en pláticas superfluas, mientras pensamos en otra cosa, sino que dicen también esa otra cosa, que suele ser lo más interesante.

— Lo dramático es acción, como tantas veces se ha dicho. En efecto, acción humana, acompañada de conciencia y, por ello, siempre de palabra. A toda merma en las funciones de la palabra corresponde un igual empobrecimiento de la acción. Sólo quienes confunden la acción con el movimiento gesticular y el trajín de entradas y salidas pueden no haber reparado en que la acción dramática —perdonadme la redundancia— va poco a poco desapareciendo del teatro. El mal lo han visto muchos, sobre todo el gran público, que no es el que asiste a las comedias, sino el que se queda en casa. Disminuida la palabra y, concomitantemente, la acción dramática, el teatro, si no se le refuerza como espectáculo, ¿podrá competir con una función de circo o una capea de toros enamorados? Sólo una oleada de ñoñez espectacular, más o menos cinética, que nos venga de América podrá reconciliarnos con la mísera dramática que aún nos queda. Pero esto no sería una resurrección del teatro, sino un anticipado oficio de difuntos.

Si leemos despacio estos textos, desde la perspectiva de nuestros días, descubriremos una clara tensión. Está Antonio Machado contra el diálogo coloquial, ideológicamente insignificante, del que usan y abusan las comedias de la época; está contra la ocultación arbitraria de datos y propósitos cuya adivinación se propone al espectador como razón substancial de la obra; está contra el confidente que escucha las largas parrafadas destinadas a enterar al espectador de lo que conviene al dramaturgo; está contra el barato sicologismo... Y frente a ello señala:

a) De un lado, la necesidad de sugerir «*cuanto carece de expresión directa*» a través de lo que llama «táctica oblicua», y una vez «*agotado por el diálogo, el monólogo y el aparte, cuanto el personaje dramático sabe sobre sí mismo, el total contenido de su conciencia clara*». El hecho de que su Mairena pensara incluir música en *El gran climatérico*, porque «*algún elemento expresivo ha de llevar en el teatro la voz de lo subconsciente*», refuerza esta idea de que el drama llega siempre a un punto —cuando es bueno— en el que la palabra se subordina a otro orden expresivo, en el que encuentra, y no en sí misma, en su conciencia clara, su sentido y su fuerza reveladora.

b) De otro lado, la afirmación tajante de que la dramática es un arte literario, acción acompañada de conciencia y, por ello, siempre de palabra.

Creo yo que entre ambas afirmaciones existe una buena dosis de contradicción. El hecho de que a Antonio Machado le preocupara seriamente la mediocridad de nuestros actores, hechos a la medida del teatro de los Quintero[21] y solicitara la aparición de actores «*capaces de sentir, de comprender y, sobre todo, de imaginar personas dramáticas en trances y situaciones que no pueden copiarse de la vida corriente*», indica también que era consciente del alto papel que correspondía a la actuación en la conformación del hecho dramático. Todas las palabras podían ser inútiles si el actor no «*sentía, imaginaba y comprendía*» no las palabras sino «*personajes, trances y situaciones*». Lo que quiere decir, en resumen, que Antonio Machado quería asomarse a la poética dramática, que intuyó su existencia, que vislumbró incluso algunos de sus problemas, pero que no pudo, en el marco de nuestra mediocre realidad escénica, abandonar la concepción estrictamente «literaria» del teatro.

De una encuesta celebrada en 1933 es una respuesta de los Machado que Pérez Ferrero llega a calificar de Manifiesto[22]. Encontramos muchas de las ideas expuestas poco después en *El gran climatérico*, aunque, a mi modo de ver, con ciertas precisiones específicas. Recordemos la parte fundamental de este texto:

> En el teatro, arte de tradición, hay mucho que hacer, mucho que continuar. Lo que el porvenir más inmediato aportará a la escena es una reintegración de acción y diálogo, una nueva síntesis de los elementos constitutivos del drama, en los cuales hoy aisladamente se trabaja con gran ahínco y éxito mediano. La acción, en verdad, ha sido casi expulsada de la escena y relegada a la pantalla, donde alcanza su máxima expresión y, digámoslo también, su reducción al absurdo, a la ñoñez puramente cinética. Allí vemos claramente que la acción sin palabra, es decir, sin expresión de conciencia, es sólo movimiento, y que el movimiento es —estéticamente— muy poca cosa. Ni siquiera señal de vida, porque lo vivo puede estarse quieto,

---

[21] Carta de 15-I-1929. *Los complementarios...* , ed. cit., pág. 186.
[22] Ver notas 12 y 18.

como lo inerte ser movido y cambiar de lugar. El cine nos enseña cómo el hombre que entra por una chimenea sale por un balcón y se zambulle después en un estanque; lo cual no tiene para nosotros más interés que una bola de billar rebotando en las bandas de una mesa.

El diálogo, por otra parte, tiende a enseñorearse del teatro; pero, divorciado de la acción, pierde su valor poético, aunque conserve alguna vez su valor didáctico; se convierte en conversación trivial o pedante, casi siempre en palabra insincera que alude a sentimientos, pasiones o conflictos morales supuestos por el autor y que, en verdad, están ausentes de la escena y del alma de los personajes.

Y, sin embargo, al comediógrafo actual hay que exigirle gran hondura de diálogo, que conozca sus límites; pero también sus nuevas posibilidades, porque la psicología moderna, cavando en lo subconsciente, nos ha descubierto toda una dialéctica nueva, opuesta, y, en cierto modo, complementaria de la socrática. Hoy sabemos que nuestro dialogar oscila entre dos polos: el de la racionalidad del pensar genérico, que persigue el alumbramiento de las ideas, las verdades de todos y de ninguno, y el de la conciencia individual, cúmulo de energías y experiencias vitales, donde la mayéutica freudiana —llamémosle así para darle un nombre moderno— opera con nuevos métodos para sacar a luz las más recónditas verdades del alma de cada hombre. En el hábil manejo de estas dos formas dialécticas: la que nos muestra el tránsito de unas razones a otras y la que nos revela el juego dinámico de instintos, impulsos, sentimientos y afectos, estriba el arte nada fácil de dialogar.

A estos dos elementos del diálogo corresponden dos aspectos de la acción. Todo hombre en la vida, como todo personaje en escena, tiene ante sí una o varias trayectorias, cuyos rieles, anticipadamente trazados, limitan y encauzan su conducta. Su acción es, en parte, lógica y mecánica, consecuencia de asentadas premisas, o resultante previsible de prejuicios, normas morales, hábitos, rutinas y coacciones del medio. Pero todo hombre, como todo personaje dramático, tiene también un amplio margen de libertad y de acción original, imprevisible, inopinada, desconcertante. Es ese aspecto de la vida, esencialmente poético, el que llevado al teatro puede hacer de la escena una encantada caja de sorpresas. En el hábil manejo de lo que se espera y de lo que no se espera, de lo previsible y de lo imprevisible, de lo mecánico y de lo vital, consiste toda la magia de la acción dramática.

El teatro volverá a ser acción y diálogo; pero acción y diálogo que respondan, en suma, al conocimiento de lo humano, que ha sido posible hasta ahora. Se renovará el teatro, haciéndose más teatral que nunca. Y se escribirán dramas nuevos, que parecerán viejos a los *snobs*.

También nuestros actores han de renovarse, ahondando en su arte. Lo corriente entre los cómicos españoles es la aptitud para representar personajes copiados, sin esfuerzo, de la realidad superficial. Cuando los personajes no pueden ser copiados, porque es preciso pensarlos e imaginarlos —un Hamlet, un Segismundo, un Brand—, nuestros actores suelen no acertar. No carecen de inteligencia ni de fantasía; pero no han adquirido el hábito de ejercitarlas. De ellos ha de ocuparse con preferencia toda nueva escuela de actores.

El texto, firmado por los dos hermanos, es substancialmente idéntico al que puso Antonio, dos años después, en boca de su apócrifo Juan de Mañara. Se apuntan ya los dos mundos, el de la conciencia clara, que equivaldría al tránsito de unas razones a otras, y el del fondo inconsciente, definido aquí como las más recónditas verdades del alma de cada hombre. Ambos mundos constituyen dos aspectos de la acción dramática, que el diálogo, atento a su diversa naturaleza, debe abarcar. Sólo así el diálogo dejará de ser un elemento superficial, divorciado de la acción, «*que aluda a sentimientos, pasiones o conflictos morales supuestos por el autor y que, en verdad, están ausentes de la escena y del alma de los personajes*».

Desde la perspectiva actual, las observaciones de los Machado nos hacen pensar en un médico que, después de descubrir la enfermedad de su paciente, quisiera curarlo cambiándolo de habitación. Porque, bien mirado, el diagnóstico es exacto y el sentimiento machadiano acerca de la disociación entre la acción y la palabra en el teatro de su tiempo podría tomarse como base para alzar un lúcido juicio contra la mayor parte de la dramaturgia española contemporánea. Ahora bien, ¿por qué, ante el divorcio entre la palabra y la acción dramática, depositar en la primera el «rescate» teatral en lugar de preguntarse si aquel divorcio no ha surgido de su impotencia como instrumento único de la «mayeútica freudiana»? Esa «psicología moderna, cavando en el subconsciente», ¿no nos habrá planteado la necesidad de contar con medios y signos de expresión más complejos que la explicitud de los conceptos? ¿No postula indirectamente el texto de los Machado lo que hoy llamamos la «organicidad» de un diálogo o una palabra cuando se refiere

261

al «segundo aspecto o elemento» de las formas dialécticas? ¿No se nos está hablando, tanto en la encuesta como en *El gran climatérico*, de un tipo de palabra que, llegado el caso, pueda responder a una verdad interior, en nada equiparable a la lógica coloquial o a la exaltación genérica de los sentimientos? ¿Pero qué palabra puede ser esa; cuándo será el momento en que nos haga falta; qué criterios tenemos para entenderla, dado que no posee un valor general y es inseparable de la situación en que se pronuncia?

Quizá hemos llegado al punto clave en el análisis de la teoría teatral machadiana: la ausencia de un concepto, a menudo desatendido en el teatro español, y una de las causas de su general insinceridad; me refiero al de situación dramática. Todo el debate de Mairena en favor del soliloquio, del monólogo, y, en suma, de la palabra, como instrumento de revelación, quizá se frustra al no encarar la «expresión» de la situación dramática, a través de la cual puede, por ejemplo, descubrirse que el «comportamiento» de un personaje es mucho más dramático —contiene la verdadera acción— que su discurso verbal; o que el grito o el silencio pueden alumbrar como no lo harían las palabras, en la situación propuesta, de un personaje determinado, esas «recónditas verdades del alma» que tanto importaban a Machado para salvar al teatro de su trivialidad.

Es interesante relacionar la contradicción machadiana que supone rechazar el «teatro verbalista» a la vez que se define la dramática como «un arte literario» con su desprecio a la expresión cinematográfica. Quizá la torpeza y la insensibilidad ante las imágenes, cuanto hay en esta actitud de «negación visual» —es decir, de incapacidad para acceder a una poética que escapa de la formulación literaria y nos propone formas concretas de representación—, de confusión del cine con el espectáculo gratuito o la barraca de feria, podría ayudarnos a entender por qué, tanto en la respuesta de los dos hermanos al periódico madrileño como en las afirmaciones de Antonio a través de su Juan de Mairena, existe esa especie de rodeo y vuelta a la literatura.

Por lo demás, si uno piensa en lo que ya era el cine en los años 33 y 35 y en lo que ha sido después, no será arriesgado señalar la ceguera —literalmente hablando— de nuestros dos escritores en este punto. Ceguera que les lleva a subvalorar tanto la expresión cinematográfica como la expresión teatral, puesto que si la primera es bastante más que movimiento, también el hecho escénico es bastante más que literatura.

De esta mezcla de ceguera y exigencia sale una teoría teatral contradictoria.

Toca ya preguntarse por la parte de Manuel y de Antonio en toda ella porque es seguro que algunas ideas de la declaración al periodista —buenas o malas— eran comunes. Pero otras tenían su matiz personal.

Importa, desde luego, tener en cuenta que Antonio Machado, dos años después, se atreve a poner en boca de Juan de Mairena mucho de lo que antes apareció firmado por él y por Manuel. Lo que quiere decir que el texto anterior era fundamentalmente suyo.

Conviene también recordar que en el no pronunciado discurso de ingreso en la Academia[23], y a cuenta de «Don Juan Tenorio», Antonio Machado hacía esta afirmación, tan contraria a la concepción puramente literaria del arte dramático y, por tanto, de gran interés para ver hasta qué extremo estuvo siempre atrapado por el problema:

> Yo quisiera que dejásemos a un lado la literatura, que importa mucho menos de lo que vosotros creéis, y viéramos qué elementos estéticos contiene esa obra tan amada del pueblo y tan despreciada por los doctos.

¿Dejar a un lado la literatura? ¿Qué elementos —por tanto, no literarios— contiene? Una vez más, sentimos a Antonio Machado bordeando una verdad poética con la que nunca llegará a encararse

En cuanto a la posición, en solitario, de Manuel Machado, Manuel H. Guerra[24] cita un texto enormemente expresivo:

> Séanos permitido, sin embargo, lamentar la desaparición del verso en el teatro, ya que la necesidad de rimas y rimar el diálogo tenían, entre otras, la ventaja de dificultar la aparición de mucho comediógrafo mediocre y la de mantener en toda su pureza la condición de nuestra historia literaria.

---

[23] *Los complementarios...*, ed. cit., pág. 128.
[24] *Teatro poético-Poesía dramática*, de Manuel Machado, citado por Manuel H. Guerra, *ob. cit.*, pág. 43.

La afirmación va más allá de cuantas hizo Antonio a propósito de la condición literaria del arte dramático. Antonio hablaba del diálogo y del monólogo; Manuel habla del verso, y sus palabras —por más que también escribió: «*Si el teatro no es poético no es nada. Pero teatro poético, no lírica aplicada al teatro*»—, desprovistas de la tensión que tenían las de Antonio o las que firmaron ambos en el treinta y tres, nos remiten más que a un «teatro de la palabra» a un teatro de la «belleza literaria».

Volveremos, al final, a reconsiderar las figuras de Antonio y de Manuel. Pero conviene decir aquí que si Antonio no escribe solo ninguna obra dramática, Manuel, después de su separación, escribe y estrena —exactamente en el Teatro Principal de Zaragoza, el 12 de octubre de 1944— una obra titulada *El Pilar de la Victoria*, exaltación de la Virgen del Pilar, de la jota aragonesa, y de una concepción «folklórica» —y pongo la palabra entre comillas porque en otros casos no expresa este degradado populismo— que define el autor en versos como estos:

> Cantares de España,
> cantares que nacen
> porque quiere Dios
> como sangre y vino en la pura entraña,
> tierra y corazón.
> Cantares que guardan
> sabor de romero,
> cantares de luz
> que dicen la plata de los olivares
> y de las naranjas
> y el oro. Cantares
> del campo andaluz...

¿Qué tiene que ver todo esto con la «mayeútica freudiana»? ¿A dónde han ido a parar esas verdades recónditas del hombre que el teatro debía alumbrar?

Conviene tener presente a estos efectos que en versos como los que acabamos de transcribir se encierra la ideología fundamental de *La Lola se va a los Puertos*, obra firmada por los dos hermanos, y quizá su mayor éxito. Lo que supondría que la personalidad de Manuel Machado, desatada ya y en libertad cuando escribe *El Pilar de la Victoria*, está actuando y pesando decisivamente cuando trabaja con Antonio en *La Lola se va a los Puertos*.

Pero cortemos aquí las consideraciones, no vayamos a caer en cualquiera de los males que Machado asigna a la crítica y, muy concretamente, el de advertir «no lo que hay en las obras de arte, sino lo que falta en ellas», o «pretender imponer al público sus preferencias o aversiones»[25]. Mi propósito era señalar, a partir del contenido de la teoría teatral de los Machado:

1. Sus contradicciones internas, por cuanto se rechaza la preceptiva vigente, se aspira a la expresión de una verdad más honda, y jamás se cuestiona el mito del verbo. De las situaciones dramáticas se habla poco —cuando son ellas las que condicionan la significación de la palabra— y se confunde el valor de la imagen, tan importante en toda la historia del teatro, con el espectacularismo o la cinética de barracón.

2. El acrecentamiento de tales limitaciones en los dramas, por cuanto la presencia de Manuel Machado subraya —y no hay más que leer su poesía— el carácter externo y verbalista de la obra. Lejos de encontrarnos ante una dramaturgia que ejemplifique las tensiones de la teoría de Antonio Machado, nos encontramos ante un teatro escrito en colaboración, que, a menudo, niega el carácter insumiso de aquellas tensiones.

3. Naturalmente, estas desarmonías entre Antonio y Manuel, expresadas en el plano de la poética dramática, traducen una distinta concepción y sentimiento del mundo.

Por lo demás, la incapacidad de Antonio Machado para resolver el problema que con tanta agudeza se planteó, no debe sorprendernos. Se trata de un fenómeno que pertenece a buena parte de los autores españoles, del 98 y de después. Antonio Machado no podía ser una excepción. Su inteligencia los rebela contra el aparato teatral español, pero el medio no les permite conocer y seguir el profundo movimiento de renovación escénica —es decir, teatral— iniciado en Rusia a finales de siglo, en el que se cuestionaban las relaciones entre el personaje y la palabra, el personaje y la acción dramática, el actor en tanto que ser humano concreto y el personaje que interpretaba, entre el texto y el comportamiento... Una historia que ha dado muchas vueltas por el mundo y a la que sigue aún reacia buena parte de nuestro teatro moderno.

---

[25] De las manifestaciones del 33. (Ver nota 18.)

Si leemos las seis críticas que Enrique Díez Canedo dedicó a los correspondientes estrenos[26] de los Machado —la última obra, *El hombre que murió en la guerra*, pese a escribirse en 1928 no se estrenó hasta 1941, cuando ya Antonio había muerto y Díez Canedo era uno de tantos vencidos en nuestra guerra civil—, encontramos frecuentes frases que reflejan la existencia de un prejuicio favorable. Estaban nuestros escenarios ocupados a menudo por obritas de consumo, sin más pretensión que divertir con el enredo o emocionar con el melodrama, mal escritas, tramposas, ante las que el bueno de Díez Canedo —el mejor crítico teatral español con que contaba la prensa de la época— se desahogaba con comentarios generalmente agudos e irónicos. En ese cuadro, era forzoso que el nombre de los Machado apareciera en los carteles como una garantía y que el crítico adoptara, como hizo frente al teatro de Azorín, una posición preestablecidamente admirativa.

Esto último explicaría en parte, a mi modo de ver, el desconcierto que ha seguido después. Frente a la libertad y contundencia de otras críticas de Díez Canedo, las dedicadas a los Machado están revestidas de un molesto envaramiento, de un retoricismo solemne, obscuramente acomodado al espíritu de los textos que se considera obligado a defender.

En cuanto a la convivencia autoral de dos personalidades tan distintas como las de Antonio y Manuel, es obvio que a Díez Canedo tiene que hacerle pensar más de una vez. Y así, por ejemplo, la crítica de *Las Adelfas*, tercera obra de los hermanos, comienza con estas afirmaciones:

> Un verso de Antonio Machado, en su *España, en paz*, me ha dado siempre la más cabal definición del poeta: «dos ojos que avizoran y un ceño que medita». No es necesario el ceño, sino la meditación a frente serena; ni únicamente los ojos, sino todos los sentidos han de estar avizores, despiertos. ¿Y el corazón?, preguntarán los amantes de la poesía a lo romántico. El corazón escande el ritmo, lleva el compás de la poesía.

Manuel y Antonio Machado se encuentran poseedores de los

---

[26] Enrique Díez Canedo, *El teatro español de 1914 a 1936*, editorial Joaquín Mortiz, de México, vol. II, págs. 137 a 157.

más vivaces sentidos, de la más serena mente poética con que se enorgullece hoy nuestra lírica. Y al concertarse para escribir sus obras dramáticas, las cualidades del uno refuerzan las del otro; pero se diría que el entendimiento ordenador, el «ceño que medita», empuña la dirección de la empresa.

De un lado, pues, se formula la teoría de la «colaboración perfecta»; del otro, al crítico le nace la necesidad de buscar la personalidad dominante. Y, en definitiva, Díez Canedo no ve o escamotea la tensión de las tres primeras obras de los Machado, provocada por el choque entre el conflicto interior de los protagonistas y las concesiones al «teatro poético» de la época. Quizá entre el «ceño que medita (Antonio)» y el que lleva «el compás de la poesía (Manuel)».

Volveremos sobre este punto al hablar de las distintas obras, pero es aquí donde toca decir que resulta imposible concluir en nuestros días, tras la lectura de la dramaturgia machadiana, que no existen en ella esas «escapatorias líricas de las que tanto abunda nuestro teatro en verso» [27], elogio de Díez Canedo que, por infundado, nos sirve más para condenar la inmensa mayoría del «teatro poético» de la época que para defender el teatro de los Machado.

De los versos de *Juan de Mañara* llega el crítico a decir [28]:

> Tienen, con su severa elegancia, con su claro fluir, con su sonoridad nunca liada a efectos de relumbrón, en que la palabra es vestidura exacta del pensamiento jugoso, noble siempre, acerado, a veces, su delicadísima expresión en más fuertes latidos, tienen lo que sólo se puede concentrar en un vocablo de que se abusa mucho: raza. Nunca en versos modernos fue menos visible la imitación, más evidente la alcurnia. Los versos y el corte mismo del drama, saltando por encima de la fogosidad de nuestro romanticismo, van a entroncarse con los de aquel teatro clásico, tan lozano aun en su olvido, que no es maravilla verle retoñar en brotes como el de *Juan de Mañara*.

Juicio éste que nos interesa recoger para señalar hasta donde el nombre de los autores —especialmente el de Antonio— determinaron un tipo de crítica, cuyas estimaciones y cuyo len-

---

[27] *Ob. cit.*, de la crítica de *Desdichas de la fortuna o Julianillo Valcárcel*, pág. 139.
[28] *Ob. cit.*, pág. 142.

guaje resultan sorprendentes en un hombre serio como Díez Canedo.

Distinto es el caso de, por ejemplo, las valoraciones que Alfredo Marqueríe hizo del teatro de los Machado. El que fuera, durante casi un cuarto de siglo de postguerra española, el más influyente de nuestros críticos, afirmaba en un Homenaje a Antonio Machado, celebrado en julio del 51, dentro de un curso para extranjeros [29]:

> Antonio nos legó, en unión de su hermano Manuel, el tesoro literario de siete comedias que gozaron del favor del público y la estimación de la crítica, siete comedias, que por su fondo patético, su calidad literaria, su emoción y su interés, figuran con justicia a la cabeza de la creación teatral contemporánea.

Elogio que, a mi modo de ver —y no olvidemos el antagonismo que existe entre el pensamiento de Díez Canedo y el de Marqueríe, y, por tanto, su también opuesta relación ideológica con el derrotado Antonio Machado—, está dicho con una sinceridad liberada del coactivo respeto con que formula el suyo Díez Canedo.

Por lo demás, éste último nos habla en sus críticas de estrenos triunfales, cuyo ambiente nada tiene que ver, pongamos por caso, con el de los escasos y difíciles de un Miguel de Unamuno, autor por el que Antonio Machado expresó su admiración más de una vez, y con cuyo teatro uno podría creer que el de este último debería guardar cierta afinidad. Recordemos el estreno de *La Lola se va a los Puertos* [30]:

> El público se mostró sensible a las finas cualidades de La Lola; sobre todo, cuando el halago de la rima perfecta, sustituyendo al asonante que campea de ordinario en la obra, le recrea el oído con viveza mayor. Así, las escenas centrales del acto segundo fueron una sucesión no interrumpida de murmullos y

---

[29] *Homenaje a Antonio Machado*, Segovia 1952, pág. 43. Este juicio favorable contrasta con la severa opinión del mismo crítico ante los autores del 98, a los que calificó en otro lugar de agónicos y minoritarios. ¿Sería Antonio, aisladamente considerado, el «minoritario»? ¿Implicaría la presencia de Manuel una cualificación radicalmente distinta del teatro de los dos? ¿No supone eso tanto como decir que el teatro de «los» Machado es mucho antes de Manuel que de Antonio?

[30] Díez Canedo, *ob. cit.*, págs. 150 y 151.

aplausos, que cortaban la representación para reclamar la presencia de los autores. Éstos, en el acto primero y en el último, recogieron también desde el proscenio aplausos unánimes; pero el éxito culminó en las ovaciones del segundo.

¿No es ésta la imagen perfecta de un teatro de comunicación epidérmica, de exaltación retórica y regocijo cultural? ¿No está mucho más cerca la idea de «recrear el oído» de la personalidad de Manuel que de las preocupaciones de Antonio por la relación entre diálogo y acción dramática? ¿No nos recuerda el testimonio de Díez Canedo —¡esos aplausos cortando la representación para reclamar la presencia de los autores!— la ceremonia de las «grandes noches» de estreno de nuestro teatro más palabrero?

La defensa, pues, de este teatro parece acordarse más con los gustos del público teatral español —es decir, la pequeña burguesía que aclamó *La Lola se va a los Puertos*— que con la personalidad crítica de Antonio Machado. Y más justo, por tanto, resulta que lo defiendan quienes han sintonizado con los intereses de ese público que quienes los han combatido[31].

Caso digno de mención es el de Manuel H. Guerra[32], autor de un fervoroso libro dedicado al teatro de los Machado. Se examina en el libro la teoría teatral que hemos expuesto en el epígrafe anterior y luego se busca su reflejo en cada obra. Por ejemplo, de la defensa que hace Antonio Machado de los apartes y monólogos se deduce la conclusión de que allí donde aparezcan tales formas expresivas se está cumpliendo con la teoría. Lo que conduce a una solución puramente mecánica del problema. Lo importante es la función, el sentido último, de este preconizado monologuismo en orden a la revelación de la realidad. Es el conjunto de los elementos lo que

---

[31] La defensa que hace Antonio Machado del público, no cuadra —ateniéndonos a otras de sus afirmaciones— con la composición social del público teatral español. Antonio Machado habla a menudo del público como una entidad «popular», cosa que no corresponde al carácter de pequeño burgués de nuestros espectadores. Una lectura de los textos políticos de Antonio Machado nos coloca ante una visión democrática de la cultura totalmente opuesta a la presión ideológica y económica ejercida sobre el teatro español contemporáneo por una clase social.

[32] Su libro, tantas veces citado, propone juicios muy discutibles, pero está siempre muy bien informado.

cuenta, la relación profunda que exista entre ellos, su capacidad para potenciar una poética. Al no afrontar esta cuestión, el trabajo de Manuel H. Guerra se queda, a mi modo de ver, en una apreciación externa, que contribuye, sin embargo —por la minuciosidad de la información— a sentar la idea de la adecuación entre la teoría y la práctica. Al margen, ya digo, de presentar ambas como el resultado de una armónica colaboración fraternal, en lugar de preguntarse —y esto es imprescindible si queremos hablar de armonías y disonancias— lo que es de cada uno.

Modernamente, Francisco Ruiz Ramón[33] se habría planteado muy correctamente el análisis de este teatro. Por lo pronto, la presencia de Manuel Machado rebajaría ya en gran medida el valor mítico del binomio. La lectura estaría, por tanto, más liberada del viejo prejuicio. El paso de los años habría establecido los criterios necesarios para contemplar los textos sin el tácito cotejo con los excesos de otras obras de la época. Hoy no leemos el teatro histórico de Marquina ni el de Villaespesa y resulta bastante irrelevante el hecho de que el teatro de los Machado no incurra en los mismos defectos. El problema es otro: se trata de preguntarnos qué lugar ocupan los dramas de los Machado en el teatro español moderno, aunque —y esto no deja de ser muy significativo— tengamos que atenernos a la lectura, ausente como está ya de nuestros escenarios. Se trata, en fin, de asomarnos a su posible valor real, de afrontar sus tensiones interiores y de preguntarnos si esas tensiones estilísticas no reafirmaban, en los años veinte, la diferencia radical entre los dos hermanos. La paradoja de una colaboración familiar que no podía ser ni ideológica ni artística.

Las personalidades de Joaquín y Serafín Álvarez Quintero se confundían. La historia, en cambio, no ha hecho sino separar más y más a Antonio y a Manuel. Ruiz Ramón, que, en sus juicios sobre las obras de otros autores, coincide con Enrique Díez Canedo, se distancia aquí radicalmente del excelente crítico de la preguerra. Y así, en su libro afirma:

> No es el teatro poético de los Machado ni valioso como drama ni grande como poesía. Siendo Antonio Machado el más

---

[33] *Historia del teatro español*, vol. II, Madrid, Alianza Editorial, 1971, págs. 73 a 79.

grande poeta de su tiempo y uno de los más hondos de nuestra lírica, y siendo Manuel un excelente poeta, en el teatro de ambos ni innovaron ni renovaron, ni, manteniéndose dentro de una concepción tradicional del teatro, crearon una forma dramática valiosa en sí.

Esta es, me parece —salvando, quizá, el juicio sobre la poesía de Manuel— la opinión que hoy suscribirían buena parte de nuestros hombres de teatro.

Lectura de siete obras firmadas
por Antonio y Manuel Machado

1.—«*Desdichas de la fortuna o Julianillo Valcárcel*» *(1926)*

Antes de analizar el verso, el tema, el argumento o la poética, importa descubrir ese centro —¿se refería a él Antonio cuando hablaba de la «dialéctica de los humores»?— desde donde el autor crea su mundo dramático. ¿Y cuál es el centro, o la substancia prima, en el caso de esta obra? Es un centro irreal, hecho de literatura y de una reminiscencia cultural bien distinta al enfrentamiento con la vida.

Cuando uno lee la poesía de Antonio Machado siente a cada paso que las emociones son sinceras, que la tarde, la encina y el camino están ahí, invadiendo y expresando al escritor. Y, en seguida, invadiéndonos a nosotros mismos, haciéndose parte de nuestra realidad. En cambio, ¡qué lejos estamos todos de este Julianillo Valcárcel, quizá porque está escrito con una sola de las dos formas dialécticas que Antonio preconizó! Anda por medio una concepción «artificiosa» del teatro, un sentido de la «composición» que nos distancia más y más de los autores. Se diría que los Machado juegan, cogen el verso y la historia, el drama romántico y ciertas ideas vigentes sobre el «teatro poético», y escriben una obra como quien fabrica un mueble de líneas airosas y funcionales. El público aplaude. Los críticos escriben sus elogios. Pero, significativamente, no habrá nuevos públicos; porque el teatro de los Machado —mientras se multiplican las ediciones de la poesía de Antonio— dejará de representarse, abandonado ya al dudoso mundo de los «doctos».

271

Si leemos la crítica de Díez Canedo, nos encontraremos con su eterno esfuerzo por aplaudir a los dramaturgos procedentes de otros campos literarios. Andaba nuestro teatro ramplón y pobre, y la presencia de autores como los Machado tenía que ser saludada como una «dignificación» de la escena. Ninguna zafiedad en su obra. Ningún melodramatismo pueril. Un sentido del equilibrio entre el argumento —que no la acción dramática— y la palabra. Una ausencia de cursilería y aun de esa patriotería nostálgica que tantas veces se mezcló a nuestro moderno «teatro poético». Sobre todo, cuando era histórico. Pero de esa pulcritud a la creación de un teatro asentado en la vida ¡cuanta distancia!

Y no es, quizá, que el verso en sí mismo lo impida. Más de uno ha defendido modernamente el verso como elemento más expresivo que la prosa para estilizar una imagen acoloquial y profundizada del mundo. El problema no estaría, pues, tanto en el hecho de que *Desdichas de la fortuna o Julianillo Valcárcel* sea un drama escrito en verso, como en el concepto que del verso teatral tienen en España cuantos pertenecen a la corriente que impulsa esas obras. El verso se liga al evasionismo del drama; es, en definitiva, un instrumento más de su artificio, un factor en esa reducción del teatro —¡tantas veces practicada!— a ornamento y fábula, a historia contada con bellas y frondosas palabras.

Inútil buscar en este Julianillo, convertido en noble, el choque auténtico de sus dos realidades, la de su juventud de pícaro y la de su madurez tediosa y regalada de cortesano. El conflicto está, desde luego, literalmente expresado, por cuanto que constituye en sí mismo el móvil del drama. Pero su concreción y desarrollo vivencial descansa en una historia de amor totalmente anecdótica; bastaría que Julianillo se hubiera enamorado de su esposa noble, en lugar de recordar siempre a Leonor, su compañera de juventud, para que el conflicto se redujera considerablemente o que desapareciera del todo. Es decir que, en última instancia, no estamos —dramáticamente hablando, y con independencia de esta o aquella frase de caracter general— ante un choque de valores sino ante un conflicto personal totalmente aislado y excepcional. Incluso podríamos añadir que esta «excepcionalidad» del caso es la que parece justificar tácitamente su dramatización, excluida del propósito teatral la posibilidad de que el espectador descubra en el drama significaciones generales que correspondan al análisis dramático de una época o de un medio.

Vale la pena detenerse un momento en la dedicatoria. Dice:

> A Jacinto Benavente.
>
> A usted, querido maestro, dedicamos la tragicomedia de Julián Valcárcel, por el benévolo interés con que usted —el creador de todo un teatro— leyó esta humilde producción nuestra; por el generoso elogio que hizo usted de ella, antes de que fuese representada, y en testimonio de una vieja amistad y de una admiración sin límites.

Quizá este texto podría ayudar a aclarar nuestro punto de vista. Porque la obra pertenecía a un concepto del teatro que teóricamente suscribían Benavente, Antonio y Manuel Machado, unidos en la dedicatoria. Unión seriamente cuestionada por la obra individual y por la historia de cada uno. Antonio murió en Colliure, exiliado, después de comprometerse claramente con los ideales de la República; Manuel Machado murió tranquilo, académico y respetado en la España nacional, y Benavente escribió feroces artículos ultraderechistas cuando acabó la Guerra Civil. Dicen que para hacerse perdonar sus veleidades republicanas en la etapa pasada en Valencia, en plena lucha civil; quizá, en última instancia, para que no le fueran tomadas en cuenta una serie de cosas entre las que esta dedicatoria del exiliado Machado podía ser una más[34].

Hoy ya no es posible leer *Desdichas...* como si siguieran «unidos» los Machado y Benavente. Ni dejar de pensar que el convencionalismo de la obra pertenece a un concepto del arte y del drama que no corresponde al compromiso vital y literario de Antonio Machado, a su lucidez de testigo, a su pasión por hacer de la palabra un instrumento revelador.

Desdichas... es un teatro construido con la cartilla de la carpintería teatral en la mano. Es un teatro sabio, pero al que falta todo lo que caracteriza, sea cual sea su estilo, al gran teatro: su valor de revelación, su capacidad para transmitir una manera de sentir y entender la realidad, su carácter de testimonio de una existencia y de las circunstancias que la con-

---

[34] *Treinta años de teatro de la derecha*, de José Monleón, Tusquets Editores, Barcelona, 1971, págs. 53 y ss.

forman. En la obra de los Machado no se lucha por conseguir una poética de la vida, sino por servir, con el mayor talento posible, una convención preestablecida, propia de un sector social que rehuye la confrontación con su realidad y ha inventado un teatro al que no pueden entrar, por repetir la frase de Casona, con toda la carga ideológica que ella presupone, los que sepan geometría.

Los versos de Antonio Machado quedan lejos. Su soledad. Ahora, los hermanos han de salir a escena y responder a los aplausos del mediocre público de estreno. Ese que permite a Antonio llevarse unos derechos de autor superiores a cuanto ha ganado con sus libros de versos.

1926. En España hay Dictadura.

2.—«*Don Juan de Mañara*» *(1927)*

Nueva versión de Don Juan, en busca de un discurso medular sobre el amor, la redención y la muerte. Don Juan toma conciencia de la corrupción de su «víctima» y decide dedicarle su vida. De ahí surge entre Don Juan y Elvira una relación áspera, sólo clarificada en las últimas escenas, cuando, poco antes de morir, Don Juan recibe la visita —o la visión— de su antigua amante, reconciliada con él definitivamente. El camino de santidad se ha cumplido. Don Juan es un hombre que dedica su tiempo y su fortuna a remediar a los pobres. Beatriz, su esposa después de la huida de Elvira, ha sido la gran derrotada, porque quiso a Don Juan como hombre y éste la trata como refugio y aun como parte de su penitencia. La obra abunda en digresiones marginales, ganados los propios autores por las «posibilidades musicales» del verso. En la parte final, la densidad y el interés del drama aumentan. Pero el debate que sostiene la obra —tan caro a la literatura española— se revela incompatible con su lenguaje y con su estructura. No olvidemos que este *Juan de Mañara* jamás es un drama de lances o de intriga. La fábula es primaria y está tratada descuidadamente. Importan las motivaciones de los comportamientos; o, más concretamente, el camino interior de Don Juan. Y a esa reflexión le va mal el verso y la actitud convencionales del «teatro poético» español. Todo se queda, en el peor sentido, en una «historia de amor» con final santo, en pugna con la posible meditación sobre el drama del donjuanismo.

3.—«*Las adelfas*» (1928)

Cuando uno comienza a leer la obra, piensa por un momento que los autores se han desprendido, al fin, de la convención del «teatro poético». Hay, en las apelaciones freudianas de un personaje —un doctor, que nos recuerda, por un momento, la idea de la «mayéutica freudiana»—, el planteamiento hipotético de un drama destinado a descubrir la realidad que esconde una fábula superficial. Pero, luego, la revelación resulta tan artificiosa que se convierte, simplemente, en otro plano más del mismo artificio: esta vez, el «artificio del teatro poético».

Si la escena española ha pecado tantas veces de verbalismo, de gusto por las palabras, desatendiendo la realidad de las situaciones, el subtexto de los personajes, el carácter revelador de los comportamientos, la armonía orgánica de la expresión, en este drama, por plantearse como una investigación sicológica, el error alcanza la categoría del paradigma. Pocas veces he sentido, en efecto, una mayor desarmonía entre el conflicto y su lenguaje teatral. Lo que explicaría el tono prosaico que, a trechos, llega a imponer el conflicto al lenguaje, hasta que los autores consiguen escapar de esta exigencia y entregarse a las consabidas expansiones líricas. La descripción que, en un momento dado, se hace de algo tan concreto y poco lírico como el plano de una finca, podría ser un buen ejemplo de esta contradicción entre la realidad y su falsa —considerando la situación dramática concreta —estilización verbal:

> Vea usted: verdecito el llano,
> porque es prado; azul el río;
> amarillos los trigales;
> bermejos los naranjales,
> y cándido el caserío[35].

¿Cómo no enteder, a partir de estos versos, que los autores

---

[35] *Las adelfas*, escena IV, acto II.

deriven la acción, una y otra vez, hacia momentos que permitan hilvanar la consabida lírica de los «amores andaluces»?

> ROSALÍA. ... Él me deseaba
> tan mala como yo era.
> Recuerdo que me llamaba
> —perdona— su Petenera.
> ARACELI. ¿La perdición de los hombres?
> ROSALÍA. Justo. En las coplas vulgares
> buscaba ejemplos y nombres.
> Gustaba de esos cantares
> donde se pulsa el bordón
> de la muerte; y un relato
> de amores de perdición
> acompañan a rebato
> campanas del corazón[36].

Las tensiones estilísticas y aun temáticas son, por tanto, muy profundas; porque se mezcla el sicoanálisis con la falsa copla popular, el deseo de interiorizar y dar una verdad a los sentimientos con las decisiones arbitrarias —sobre todo, las relaciones entre Araceli, la viuda que quiere descubrir las verdaderas causas del suicidio de su marido, y Salvador, el hombre que la ayuda en la investigación y de quien se enamora, son rematadamente convencionales y pueriles —que permitan llevar la obra por donde reclama el cliché «poético». El hecho de que Salvador aparezca primero como un hombre pobre y, al final, cuando Araceli lo acepta por nuevo marido, sea presentado como un archimillonario, no sólo resulta inverosímil, sino, lo que es peor y más significativo, está determinado por un consciente o subconsciente servilismo a los peores patrones de nuestro teatro pequeño burgués. Conviene, en fin, que los héroes sentimentales sean también ricos, para que la identificación del espectador sea en todo placentera; superando así a través de ella —y éste es uno de los secretos a voces del teatro benaventino— las menesterosidades ocultas de los sectores más débiles de la burguesía española de la época.

La historia, pues, bien planteada, se nos pierde, porque el «detalle» la acogota, y el deseo de darle al público lo que éste espera —final feliz entre personajes ricos— trunca el que pudo

---

[36] *Las adelfas*, escena IV, acto II.

haber sido primer drama de tema contemporáneo de los Machado. Y primera ocasión de aunar la acción y la palabra.

Esta posibilidad truncada explicaría, tal vez, los juicios favorables de Ruiz Ramón sobre la obra, y, sin que en el fondo exista ninguna oposición radical entre mi juicio y el suyo, mi sentimiento de que se trata del mayor fracaso, de la más clara oportunidad perdida, entre las obras en verso de los Machado[37].

4.—«*La Lola se va a los Puertos*» *(1929)*

Creo que ésta es la más armónica —que no la mejor— de las obras firmadas por los Machado. Al fin, el lenguaje se ajusta sin violencia a lo que se quiere contar, quizá porque la idea, las emociones y las palabras salen primordialmente de uno solo de los hermanos, Manuel[38].

Cabría, claro está, discutir la «teoría del cante» que personifica Lola, encarnación abstracta del viejo lenguaje popular. Cabría decir que esta abstracción encierra una idealización más propia de quien contempla el cante «desde fuera», como una obra «de arte», que de quien lo hace al compás de su vida.

En el fondo, los Machado caen aquí en una de nuestras tradicionales expresiones del populismo. Lola es magnificada y convertida en un símbolo, en una «conciencia artística»,

---

[37] Esta clara tensión entre la idea y la forma dramática de *Las adelfas*, explica el hecho de que se trate de la obra más debatida a la hora de intentar señalar la influencia de cada uno de los hermanos. Así, muchos críticos ven la raíz de la obra en unos versos de Manuel Machado:

> «Eres bonita y mala
> como la adelfa,
> que da gusto a los ojos
> pero envenena.»

Mientras, otros, como Ruiz Ramón, sostienen la decisiva influencia de Antonio, *ob. cit.*, pág. 76. Este debate, asentado en la contemplación de la poesía y la personalidad de ambos hermanos, no hace sino ratificar las contradicciones generales de la obra.

[38] De Manuel era el poema *Cantaora*, incluido en *Sevilla* y claro antecedente de *La Lola se va a los Puertos*. (*Poesía. Opera Omnia Lyrica*, de Manuel Machado, *ob. cit.*, pág. 229). En este mismo sentido se han pronunciado numerosos críticos. Por ejemplo, Eusebio García Luengo, en *Cuadernos hispanoamericanos*, XI-XII, 1949, pág. 669.

que suplanta la verdadera relación entre un hombre del pueblo andaluz y el cante como expresión de sí mismo y de sus circunstancias. Lola renuncia a su condición de ser vivo para transformarse en la «idea» burguesa del cante. Su vida tiene así cierto aroma sacerdotal, propio de quienes, en lugar de revelar sus creencias a través del comportamiento cotidiano, hacen de tales creencias una profesión, una vida separada de la vida de los demás.

La tesis —y en el caso del cante, sobre todo— resulta muy discutible. Porque si el cante popular andaluz ha llegado a ser algo definitivamente serio es por lo que tiene de expresión protagonista, de grito lanzado por quienes padecían el orden social, de crónica y testimonio de primera mano, antes que por cualquier desarrollo imbuido de voluntad estética. La Lola de la obra responde un poco a la falsa imagen que cierta flamencología ha creado del cante. Lola no puede enamorarse, ni equivocarse, ni mezclarse —¡Oh, la poesía!— en las luchas de este mundo. Ciertamente desprecia a los señoritos, pero no tanto por lo que representan en la vida social andaluza, como porque confunden el cante con la juerga y a las cantaoras con el sexo. El criterio último de la obra sobre este mundo aristocrático es mucho más sentimental que político: Don Diego, el padre, es un personaje zafio, y el hijo, José Luis, un personaje delicado, estimaciones ambas que vienen dadas por su distinto comportamiento ante Lola —empeñado el padre en hacerla su amante, en comprarla; enamorado el hijo en términos menos agresivos—, sin que ni por un momento se pregunten los autores acerca del papel de esta clase social en la gestación de ciertos aspectos amargos del cante. Lola es, por la gracia de sus autores, superior a cuantos la rodean, revestida de la dignidad sacerdotal de vivir exclusivamente para el cante. Con lo que vuelve a cumplirse uno de los axiomas de todo el pensamiento burgués español: separar el arte de la realidad, contemplar aquél como el fruto de una renuncia a los compromisos de esta última.

No es cosa de citar aquí una serie de textos de Alejandro Casona o de Jacinto Benavente, los dos autores que han explicitado con más éxito esta necesidad de disociar el arte de la vida, el sueño de las groseras exigencias cotidianas. Con cuya disociación han ido mucho más allá de cualquier abstracta consideración sobre la condición humana, reflejando, de un lado, la insatisfacción que a menudo ha encontrado la pequeña burguesía española en su realidad social conflictiva, y, de otro, el intento de esquivar ese malestar o de eludir la transformación de esa realidad, declarando llanamente que no había por qué meterla en las alforjas de la poesía. Más aún, que con esa carga era imposible ir artísticamente adelante.

El pobre Heredia, el guitarrista de la Lola, recibe en este sentido una severa admonición en la última escena. Enamorado de la «cantaora» durante diez años, por un momento parece que las circunstancias se han puesto de su parte; pero la reacción de Lola es fulminante: o acepta seguir en el sacerdocio del cante o deberá abandonarla. Dilema que Heredia resuelve aceptando el seguir al lado de la cantaora, cultivando su amargura con la guitarra, mientras ella se declara algo así como la virgen flamenca, el cante descarnado, el dolor de los demás y cuanto pueda concebir un intelectual incapaz de ver en el cante la voz de un protagonista que vive y sufre en una realidad determinada.

No es fortuito, en este sentido, que a Lola la veamos a lo largo de la obra rodeada de «clientes»; es decir, de las personas que pagan para oírla, sin que sepamos gran cosa —al margen de unas escasas referencias al modo como conoció a Heredia— de su pasado, de su medio, y aun de cómo es su presente cuando no está pendiente de su clientela.

No es difícil aventurar que la obra ha sido escrita, precisamente, por alguno de esos clientes, que sólo conoce a Lola en su manifestación «profesional» y en el modo de defenderse para no acabar en la cama con quienes le pagan para que cante. De la «realidad» que subyace en la verdad social de ese cante, de la vida no profesional de Lola, de eso no se nos habla en la obra, encuadrada como está en un mundo que la «cantaora» no desvela a sus clientes.

Mis ideas sobre la obra no son, pues, en este sentido nada entusiastas. Y, sin embargo, es preciso reconocer que, en tanto que propuesta dramática, se trata de la primera obra de «los» Machado en la que no parece haber grandes tensiones entre lo que quiere contarse y el lenguaje dramático empleado. Lo que, teniendo en cuenta los razonamientos anteriores, quizá debiera servirnos como un elemento más para descubrir la naturaleza de este «teatro poético». Si la forma de *Juan de Mañara* o *Las adelfas* se revela profundamente opuesta a las peticiones más serias de los conflictos planteados, en *La Lola se va a los Puertos* no sucede otro tanto, simplemente porque la «concepción del cante» asumida —muy cuestionable, según hemos tratado de explicar— se ajusta a la «concepción del teatro poético» (identidad fondo-forma) que caracteriza al drama. Es decir, porque esta descarnación del cante, a través de la figura de Lola, esta sustitución de las situaciones por las estampas, del comportamiento orgánico por la gesticulación, de la realidad por el mito idealista, cuadra perfectamente a una estética que ha hecho del verso un elemento sonoro y un pastiche sentimental.

La paradoja sólo es, por tanto, aparente. *La Lola se va a los Puertos* resulta, creo, la primera obra teatral de «los» Machado que merezca esa calificación sin reservas formales. No porque sea una gran obra — ¿cómo no recordar algunos versos de Manuel Machado dedicados al cante, concebido como la «revelación» abstracta de una noche? ¿cómo no pensar también en el poema que previamente Manuel le había dedicado a la Lola, y concluir que estamos ante una obra que pertenece casi totalmente al menos valioso de los dos hermanos?[39] —sino porque se concreta a través de una coherencia estética entre una concepción del mundo popular andaluz y el lenguaje dramático con que esa concepción se hace patente.

5. —«*La prima Fernanda*» (1931)

Es evidente que *La prima Fernanda* aspira a algo más serio que *La Lola se va a los Puertos*. Ni se trata de una simple tragedia romántica ni de una contemplación populista del medio andaluz. Hay en la obra un fondo de fuerte carácter testimonial sobre la vida política española. Corbacho es la expresión de un izquierdismo oportunista, cargado de frases para la galería, pero dispuesto a pactar cuando la derecha —pagando su precio— lo solicita. Bien mirado, Corbacho

---

[39] Esta versión «exterior» del cante la expresa muy bien un poema de Manuel Machado, *ob. cit.*, pág. 181.
> A todos nos ha cantado
> en una noche de juerga,
> coplas que nos han matado.

es el gran antihéroe de la obra, aceptado y despreciado por quienes ven en su demagogia un instrumento que deben aprovechar para conseguir o mantener el poder. La peripecia de Corbacho no deja de hacer pensar a un español de nuestros días. Opuesto a una decisión gubernamental que hubiera implicado la entrega de ciertas riquezas nacionales al capital extranjero —en combinación con el capitalismo español, dispuesto a sacar su parte en la operación—, la actitud de Corbacho no sólo origina su destierro, sino la puesta en marcha de un golpe militar destinado a «salvar a España»[40] y, «de paso», los intereses del grupo capitalista. El que el desterrado Corbacho, pasado algún tiempo, sea invitado a colaborar en el nuevo gobierno y lo acepte en los términos en que lo hace, cumple la función de completar una amarga visión de la vida política española[41]. Visión, por lo demás, que no resulta novedosa para quienes sigan hoy los entresijos de la política internacional y las dependencias económicas que determinan tantas veces el cambio de los regímenes. Quizá donde la intención de la obra sea ambigua sea en la calificación rotunda que se hace de Corbacho, pues al no tener su oportunismo ninguna réplica, viene

---

[40] *La prima Fernanda*, escena X, acto II.

DON BERNARDINO.	Yo monto a caballo. Esto no se puede tolerar.
	(Gesticulando indignado.)
	Leonardo.
LEONARDO.	¿Qué?
DON BERNARDINO.	Es el momento.
LEONARDO.	*(Contestándole maquinalmente.)*
	¿De qué?
DON BERNARDINO.	De salvar a España.
	¿No recuerdas?
LEONARDO.	Sí recuerdo.
FERNANDA.	*(A Leonardo.)*
	¿La ruina?
LEONARDO.	La ruina acaso.

[41] A Corbacho no le interesa otra cosa que el poder y su palabrería revolucionaria es el camino que ha elegido para conseguirlo. Pensemos que la obra se estrena en abril del 31, a los pocos días de proclamarse la República... ¿Cómo es posible que un acontecimiento político de ese calibre no remodelara decisivamente una obra como *La prima Fernanda?* ¿Corresponde la amargura de la obra al momento histórico del estreno? En todo caso, la ambigüedad y el pesimismo del drama —ataque a la oligarquía y a Corbacho, como alternativas igualmente nefastas— son evidentes y conducen a un sentimiento fatalista opuesto a la vida española de aquellas fechas y al pensamiento político de Antonio.

a presentarse ante el lector o espectador como el único representante —vergonzoso representante— de un campo ideológico que resulta, así, globalmente ridiculizado.

Denunciar a los Corbacho es una tarea necesaria. Identificar, automáticamente, al personaje con la izquierda, un punto de vista esgrimido a menudo por nuestro pensamiento reaccionario: el político de izquierda, según este pensamiento, es una especie de patán, de ser desprovisto de «clase», cuya zafia avidez de poder es preciso soportar como signo de los «nuevos tiempos». Se alterna con él, se le invita, pero el clan sabe muy bien que es un extraño, con aires de «nuevo rico», a quien conviene tener cerca para poder controlarlo. Reflexión que me lleva a pensar que la denuncia de Corbacho está hecha en *La prima Fernanda* mucho antes desde la perspectiva conservadora que desde cualquier asomo de autocrítica de la izquierda.

Afrontar la literatura política de la obra plantea una serie de consideraciones, no por obvias, irrelevantes. La fundamental sería señalar que el verso se acopla perfectamente a los parlamentos retóricos del demagogo, a sus tiradas efectistas, mientras se hace prosaico, se rebela contra su naturaleza originaria, cuando intenta ser reflexivo y analítico. Lo que, en definitiva, y a través del personaje satirizado, nos lleva, contra la voluntad de los autores, a descubrir una vez más los límites de esta poética —y, como decíamos, no es sólo el hecho de escribir en verso lo que la caracteriza, sino un tratamiento de la realidad, un concepto del drama, que se ensamblan con aquél— cada vez que quiere traspasar el esquematismo de la anécdota. Es un teatro, por decirlo con otras palabras, que tiene algo de «lenguaje de Corbacho» y que se frena y se vuelve contra sí mismo cada vez que intenta sustituir el trazo lineal por la profundización en personajes y situaciones.

Si contrastamos la figura de Corbacho con la de los demás personajes centrales del drama —con Leonardo y Fernanda, sobre todo— descubriremos en seguida su distinto relieve y adecuación teatral. Corbacho, figurón y demagogo, encuentra a menudo los versos exactos que lo definen; Leonardo y Fernanda resultan, en cambio, penosamente trivializados a través de un lenguaje que reduce a anécdota —siguen juntos o se separan— sus complejos sentimientos.

Es muy significativo en este sentido el esfuerzo de los autores por confiar a la acotación la reacción que es imposible descubrir en el verso[42]. Quisieran que el comportamiento de los personajes respondiera a una verdad, a un intimismo, totalmente incompatibles con el lenguaje que emplean. De ahí esa lucha eternamente perdida, esa forzada prosificación o exaltación del verso según las necesidades momentáneas; de ahí la contradicción de querer renunciar al verso mientras se le sigue utilizando, inútil para la expresión orgánica, fastidioso para la sinceridad, lastre que molesta pero que, a la vez, facilita la coartada de las bellas palabras musicales. Expresión máxima, en fin, de ese verbalismo característico de la escena española, tantas veces antidramático por depositar toda su verdad en la retórica.

6.—«*La duquesa de Benamejí*» (*1932*)

Se veía llegar. La tensión entre el verso y el prosaísmo de las obras anteriores conducía lógicamente a sistematizar el hecho de que ciertas situaciones necesitaban la prosa, y otras, el verso. Así se plantea *La duquesa de Benamejí*, dejando la prosa para las escenas generales y guardando casi exclusivamente el verso para los encuentros entre el bandolero y la duquesa. Estructura que nos remite, antes que a las obras de

---

[42] En la primera escena, del acto I, por poner un ejemplo, aparecen las siguientes acotaciones:

(*Al levantarse el telón, Matilde se halla junto al gran ventanal de la izquierda mirando hacia el jardín. Leonardo, sentado junto a la mesita, hojea distraídamente un libro. Madrid, mayo. Las siete de la tarde. Los esposos no acostumbran a encontrarse solos a esa hora. Tras un largo silencio.*)

(*Esperando cada uno que el otro inicie o reanude la conversación.*)
(*Acercándose.*)
(*Rápido.*)
(*Picada.*)
(*Dulcificando.*)
(*Interrumpiendo.*)
(*Y queriendo, desde hace un rato, cambiar de tema.*)
(*Pausa.*)
(*Pausa y como recordando vagamente.*)
(*Burlón.*)
(*Pausa.*)
(*Burlón.*)
(*Largo silencio durante el cual ambos recaen en su preocupación, que es la misma, aunque por motivos distintos: la tardanza de Román Corbacho. Matilde va de nuevo a la ventana. Leonardo se pasea impaciente, hasta que el timbre del teléfono lo detiene junto a la mesa.*)

Lorca, donde el verso y la prosa aparecen por exigencias internas muy comprensibles y serias, a la estructura de nuestras zarzuelas, donde la acción discurre prosaicamente hasta precipitar los dúos y romanzas de la pareja protagonista, sujetos al énfasis de lo que constituye el verdadero objeto de la obra.

Con *La duquesa de Benamejí* se produce, pues, un cambio ambivalente en la obra teatral machadiana. De un lado, resulta positiva la conciencia de la distinta funcionalidad dramática de los lenguajes, y, por tanto, el abandono de una forma verbal que, por su rigidez, condicionaba y tendía a unificar la expresión de las situaciones y los propósitos más diversos. De otro, resulta decepcionante que esta conquista expresiva se ponga al servicio de una historia terriblemente convencional, digna de cuantos han cultivado la «españolada».

Con bandoleros, duquesas, soldados de la Fe y oficiales franceses de Angulema, puede, sin duda, escribirse un grandísimo teatro; lo que ya no es posible es escribir un drama ni siquiera aceptable si tan sugestivo material se supedita a una historia de amor del más descarado folklorismo. Pasen, incluso, los amores de la duquesa con el bandido generoso —Lorenzo Gallardo—; pasen ciertos tópicos que, por un momento, se encuadran y justifican en el pliego de cordel, en el romance popular, melodramático y expeditivo. Lo que ya no pasa es la arbitrariedad empalagosa con que el drama pretende hacer lógica, creíble, pequeño burguesa, la historia que cuenta. Falta

---

(Suena el teléfono. Leonardo descuelga de mala gana el auricular, pero en seguida se nota que la comunicación es interesante.)

(Cuelga el acústico.)

(Volviéndose rápidamente a Matilde.)

(Un poco inquieta y contestando evasivamente. Poco a poco se rehace y resiste serenamente el interrogatorio.)

(A quemarropa.)

(Sin desconcertarse.)

(Renunciando a preguntar más, convencido de que ella no le dirá nada leal contra Corbacho, y viendo que están en un perfecto desacuerdo sobre el particular.)

(En esto se oye en la antesala la voz de Román Corbacho y el criado.)

(En la puerta, separando al criado que iba a anunciarlo.)

Acotaciones que nos aclaran el deseo de construir una realidad psicológica, que se le escapa al verso. Y que descubren, una vez más, las tensiones del teatro machadiano. Si las acotaciones se armonizaran con el texto, cabría asignarles la función de «táctica oblicua», pero, tal como están, expresan más bien la necesidad de «crear» una acción dramática que nunca encontraríamos en el versificado diálogo.

por completo la distancia, la estilización declarada de la realidad, la poética que nos permita sentir la historia como una deformación legendaria de la verdad, como una «reescritura» practicada por la sensibilidad popular. Con lo que la obra se nos queda en una especie de romance de ciego escrito por un aristócrata, con una duquesa por heroína y una gitanilla por traidora —naturalmente, por celos—, que es algo así como cambiarle al pliego los papeles. Y que entra dentro de esa «aristocratización» de ciertos personajes populares —desde la Argentinita a Manuela Vargas, pasando por Pastora Imperio y los intentos nobiliarios de Lola Flores—, que quizá forme parte de la destrucción que nuestras clases dominantes han efectuado o intentado efectuar de la historia real del pueblo andaluz. Bandoleros, anarquistas, gitanos, toreros, cuantos han expresado radicalmente la realidad marginada del pueblo andaluz, han sido convertidos a menudo en héroes aristocráticos, dotados de «señorío natural», con la subsiguiente pérdida de identidad, y, lo que es más significativo, sirviendo de motivo para el desprecio indirecto de quienes, procediendo de ese mismo medio popular, no son capaces de «aristocratizarse». Idea ésta que ha llegado a calar en buena parte del pueblo andaluz y que constituye uno de los múltiples factores de su enajenación y de su general desclasamiento.

Si comparamos la Andalucía de *La duquesa de Benamejí* con la de García Lorca, las distancias son enormes. La mentalidad de los autores está más cerca de los hermanos Álvarez Quintero que de quien escribió *Mariana Pineda*, heroína que pertenece al mundo literario de la duquesa —aun cuando existiera en la realidad—, que también se enamora desastrada y melodramáticamente, que muere, y que, sin embargo, jamás se desvanece en su historia estrictamente sentimental. ¡De qué modo tan distinto están tratadas las muertes de Mariana Pineda y de Lorenzo Gallardo, pese a ser dos ejecuciones en las que las víctimas cuentan con las simpatías del dramaturgo! Y es que una está dramatizada por Federico a partir de la memoria subconsciente que guarda Granada de aquella muerte, mientras los Machado han sacado a su duquesa de la peor literatura andalucista.

Una comparación con *El horroroso crimen de Peñaranda del Campo*, de Pío Baroja, quizá, si no se juzga extemporánea, podría hacernos comprender muchas cosas. También en la obra de don Pío hay un condenado a muerte y se prepara una ejecución. También allí se plantea por un momento la falsa posibilidad de convertirla en un acto solemne. ¡Pero qué extraordinario talento el de Baroja para derribar la coartada litúrgica y poner al descubierto la profunda miseria de la ceremonia cruel! Alguien argüirá que Lorenzo Gallardo no es el pobre condenado de Peñaranda; pero es, justamente, lo que yo digo. Que siendo dos personajes del medio popular —rebelado cada uno a su manera, dispuestos ambos a pagar con su vida la gloria dudosa de las víctimas—, Baroja consigue descubrirnos la realidad del suyo, mostrar la aberración de la ceremonia —el hecho de que se descubra la inocencia del condenado y la ejecución se suspenda es el ardid de que se vale el dramaturgo para su revelación—, mientras los Machado mantienen hasta el final a su Lorenzo en la faramalla del heroísmo. Baroja, en fin, mancha la estampa y le pone el pie siniestro de un pliego de cordel, mientras los Machado hacen de la muerte de Lorenzo una página de heroísmo imperturbable y cupletero.

Se hace casi imposible pensar en Antonio Machado asistiendo a esta ejecución, entre festiva y operística, del bandolero. Recordamos los versos:

En la vieja plaza
de una vieja aldea,
erguía su horrible
pavura esquelética
el tosco patíbulo
de fresca madera...
La aurora asomaba
lejana y siniestra[43].

Y una vez más sentimos que el teatro de «los» Machado es mucho más de Manuel que de Antonio.

7.—«*El hombre que murió en la guerra*» (Estrenada en 1941)

Manuel Machado asegura[44] que la obra está escrita en 1928, es decir, el año de *Las adelfas*, y así se acepta por todo el mundo. El dato, sin embargo, sorprende, tanto si nos atenemos al estilo como al tema de la obra. Formalmente, es el único

[43] *Poesías completas*, de Antonio Machado, Madrid. Colección Austral, página. 52.
[44] Prólogo de *El hombre que murió en la guerra*, Buenos Aires, Colección Austral.

drama en prosa de los Machado, temáticamente, el más moderno y trascendente; ideológicamente, el más crítico, hasta el punto de asentarse en una reflexión que le serviría a Antonio para uno de sus textos políticos del 38. El clima polémico que acoge su estreno, en el 41, es otro factor en favor de la contemporaneidad del drama, cuya fecha real parece más ajustada a la de su estreno que a la de su redacción literaria. Como si fuera la «oportunidad histórica» de un texto teatral la que impone su estreno y establece su verdadera cronología.

El protagonista del drama es un ex-soldado de la guerra del 14-18 que renuncia a su personalidad de componente de una familia rica. Lo de menos es la anécdota, la estructura un tanto benaventina, la ingenua entidad de los personajes, factores todos ellos que rebajan lo que es idea fundamental de la obra: su voluntad de dar un testimonio histórico, de contemplar lo que la guerra produce en una generación; y, muy especialmente, el de su afán de romper con el pasado, entendido éste como el sistema de valores que hizo necesaria esa guerra.

La pretensión va más allá del simple pacifismo o de la condena moral de la violencia. Nuestro personaje —voluntario en la guerra— se enfrenta con una realidad biográfica que, en su conjunto, ha acabado por conducirle a una trinchera. Y allí mismo, al rechazar la situación concreta en que se encuentra, decide rechazar su biografía, es decir, la suma de lazos y obligaciones que le asignan un puesto específico en la defensa de esos valores ahora cuestionados. De tal manera que, aun cuando sobreviva físicamente, el personaje «muere en la guerra» para dar lugar al nacimiento de un «hombre nuevo», reacio a cualquier privilegio y deseoso de insertarse en el mundo de los «hijos de Nadie». En el mundo de los hombres disponibles para el cambio, desasidos de los bienes concretos que los vuelven sedentarios y conservadores. La familia y el amor aparecen como las más difíciles renuncias...

Si *La Lola se va a los Puertos* o *La duquesa de Benamejí* son obras que pertenecen claramente al mundo de Manuel, yo creo que ésta es, entre todas, la que está más cerca de Antonio[45]. Si no

---

[45] En el mismo sentido se pronuncia Eusebio García Luengo. (Ver nota 38.) ¿No contribuirá ello a que la obra parezca cronológicamente posterior? De hecho, habría una «cronología» ligada a las obras sustancialmente de Manuel, pareciendo así *El hombre que murió en la guerra*, que lo era de Antonio, posterior —al encuadrarla entre aquéllas— a su fecha real.

lo está más —y aquí sí cobra un valor especial la fecha del 28, en el sentido de apuntar que Antonio intervino más en las primeras obras que en las últimas— es por las ingenuidades de su dramatización, por las convenciones de su estructura, en cuyo capítulo, por las razones que se desprenden de cuanto vamos diciendo, quizá fuera donde pesara Manuel decisivamente.

En el trabajo que Antonio Machado escribió en el 38 para el Congreso de la Paz, puede leerse:

> Existen afectos humanos muy profundos, cariños paternales, filiales y fraternos que, aun confinados en los estrechos límites de la familia, son depósitos sagrados cuando no fecundos manantiales de amor. De ningún modo hemos de envenenarlos o contribuir a que se aminoren o extingan. Debemos confesar, sin embargo, que son insuficientes, no ya para asegurar la paz, la cual —digámoslo de pasada— es poca cosa en sí misma y, asentada sobre la iniquidad, muy inferior al estado de guerra, sino para asegurar la amorosa convivencia humana. Y no sólo son insuficientes, sino, tales como aparecen, negativos[46].

En una escena de *El hombre que murió en la guerra*, el protagonista afirma:

> La ternura y amor de una madre para su hijo. Los afanes y desvelos de un padre para guardar su prole, sus cuidados para educarla y formar su espíritu. Todo eso parece que honra a la especie humana, ¿verdad? Y, sin embargo, la guerra nos enseña que debe haber algo absurdo en todo esto...[47]

Paralelo ideológico que contribuye a aclarar la acogida un tanto reticente que la crítica madrileña dispensó a la obra, cuando se estrenó, ya en 1941. El drama, según explicaba Manuel en el prólogo, situaba la acción en el 28, en los años de la Dictadura, y el protagonista, en un momento dado, refiriéndose a la Primera Guerra Mundial, señalaba:

> Además, estos alemanes quieren ser amos del mundo, aspiración muy grande ciertamente, pero el mundo prefiere ser libre y eso es más grande todavía[48].

---

[46] *Los complementarios...* (ed. cit., pág. 223; publicado en *La Vanguardia*, de Barcelona, el 23 de julio de 1938).
[47] MIGUEL, escena IV, acto II.
[48] Acto II, escena III.

Datos que explicarían, en el contexto del 41, las reservas de una crítica, menos dispuesta que nunca a perdonar los tantas veces perdonados artificios del teatro machadiano; así, el crítico de *ABC* escribía:

> Adolece la obra de extensos monólogos, largas conversaciones y una acción lenta en la que se diluyen algunos aciertos de pensamiento y de frase[49].

Más reveladora resultaba la crítica de Antonio Obregón en el diario *Arriba*:

> Y hay que decir que en ella (en la obra) sólo se extrema ese eterno buen decir de los Machado, porque todo lo demás falta: acción, interés dramático..., teatro en una palabra. «El hombre que murió en la guerra» es una comedia discursiva, irreal, pacifista, con arreglo a un pesimismo y a unas blanduras que están muy lejos de este tiempo[50].

Los ataques del protagonista al viejo ideario conservador, más o menos representado en la obra por el personaje de Andrés («La guerra puede ser noble, santa...») acabarían de justificar el rigor crítico de quienes, sin embargo, aceptaban el menos que mediocre teatro español de la época.

En cualquier caso, y con independencia de ese parcial e interesado rigor, es evidente que estamos ante un drama en el que los habituales vicios de nuestro pequeño teatro burgués —verbalismo, sentimentalismo convencional, comportamientos lineales, párrafos moralistas, estructuración anecdótica...— casi consiguen ahogar el interés del tema latente. Lo que no excluye la consideración que podría cerrar este examen somero de las siete obras machadianas: valorar la presencia estricta de la prosa en la obra temáticamente más ambiciosa y socialmente más incisiva— y, por ello, juzgada severamente por los que aplaudieron *La Lola* o *La duquesa de Benamejí*— del teatro de «los» Machado.

Si el conjunto de la dramática machadiana fuera más consistente cabría, quizá, establecer determinados paralelos con la de García Lorca, donde también aparece a veces el verso ex-

---

[49] Diario *ABC*, Madrid, 19-4-41.
[50] Diario *Arriba*, Madrid, 19-4-41.

clusivamente, o el verso y la prosa, o la prosa. Pero así, no sería justo. Porque entre García Lorca y los dramaturgos Machado existirá siempre la diferencia que separa a un poeta dramático de un poeta que escribe dramas[51].

Conclusiones sobre una colaboración difícil

La lectura de los siete dramas firmados por los Machado nos revela una serie de tensiones estilísticas que son reflejo de la distinta personalidad de los hermanos. Debatir la acomodación de este teatro a la teoría declarada en el 33, y rubricada luego por Juan de Mañara (es decir, por Antonio), quizá sea tarea imposible, porque no tenemos clara la aportación de cada uno de los hermanos ni a la teoría ni a las obras.

En todo caso, según apuntábamos, hay razones para creer que la teoría es, fundamentalmente, de Antonio y la redacción de los dramas, sustancialmente, de Manuel. Con lo que la contradicción entre la teoría y la dramaturgia machadianas —que, por ejemplo, señala Ruiz Ramón[52]— sería sólo hipotética y más bien un nuevo elemento para reafirmar la opuesta personalidad de los hermanos.

Manuel H. Guerra, en cambio, no sólo tiende a presentar la teoría y la obra de nuestros autores como algo finalmente «común» —aunque, a veces, reconozca que Antonio fue el principal inspirador de la teoría—, sino que se afana en subrayar:

1) El interés por el teatro de los dos hermanos desde mucho antes de escribir sus obras, lo que presupondría algo así como un común aprendizaje.

2) La creación de una dramaturgia acomodada a la teoría.

Transcribo un párrafo del libro de Guerra por lo que tiene de resumen de la posición tradicional:

La actividad teatral de los hermanos Machado, anterior a sus obras originales, es muy importante para el estudio de su obra dramática. Esta preocupación por el teatro... confirma no

_____

[51] Prólogo de José Monleón a la edición de *Yerma*, de García Lorca, por Aymá, Barcelona, Colección Voz e Imagen.
[52] *Ob. cit.*, págs. 73 y ss.

sólo su temprano y mantenido interés por dicho arte, sino también su preocupación por la teoría dramática en su aspecto práctico y la fuente viva de su inspiración en este campo. Sus primeras actividades dramáticas constituyeron un período de aprendizaje que precedió a la creación de sus obras originales y que continuó mientras escribían sus propias comedias, de acuerdo con sus personales conceptos y principios dramáticos[53].

Se hace, pues, necesario considerar algunos datos de ese previo interés de los Machado por el teatro. Así, en el caso de Antonio, nos encontramos, según el testimonio de su hermano Joaquín, con que si bien entró en la Compañía de María Guerrero, sólo estuvo en ella una brevísima temporada y se marchó «porque el mundillo entre bastidores le repugnó lo suficiente para no pensar nunca más en ser actor»[54].

En cuanto a experiencias autorales en solitario, Antonio Machado no escribió ninguna verdadera obra dramática, destinada a su representación, a menos que, atendiendo a su montaje por La Barraca[55], consideráramos *La tierra de Alvargonzález* una propuesta parateatral.

En cambio, Manuel Machado sí que había escrito teatro. De 1894 era una comedia titulada *Tristes y alegres*, escrita en colaboración con Enrique Pradas, y de 1904, la titulada *Amor al vuelo*, escrita esta vez en colaboración con José Luis Montoto. El propio Manuel H. Guerra escribe acerca de esta obra:

> La comedia, escrita en prosa, emplea más de una vez los apartes y, con ese tono ligero y lírico que caracteriza al estilo de Benavente, termina con una copla: «¿Amé al vuelo? Sí, señor, / y de mi amor no recelo. / A veces, amando al vuelo, / la mujer ama mejor.» Por supuesto que el tema en que un chico encuentra a la muchacha que le conviene en esas o parecidas circunstancias no es del todo original, y existen muchas comedias que ofrecen personajes y situaciones semejantes. Rosario, por ejemplo, la heroína de Martínez Sierra en *Sueño de una noche de agosto*, se parece mucho a Soledad...[56]

---

[53] *Ob. cit.*, pág. 57.
[54] *Ob. cit.*, págs. 188-189.
[55] *La tierra de Alvargonzález* fue un espectáculo en homenaje a Antonio Machado presentado por La Barraca en su Décimo Itinerario, en la primavera del 33 (*La Barraca y su entorno teatral*, publicado por la Galería Multitud de Madrid, con motivo de una exposición).
[56] *Ob. cit.*, pág. 77.

La presencia del magisterio benaventino y la relación de la obra con el teatro de Martínez Sierra quizá explique ya muchas de las tensiones posteriores de los dramas machadianos, tanto considerados en sí mismos como en relación con las teorías de Antonio, alzadas contra un teatro coloquial e insignificante, estructurado sobre artificiosas confidencias, al que, sin duda, pertenece la escuela de don Jacinto.

Si nos preguntamos por la obra dramática individual posterior a su etapa de colaboración, nos encontramos con el silencio de Antonio frente a *El Pilar de la Victoria*, pieza patriótica, devota y en verso, de Manuel, a la que ya nos hemos referido con anterioridad.

Si cotejamos la poesía de un hermano con la del otro, descubrimos abismales diferencias de forma, de sensibilidad y de visión social.

Si nos atenemos a la posición de los hermanos a partir del 36, volvemos a hallarnos ante dos personalidades muy distintas, que se expresan, en el plano literario, en trabajos ideológica y formalmente opuestos. Mientras Antonio escribe artículos a favor de la República, y no sólo condena nítidamente el alzamiento militar[57], sino que elabora un concepto popular de la política y la cultura, Manuel ensalza entusiásticamente a los conductores del frente nacional.

Incluso los hermanos Álvarez Quintero se convierten en un sintomático campo de batalla. Y así, mientras Antonio había dicho a Unamuno en una carta:

> Lo terrible del teatro es la labor de los cómicos. Ellos traducen lo que usted hace a sus tópicos declamatorios y apenas hay obra, como no sea una ñoñez de los Quintero, que no deshagan[58].

escribe ahora Manuel en un poema-epitafio con motivo de la muerte de Serafín:

---

[57] Ver especialmente «Madrid, baluarte de nuestra guerra de Independencia» (Valencia, 7-11-37), el «Discurso a las Juventudes Socialistas Unificadas» (1 de mayo de 1937), el discurso «Sobre la defensa y la difusión de la Cultura», pronunciado en la sesión de clausura del Congreso Internacional de Escritores (los tres trabajos incluidos en *Abel Martín, Cancionero de Juan de Mairena*, Buenos Aires, Losada, y la serie de artículos publicados en *La Vanguardia*, con el título de «Desde el mirador de la guerra», y recogidos en el capítulo VI de *Los complementarios...*, Buenos Aires, Losada.

[58] Carta a Unamuno de 15-1-29 *(Los complementarios...*, ed. cit.).

Por encima del Mal y de la Muerte
flota del Arte la divina esencia
y eterna es en el Mundo la presencia
del que en Belleza la Verdad convierte[59].

No creo que valga la pena insistir sobre este punto. *Los complementarios* y *Abel Martín* están llenos de páginas de inequívoca significación política, radicalmente incompatible con lo que por entonces escribía Manuel[60]. ¿Cómo, entonces, entender su colaboración teatral? Como la de una colaboración circunstancial, más gobernada por el afecto y los intereses familiares que por la tarea intelectual compartida. Y en la que Manuel debió llevar siempre la voz cantante.

Asombra, en efecto, que los grandes hechos de la vida política se produzcan sin ningún reflejo, ni siquiera humoral, en las obras, mientras Antonio escribe poesías definitivas sobre la sociedad castellana y el conflicto de «las» Españas, o manda cartas al desterrado don Miguel en las que le dice[61]:

> De política, acaso sepa usted, desde ahí, más que nosotros, los que vivimos en España. Aquí, en apariencia al menos, no pasa nada. Y lo más triste es que no hay inquietud ni rebeldía contra el estado actual de cosas. Las gentes parecen satisfechas de haber nacido. Nadie piensa en el mañana. Para muchos una caída en cuatro pies tiene el grave peligro de encontrar demasiado cómoda la postura. Yo, sin embargo, quiero pensar que tanta calma y conformidad son un sueño malo del cual despertaremos algún día...

¿Cómo entender *La Lola se va a los Puertos* y *La duquesa de Benamejí* como las dos obras «republicanas» de Antonio Machado? ¿Qué relación establecer entre el teatro de los Machado y el párrafo dirigido a don Miguel?

Quizá podría ayudarnos a entender mejor la cuestión el no olvidar las fechas de los textos teóricos invocados y de las obras dramáticas. *La duquesa de Benamejí*, el último de los dramas, sería del 32; del 33, el manifiesto común, y del 35, *El gran cli-*

---

[59] *Ob. cit.*, pág. 402.
[60] Manuel Tuñón de Lara, *Antonio Machado, poeta del pueblo*, Barcelona, 1967, y *Medio siglo de cultura española*, Madrid, Tecnos. 1969.
[61] Nota 58.

matérico, lo que, tal vez, implicaría que tales textos teóricos tenían más de autocrítica, de reflexión posterior —esencial para Antonio— que de poética paralela a las obras.

Tendría, pues, razón Ruiz Ramón al señalar[62]:

> En su teatro los hermanos Machado no sobrepasaron un discreto término medio, pues ni siquiera llegaron a realizar en la obra teatral sus ideas dramáticas.

Pero ello, al margen de los límites ya analizados de esa teoría, quizá sería la prueba decisiva de la diversidad creadora subyacente, del freno que para la «renovación» predicada por Mairena vino a suponer su colaboración con el benaventino y modernista Manuel Machado. Una colaboración rota y juzgada por Mairena bastante antes del mes de julio de 1936.

---

[62] *Ob. cit.*, pág. 75.

Consideraciones finales

Este capítulo está escrito en agosto del 75. Es decir, en un tiempo que no es el del 98, ni, tampoco, el de mediados los sesenta, cuando cayó sobre la escena española la protocolaria obligación de conmemorar el nacimiento de los noventayochistas. Es probable que si la materia del volumen fuera la literatura, yo mismo habría caído en la tentación de borrar tales diferencias, reescribiendo parte de los textos en función —inevitablemente— del tiempo en que me encuentro. Pero las características específicas del hecho teatral, unidas al enfoque decididamente histórico de este trabajo, han alejado esa posibilidad.

Quizá sea significativo que los trabajos dedicados a Benavente, Baroja y Arniches sean los que, sin grandes reparos, podría presentar como escritos ahora mismo, al tiempo que los de Azorín y los hermanos Machado. Cosa que no sucede con los distintos comentarios dedicados a la obra de Valle y de Unamuno. ¿Por qué?

Justamente, porque el estudio de su obra introduce conflictivamente la contingencia del «hecho teatral»; es decir, porque existe una relación abierta, no estereotipada, entre la propuesta literaria y los distintos factores poéticos, políticos y sociales que la han concretado como realidad teatral. Son dramaturgos no domeñados por ninguna receta escénica ni aclarados por ningún esquematismo elemental; están ahí, gravitando como una posibilidad incumplida, como una interrogación, frente a la cual —por no ser un teatro de «lo sabido»— descubre la sociedad española algunos aspectos medulares de su realidad y su proceso. Incluso a través de las concordancias entre las limitaciones creadoras del aparato teatral —nivel de las puestas en escena, capacidad y formación de los actores, régimen de ensayos, dotación técnica de los teatros, etc.— y la cultura de las clases rectoras.

Con Valle Inclán y Unamuno el teatro deja de ser una costumbre, un reencuentro con lo sabido, un sello cultural de clase, una diversión trivial, para transformarse en un acto vivo, en una confrontación artística reveladora. La cual presupone un ajuste dinámico, profundizador y renovado entre la representación y sus circunstancias históricas concretas; con la particularidad de que la imposibilidad de ese ajuste puede ser, con independencia de la frustrada comunicación artística, casi tan revelador como su logro, en la medida en que nos descubra los factores de todo orden que se oponen a él.

Aparece así un elemento, generalmente mal estudiado, por no decir ignorado, en buena parte de nuestras historias del teatro. Y en función del cual este libro renuncia decididamente a la metodología habitual de la crítica literaria —una ficha inamovible por obra o por autor— para asumir cuanto tiene el mejor teatro de hecho social, de acto fraguado comunitariamente, de comunicación viva e irrepetible. La inclusión de las críticas de algunos montajes de Unamuno y Valle aspira, precisamente, a subrayar el distinto valor, la línea de aceptación, de acomadación y de choque, que tales dramaturgos han alcanzado ante la sociedad española.

Hoy se puede dar una conferencia sobre Unamuno sin que, como sucedió en la mía con ocasión del Centenario de su nacimiento[1], se siente un policía al lado del conferenciante. Supongo, por tanto, que la aceptación o rechazo de sus obras sería también distinta. Y ahí está el caso concreto de José Tamayo, sustituyendo a la fuerza *Divinas palabras*, de Valle, por un sainete de los hermanos Álvarez Quintero, en el Español, mientras ahora estrena sin problemas, en el mismo Teatro Nacional, una versión de *Tirano Banderas*.

Si uno quisiera ordenar las connotaciones que dan un sentido preciso a los trabajos aquí reunidos tendría que escribir una nueva y vastísima obra. Tendría que repasar las miserables carteleras de los sesenta, quizá sólo un poco más miserables que las actuales, pero alzadas con un apoyo —de Alfonso Paso se dijo seriamente por entonces que era un nuevo Lope de Vega, a lo que respondió el comediógrafo escribiendo *El mejor mozo de España*, dedicada, con claras transferencias personales, a ensalzar el genio de Lope y vituperar la envidia de sus contemporáneos— que hoy sería decididamente imposible. Ten-

<hr>

[1] Dada en los Amigos de la Unesco, cuyo texto constituye el capítulo unamuniano de este libro.

dríamos que enfrentarnos con unos criterios de censura, cuya severidad hace buena la tan traída y llevada palabra de apertura.

Como es obvio que plantearse ese trabajo en función de este modesto volumen carecería de sentido práctico, he de suponer que el lector intentará hacerlo por su cuenta, viendo en las referencias inmediatas y en las fechas de los artículos antes la voluntad de testimoniar sobre la realidad cultural de una época —en la que tanto la materia juzgada como mis propios juicios están encuadrados— que la cómoda elaboración de un libro a base de lo ya escrito en periódicos y revistas.

En realidad, la historia social española del último período, y no sólo por la consabida falta de perspectiva, apenas si ha empezado a escribirse. Prima la secuela lógica de una guerra que sustituyó los conflictos de intereses y la lucha ideológica por la división entre vencedores y vencidos. En la hora inminente de intentar escribirla, de analizar los datos reales de la vida española de ese largo período, el teatro va a jugar un papel importante. Y al decir teatro no me refiero al escueto estudio de los textos, sino a la contemplación de las representaciones, de su relación con el público, de la posición de los críticos, de su éxito o de su fracaso, de las circunstancias que concurrieron, de las dimensiones subrayadas por las puestas en escena, de la interpretación última que el «aparato rector» quiso dar a cada espectáculo y de las posibles resistencias a esa interpretación.

El teatro es, además de arte, empleando una terminología muy en boga, un medio de comunicación social. Y la comunicación de un mismo texto es variable, no ya en función de su puesta en escena, sino en íntima relación con las circunstancias que inciden sobre su significado. Si *Divinas palabras* no pudo hacerse en el Español; si, en cambio, ha podido estrenarse ahora la versión de *Tirano Banderas*, y, todavía, no es posible montar *Los cuernos de Don Friolera*, se debe a que existe una clara correlación entre la resonancia de un drama y el momento en que se representa. Y, por seguir con el ejemplo, nuestros censores han debido pensar que la primavera del 75 no incorpora a *Tirano Banderas* las resonancias que en su día atribuyeron a *Divinas palabras* y que aún hoy se atribuyen a *Los cuernos de Don Friolera*. Las notas que precedieron al estreno, en el Bellas Artes, de *Luces de bohemia*, recordándonos que la acción dramática transcurría en un tiempo pasado, formularon tácitamente lo contrario de lo que decían. Si el gran drama de Valle no había podido montarse hasta entonces, y si el público de Madrid llenó durante meses el Bellas Artes, es porque, obviamente, el contexto aportaba una serie de significaciones críticas, con independencia de la época en que transcurre la acción del drama. ¿Y cómo podría hablarse de *Luces de bohemia*, en términos del teatro español de nuestros días, sin tener en cuenta estos aspectos?

Algunos piensan que esta posición es en exceso sociológica. Que hay «un» Valle, «un» Unamuno, o «un» Lorca, y que la obligación de los críticos es captar esa unidad. Allá ellos con su clarividencia. Porque yo creo que eso no es posible, que los valores estéticos y las interpretaciones ideológicas se establecen desde unas circunstancias dadas que cobran, en el caso del teatro, una importancia mayor a la que tienen en la simple literatura. ¿Por qué? Ante todo, por la gravitación comunitaria de los elementos contextuales inmediatos, que son los que completan y matizan la relación entre el espectáculo y el público, es decir, la comunicación teatral. Pero hay otra razón fundamental. Y es que, aun cuando el contexto histórico concreto altere su significación, la literatura, como signo, es inmutable, mientras que en el teatro el contexto no sólo altera la significación de una obra sino, a través de la puesta en escena, el signo mismo. Lo que pudiéramos considerar recepción de un texto por un lector, sólo es, en el caso del director ante el texto dramático, el punto de partida del trabajo teatral. El tipo de interpretación actoral, el tratamiento de los personajes, el estilo, la escenografía, la versión, la valoración de las situaciones, todo cuanto concreta lo que es propuesto a los espectadores, contiene ya, más o menos clara, una conciencia del aquí y del ahora que remodela el texto del autor. Porque adaptar a un clásico no consiste, como algunos suponen, en retocar el texto, sino en ordenar la totalidad de la expresión teatral —y el texto es sólo uno de sus elementos— en función de un pensamiento actual y recreador. Si, por ejemplo, comparamos la *Fuenteovejuna* que montó García Lorca con la versión colorista que se presentó hace unos años en el Teatro Español, nos daremos cuenta en seguida de la profunda incidencia de las circunstancias sobre la representación de una misma obra de Lope. Y ya que hemos nombrado a García Lorca, ¿qué inesperada luz sobre su muerte no nos arrojan las virulentas críticas de *Yerma* aparecidas en los periódicos de la derecha a raíz de su estreno?, ¿qué sorpresa no nos causan hoy tales textos, dominada como está cualquier aproximación actual a *Yerma* por el carácter lírico de su lenguaje?

Alzar frente a estas interrogaciones la definición «esencial» de *Yerma* no parece muy sencillo, ni siquiera, naturalmente, recurriendo a cuanto escribiera el autor acerca de lo que se proponía. Existe más bien una historia de las representaciones de *Yerma*, sometida cada una de ellas a una incidencia contextual que ha operado sobre los públicos y sobre las puestas en escena. ¿Cómo olvidar, por ejemplo, la noche del teatro Eslava en que, precisamente con *Yerma*, volvía Federico a un escenario español después de su muerte?[2] ¿Acaso el hecho de que la censura mandara guillotinar las páginas ya impresas del semanario *Triunfo* dedicadas a aquella *Yerma* no fue un reflejo exacto de cuanto la singularizaba en aquellas fechas?

Y nadie piense que el caso de Lorca, en razón a su asesinato, es un caso especial. Cuanto más, es un ejemplo límite de lo que sucede con todos los autores cuya obra sigue viva, es decir, incide reveladora y conflictivamente sobre una sociedad.

¿Qué público se interesaría hoy por el teatro de Benavente o Arniches, perdidas como están, a través de la evolución histórica, muchas de las claves correspondientes a emociones e ideas de la época? Perdidas, al menos, a nivel de público, aunque el estudioso las descifre.

¿Y qué decir del «superrealismo» de Azorín o el «teatro poético» de «los» Machado, obras fundamentalmente librescas, alejadas de la intrahistoria española? Obras que no «aclaran» el presente porque su mundo fue una convención dictada por la moda literaria, y, por tanto, una realidad en la que no podemos reconocer nuestro pasado. Quizá, y el futuro dirá si la paradoja es exacta, *El horroroso crimen de Peñaranda del Campo*, del titubeante y marginal dramaturgo Pío Baroja, valga por muchas docenas de comedias aplaudidas y olvidadas.

Esta concepción sociológica del teatro —entendido como algo de naturaleza distinta a la de la literatura dramática— es la que ha operado siempre en mi trabajo crítico y es la que me lleva, para ser consecuente conmigo mismo, a de-

---

[2] Tuvo lugar el 3 de octubre de 1961. Dirección de Luis Escobar, con Aurora Bautista en el personaje de Yerma. Aquel mismo día se estrenó una mediocre obra en otro teatro madrileño y la crítica, pretextando que *Yerma* era una reposición, acudió en su mayoría a ver el estreno.

jar muy clara la relación entre los juicios y el momento preciso en que se fraguaron. De ahí, como apuntaba en las líneas prologales, el título: *El teatro del 98 frente a la sociedad española*; y de ahí, también, las fechas y referencias que precisan de qué sociedad española y de qué momento histórico hablo.

Algún día, quizá pronto, Valle y Unamuno serán dos dramaturgos rebasados. Como lo son ya Benavente, Azorín, «los» Machado y buena parte de Arniches. O quizá —como ha sucedido con Lorca— la verdad de sus interrogaciones los salve y lleguen a conocer la adecuación poética de sus dramas a otras épocas. En cualquier caso, sea cual fuera el destino teatral de estos hombres del Noventayocho, lo que yo he querido ha sido registrar lo que fueron y cómo lo fueron, o lo que no fueron o no les dejaron ser, en el teatro español, ante la sociedad española, durante una etapa determinada. Implicando en el debate una serie de argumentos que no sólo intentan explicar el destino social de su teatro sino, en cierta medida, la condición airada, sumisa, o, como en el caso de Baroja, perpleja, de esa obra dramática.

Fecha de los trabajos

£3.20.